OGRÓD

SEKRETÓW

I ZDRAD

AGNIESZKA KRAWCZYK

OGRÓD SEKRETÓW I ZDRAD

FILIA

Wydanie I, Poznań 2023

Projekt okładki: Mariusz Banachowicz
Zdjęcia na okładce: © Ildiko Neer/Arcangel
                              © Kumer Oksana/Shutterstock

Redakcja: Katarzyna Wojtas
Korekta: Agnieszka Luberadzka, Jarosław Lipski
Skład i łamanie: Dariusz Nowacki

ISBN: 978-83-8280-618-2

Grupa Wydawnicza Filia sp. z o.o.
ul. Kleeberga 2
61-615 Poznań
wydawnictwofilia.pl
kontakt@wydawnictwofilia.pl

Wszelkie podobieństwo do prawdziwych postaci i zdarzeń jest przypadkowe.

Druk i oprawa: Abedik SA

CZĘŚĆ I

Warszawa, 2019 rok

ROZDZIAŁ 1

*Palais fatal**

Kiedy zadzwoniła komórka i wyrwała ją ze snu, Róża musiała sobie najpierw przypomnieć, gdzie się właściwie znajduje, bo nie rozpoznawała tego miejsca.

– Przysięgam, to już ostatnia taka impreza – obiecała solennie w duchu, ale miała niejasne wrażenie, że się powtarza.

Podobnie było dwa tygodnie temu, kiedy galeria zorganizowała aukcję nowej sztuki. Licytacja zakończyła się tak niespodziewanie dobrymi wynikami, że musiały wraz ze wspólniczką to uczcić i zabawa trochę wymknęła się spod kontroli. Teraz akurat wolumen sprzedaży zupełnie ich nie zaskoczył – na aukcji mistrzów współczesności miały same pewniaki, mocne nazwiska i ciekawe prace, a Róża, jako licytatorka, dała z siebie wszystko, by jak najlepiej zaprezentować obiekty

---

* *Palais fatal* (fr.) – dosłownie: fatalny pałac, w znaczeniu – pechowy, złowróżbny.

i zachęcić kupujących. Poszły wszystkie pozycje z katalogu, a o kilka toczyła się naprawdę zacięta walka. Artyści zarobili sporo, galeria także zgarnęła swój procent – było zatem co świętować. Tradycyjna lampka szampana po zakończeniu transmisji internetowej aukcji zamieniła się w rajd po klubach i after party w mieszkaniu wspólniczki na przedmieściu.

To właśnie tutaj, na kanapie w salonie u Bei, ocknęła się Róża, obudzona ze snu telefonem matki. Bo to jej numer wyświetlił się na iPhonie.

– O matko – mruknęła, dosyć nawet adekwatnie, starając się sobie uświadomić, czy nie zapomniała o jakimś zobowiązaniu wobec rodzicielki. Umówiły się na dzisiaj? Śniadanie? Wspólne zakupy? Wizyta? Coś innego? Choć nie miała w zwyczaju uzgadniania spotkań na poranki po ważnych licytacjach, mogło jej się coś pomylić, bo przecież nikt nie jest doskonały. Odebrała więc z westchnieniem.

– Mam świetny pomysł – obwieściła matka radosnym głosem. – Dotyczący naszego jubileuszu. Mojego i babci Giny.

Róża ponownie nabrała głęboko powietrza. O nadchodzących urodzinach swoich i swej matki Dorota Jabłonowska mówiła nieustannie przynajmniej od paru tygodni. Miały odbyć się we wrześniu, a więc dopiero za kilka miesięcy, ale przygotowania toczyły się już dosyć intensywnie. Dorota uważała, że niczego nie wolno zostawiać przypadkowi, zwłaszcza że babcia miała prawie dziewięćdziesiąt pięć lat i „wszystko mogło się zdarzyć".

– Zamieniam się w słuch. – Róża postanowiła wykazać się entuzjazmem. Od pewnego czasu matka była zajęta wybieraniem lokalu na tę wyjątkową uroczystość i drobiazgowym ustalaniem listy gości. Córka przypuszczała, że chodzi właśnie o to.

– Nie wyjaśnię tego tak po prostu – oznajmiła tajemniczo matka. – Musimy się spotkać. Możesz do mnie przyjechać? Na przykład za godzinę?

– Mamo... – jęknęła Róża, przewracając oczami, choć oczywiście Dorota nie mogła tego zobaczyć. – Miałam wczoraj ciężki dzień. Aukcja mistrzów współczesności, nie pamiętasz?

– Ty co tydzień masz jakąś licytację – zbagatelizowała matka. – A nasz jubileusz jest wyjątkowy. Coś takiego organizuje się zapewne raz w życiu, a z pewnością już na taką skalę.

Uwzględniając zakres działań i ilość uwagi, którą Dorota temu poświęcała, było to bardzo prawdopodobne. W końcu chodziło o babcię Ginę, którą dziewczyna wprost uwielbiała. Starsza pani była bowiem ucieleśnieniem smaku, stylu i wykwintu, czyli wszystkiego, co można opisać określeniem „prawdziwej damy". Miała to we krwi, bo wywodziła się ze znakomitej rodziny, ale nigdy nie obnosiła się ze swoim pochodzeniem.

– Takie rzeczy nie są w dobrym guście i nigdy nie były, w każdym razie nie w towarzystwie – mawiała dobrotliwie, gdy wnuczka próbowała ją podpytać o dawne sprawy. Wiedziała od matki, że babcia Gina – a właściwie Georgina – była córką przedwojennego milionera z branży naftowej Augustyna Korsakowskiego i zubożałej baronówny, olśniewającej piękności tamtych czasów, Matyldy Mikanowskiej. – Cóż chcesz, takie mariaże zdarzały się wówczas nader często i nikogo to nie dziwiło ani nie szokowało – zamknęła sprawę małżeństwa swoich rodziców babcia.

Od matki Róża wiedziała, że pradziadek stracił majątek podczas Wielkiego Kryzysu, a jego piękna żona młodo zmarła.

– Babcia wcześnie została sierotą i nie lubi o tym wszystkim opowiadać – tłumaczyła Dorota. – Właściwie tylko z dzieciństwa zachowała szczęśliwe wspomnienia. Mieli wspaniały pałac, urządzony zachwycająco i ze smakiem, mój dziadek był właścicielem takiego samego cadillaca jak prezydent Mościcki, w ich domu spotykała się cała śmietanka towarzyska ówczesnego świata kultury i sztuki… Mama napomknęła mi, że kiedyś poznała samego Tuwima, ponoć deklamował jej swoje wiersze…

– Szkoda, że mnie nigdy nie chce o tym opowiedzieć – wzdychała Róża, zainteresowana artystycznym życiem tamtych odległych czasów. Sama zajmowała się sztuką. Była więc ciekawa, czy babcia znała jakiegoś malarza sprzed wojny: może Witkacego lub Leona Chwistka? To byłoby naprawdę wspaniałe dowiedzieć się o nich czegoś z pierwszej ręki. Tylko że babcia niechętnie wtajemniczała ją w cokolwiek, zazwyczaj zasłaniając się słabą pamięcią.

– To było tak dawno – wykręcała się. – Kto by to pamiętał, dziecko. Wszystko mi się już myli.

Babcia Gina od pewnego czasu mieszkała w domu seniora, który sama wybrała. Uznała, że tak będzie lepiej zarówno dla niej, jak i dla Doroty.

– Nie jestem niepoczytalna ani w żaden sposób ograniczona, wciąż trzymam się nieźle. Potrzebuję jednak fachowego wsparcia. Wszyscy będziemy spokojniejsi – oświadczyła, gdy córka zaczęła protestować, usiłując przekonać matkę do pozostania w jej domu. Róża wiedziała, że jest to nierealne. Mimo swojego wieku babcia lubiła wychodzić, spotykać się z ludźmi, a matka mieszkała w starej kamienicy, na trzecim piętrze, gdzie nie było windy. Bariery architektoniczne coraz bardziej ograniczały aktywność Giny, która stawała się smutna i przygaszona. Jedynym rozwiązaniem byłaby zamiana mieszkania, co z kolei nie wchodziło w grę ze względu na uwielbiającą to miejsce Dorotę.

Matka Róży była absolutnym przeciwieństwem jej babci. Nie przesadzając za bardzo, śmiało można ją było nazwać nieodpowiedzialną i postrzeloną. Co dziwne – mimo niefrasobliwego podejścia do życia – wszystko jej się w nim układało. Strategia odsuwania od siebie nieprzyjemnych decyzji i odkładania spraw do załatwienia na później lub – w najgorszym razie – spychania ich na barki innych w jej przypadku zawsze odnosiła spodziewany skutek. Rozwiązanie zazwyczaj jakoś się znajdowało, lepsze lub gorsze, ale bez zbędnych stresów. Dorota wierzyła głęboko, że przeważająca liczba kwestii nie wymaga w ogóle naszej ingerencji, bo zwyczajnie rozstrzyga się sama, wystarczy poczekać. Ta taktyka odnosiła efekty, więc nie zaprzątała sobie głowy rzeczami nieprzyjemnymi i zbyt zawikłanymi. Zawodowo także wiodło jej się lepiej, niż sama mogłaby sobie wymarzyć. Kiedyś, wiele lat wcześniej, przez zupełny przypadek przetłumaczyła dla pewnego wydawnictwa kryminał. Zrobiła to awaryjnie, w zastępstwie, bo ktoś nawalił. Wykonała pracę solidnie i terminowo, spodobała się i przez długi czas utrzymywała siebie, uczącą się wówczas Różę i babcię Ginę z tych zleceń. Żyły może bez szału, ale wystarczało im na wszystko. Potem Dorota wpadła na pomysł, że właściwie sama mogłaby pisać takie książki. Wyspecjalizowała się w obyczajowym dreszczowcu, przy czym z charakterystycznym dla siebie łutem szczęścia trafiła na odpowiedni moment i w krótkim czasie stała się poczytną autorką.

– Mam wrażenie, że los zawsze w kluczowym momencie klepie mnie po plecach i popycha w odpowiednią stronę – mawiała. – Dlatego wierzę w intuicję. Nigdy nie zrobię czegoś, przed czym ostrzega mnie głos wewnętrzny.

Teraz najwyraźniej głos wewnętrzny przed niczym jej nie ostrzegał, a wręcz przeciwnie – kazał jej wezwać córkę do siebie. Róża wstała z kanapy Bei i przeciągnęła się lekko. Przyjaciółka już nie spała, właśnie kręciła się po tarasie, przygotowując śniadanie. Róża z lubością wciągnęła zapach kawy.

– Cześć. Trochę wczoraj nas poniosło. – Wspólniczka uśmiechnęła się, gestem wskazując filiżankę, na co Róża z wdzięcznością skinęła głową.

– Mało powiedziane – mruknęła, siadając na rattanowej kanapie. Z tarasu roztaczał się zapierający dech widok na miasto. Beata, zwana Beą, inwestowała każdą złotówkę zarobioną w galerii w to mieszkanie. Było jej dumą i oczkiem w głowie i trzeba przyznać: miała się czym pochwalić. – Obiecałam sobie, że już koniec z takimi melanżami. Za stara na to jestem – dodała jeszcze Róża, sięgając po rogalika, a Bea wybuchnęła śmiechem.

– Jasne. Na żale to przyjdzie czas na emeryturze. Albo i nie, jak cię alzheimer dopadnie i nie będziesz pamiętać. Teraz trzeba używać, ile wlezie, póki mamy siły. À propos, żebyś nie zapomniała swojego obrazu. Taksiński byłby niepocieszony.

Róża obejrzała się na spore płótno, które mimo swojego niezbyt dobrego stanu z dużą konsekwencją niosła z jednego klubu do drugiego, aż dotargała je tutaj. Naprawdę cud, że go gdzieś po drodze nie zawieruszyła! No, ale to był w końcu Taksiński! Na aukcji mistrzów współczesności jego dzieła osiągały piękne ceny, a on podarował jej tę pracę lekką ręką, po prostu z wdzięczności, że tak dobrze prowadziła jego sprawy.

– Moim zdaniem on na ciebie leci. – Bea doszła do wniosku, że jednak posmaruje sobie rogalika miodem z lawendy, który przywiozła z Prowansji, zatem odłożyła konfitury i sięgnęła po drugi słoik.

Róża poruszyła ramionami.

– Nawet jeśli, to nie jestem zainteresowana – odburknęła.

– Szkoda. To byłaby niezła reklama dla naszej galerii.

– Akurat. Chciałaś powiedzieć: antyreklama. Zaraz by zrobił jakąś dramę i wystraszył nam klientów. To niepoczytalny wariat. Jeśli chcesz wiedzieć, pilnowałam tego obrazu jak oka w głowie od momentu, gdy mi go wczoraj wręczył, bo nie jestem wcale pewna, czy mu się nie odwidzi i czy mi nie każe go oddać. Wyobrażasz sobie, co by to było, gdybym go gdzieś posiała? Wytoczyłby mi proces i wsadził do więzienia.

– Prawda. On jest nieobliczalny, to rzeczywiście ryzyko. – Bea ziewnęła, zamykając tym samym temat popularnego malarza. – Co zamierzasz dzisiaj robić? Może skoczymy gdzieś na obiad? Miałyśmy wczoraj tak świetny dzień, że warto by pociągnąć świętowanie dalej.

Róża pokręciła głową.

– Dzwoniła mama. Znowu ma jakieś przemyślenia w związku z jubileuszem.

Bea przewróciła wymownie oczami.

– To się nigdy nie skończy. Współczuję. Ale, ale! – Przypomniała sobie coś i sięgnęła do torebki, która jak zawsze wisiała na poręczy fotela. – Mam namiary na tę firmę eventową, która organizowała wesele mojej siostry. Nie uprzedzaj się. – Zamachała rękami, widząc pełen powątpiewania wzrok wspólniczki. – Oni się specjalizują właśnie w takich imprezach jak twoja: urodziny, chrzciny, bale i festiwale. Najlepiej na wolnym powietrzu.

– Jakoś tego nie widzę – przyznała Róża, odbierając wizytówkę. – To wszystko mnie przerasta. Matka zamierza z tego zrobić jakiś festyn roku, sprosić tysiące ludzi, marzy o oprawie niczym z filmu. Odbiło jej?

– Może potrzebuje zainteresowania? Wiesz, syndrom zamykających się drzwi? Chce po raz ostatni być królową balu? Pogadaj z nią, to się dowiesz. – Bea uśmiechnęła się, dolewając sobie kawy. Róża posłała jej pełne rezerwy spojrzenie.

Otrzymać od matki jakieś sensowne wyjaśnienia? Wolne żarty. Dorota była znana z tego, że zmieniała wersję zdarzeń tyle razy, ile uważała za konieczne, a właściwie – żeby dowolnie dopasować ją do okoliczności.

– Ja nigdy nie kłamię – zastrzegała się. – Po prostu nieco ubarwiam tę smutną i szarą rzeczywistość, by była bardziej fascynująca i oferowała jakiś suspens. W końcu na tym głównie zarabiam pieniądze, to mój żywioł.

Co do tego córka nie miała żadnych wątpliwości – w ulepszaniu prawdy jej matka była najlepsza na świecie. Na temat powodów odejścia jej ojca – co wydarzyło się, gdy Róża liczyła kilka lat – usłyszała kilka diametralnie różniących się od siebie relacji. Choć łączył je zawsze jeden element wspólny: jego zniknięcie było owiane wielką tajemnicą i stanowiło zagadkę w iście kryminalnym stylu.

Prawdy dowiedziała się dopiero, kiedy osiągnęła pełnoletność: była prozaiczna. Rodzice rozwiedli się, rozstając się nawet dosyć polubownie, bo bez długich procesów i walk w sądzie, a potem ojciec przeniósł się do innego miasta i tam założył nową rodzinę. Od córki odciął się definitywnie i nieszczególnie interesował się jej losem. Ona także nie zamierzała zmieniać tej sytuacji, skoro tak to się wszystko ułożyło. Kiedy ustaliła te fakty, nagle pożałowała, że nie została przy podkolorowanej rzeczywistości matki, w której ojciec znikał na skutek niesamowitego splotu okoliczności lub zaskakującego przypadku, niedającego się logicznie wyjaśnić. Może Dorota miała trochę racji? Szarość egzystencji zazwyczaj przytłacza. Czasami kusi nas, by przydać jej trochę kolorów, nawet kosztem pewnego naciągnięcia faktów i zmyślenia.

Wrzuciła podarowany obraz do taksówki i zadysponowała trasę do mieszkania matki. Tam wypakowała nieporęczne płótno i z pewnym westchnieniem wdrapała się z nim na trzecie piętro. Postanowiła na razie zostawić malunek tutaj – podjedzie po niego samochodem któregoś dnia, chyba że Taksiński jednak zażąda zwrotu. Wtedy od razu zaniesie pracę do nieodległej galerii. Tak będzie po prostu wygodniej.

– Cudownie, że jesteś. Co to za bohomaz? – przywitała ją matka, jak zwykle o tej porze dnia już po porannej sesji jogi czy pilatesu, ze starannie ułożonymi włosami i z makijażem. Róża podziwiała zawsze jej styl. Babcia

Gina miała klasę, ale Dorota z kolei niesamowity szyk. Ona sama czuła się przy tych dwóch kobietach jak zakała i nieudacznik. Niby na co dzień obcująca ze sztuką, wrażliwa i wyczulona, a nie było w niej za grosz obycia i wyrafinowania. Brakowało jej naturalnego wdzięku, dystansu i czegoś nieuchwytnie magnetyzującego, co zauważała w sposobie bycia matki i babci. I zazdrościła im tej iskry.

– To dzieło sztuki – burknęła więc w odpowiedzi na pytanie Doroty, która uniosła wymownie wzrok. – Taksiński. Podarował mi jedno ze swoich płócien, bo dobrze sprzedałyśmy go na wczorajszej aukcji.

– Pacykarz – wyraziła swoją opinię matka, zerkając na obraz. – To jest do niczego niepodobne. Ja może nie znam się na współczesnym malarstwie…

– To prawda. Nie znasz się – ucięła dyskusję córka i spojrzała na nią spod zmarszczonych brwi.

Dorota uznała, że należy zakończyć tę prowadzącą donikąd dyskusję.

– Mniejsza z tym. Jadłaś coś?

– Śniadanie u Bei. Przy okazji przekazuję ci od niej namiary na doskonałą firmę organizującą imprezy. Zajmują się wszystkim od A do Z. Rzecz warta rozważenia. – Podała matce wizytówkę, na którą ta spojrzała bez zainteresowania i z roztargnieniem.

– Znakomicie. Pójdziemy na lunch tutaj niedaleko, do ogródka. Otwarli świetną nową knajpkę. Właściciel jest czytelnikiem moich książek i…

Jasne. Róża mogła dopowiedzieć sobie resztę. Skoro restaurator był fanem dreszczowców matki, to ona miała tam z pewnością specjalne względy. A niczego nie lubiła tak bardzo, jak być traktowana w sposób wyjątkowy i ze szczególną atencją. Uśmiechnęła się wyrozumiale, ale Dorota zinterpretowała to po swojemu i lekko się zirytowała.

– Trzeba dbać o fanów…

– Oczywiście, niczego nie sugerowałam.

– Tylko to, że jestem próżna.

– Przesadzasz, mamo.

Zapadło niezręczne milczenie, jak zwykle po takim spięciu. Róża postanowiła je przerwać, mówiąc coś niezobowiązującego, ale Dorota wykonała bagatelizujący ruch ręką.

– Nieistotne. Po prostu chodźmy coś zjeść.

Córka skinęła głową. Gdy dotarły na miejsce, przyznała, że knajpce istotnie niczego nie można było zarzucić. Wyglądała klimatycznie i zachęcająco. Urządzona ze smakiem, ale bez ostentacji, obiecywała niezły posiłek. Właściciel ucieszył się na widok Doroty, wskazał im dobry stolik na niewielkim patio i zasugerował wybór potraw. Zdały się na niego.

– Mówiłaś, że masz jakiś pomysł związany z urodzinami – podsunęła Róża, gdy już zabrały się za główne danie.

Matka na chwilę odłożyła widelec.

– Z jubileuszem – podkreśliła, a córka lekko poruszyła ramionami. – Ja nie zamierzam obchodzić urodzin – dodała jeszcze, a Róża zerknęła z zainteresowaniem. To było coś nowego. Od kilku tygodni matka mówiła wyłącznie o tym, jak wspaniałą uroczystością będzie ta podwójna rocznica – obie z babcią urodziły się w tym samym miesiącu w odstępie zaledwie paru dni. Tylko że od pewnego czasu Dorota unikała ujawniania swego wieku. Róża zachodziła w głowę, jak zamierza wybrnąć z tego podczas imprezy. Babcia Gina kończy dziewięćdziesiąt pięć lat, a matka? Przyzna się do swojej okrągłej sześćdziesiątki czy też będzie usiłowała coś poszachrować?

– Myślałam, że ma to być feta na cześć was obu – ostrożnie rzuciła Róża, a Dorota przyświadczyła energicznym skinieniem głowy.

– Ależ będzie. Wymyśliłam znakomitą okazję. Już od dwudziestu pięciu lat jestem na rynku wydawniczym. Najpierw jako tłumaczka książek, a potem autorka. Czy nie uważasz, że to znakomity powód do świętowania?

Córka się zgodziła. Choć ten benefis wydawał jej się trochę naciągnięty, nie zamierzała protestować. W końcu to była uroczystość matki. To ona miała być zadowolona, a że nie zrezygnuje z imprezy, było więcej niż pewne.

– O tym mi chciałaś powiedzieć? – spytała więc córka. – Że to nie będą urodziny, a ćwierćwiecze działalności twórczej? – To ostatnie wymówiła z pewnym wahaniem, jakby zastanawiając się, czy to jednak nie jest żart ze strony matki.

Ta zaprzeczyła jednak gestem.

– Nie tylko o tym, choć to też ważne, bo uważam, że może mi się przysłużyć reklamowo, a w każdym razie tak uważa moja agentka. Na pewno da się z tego zrobić zgrabny materiał do wykorzystania w mediach.

– Bez dwóch zdań.

Matka uśmiechnęła się z aprobatą, a potem skubnęła nieco swej potrawy.

– Dlatego uznałam, że uroczystość powinna mieć szczególną oprawę. Jestem ci wdzięczna za znalezienie tej firmy eventowej, rzecz jasna ją sprawdzę, ale chodzi przede wszystkim o miejsce…

– Nie rozumiem – przyznała córka.

– To nie może się odbywać byle gdzie.

– Tak, już rozmawiałyśmy o wynajęciu sali w centrum. Skłaniałaś się ku któremuś z hoteli…

– Zmieniłam zdanie – przerwała jej matka. – To musi mieć rozmach. Wygląd, elegancję i odpowiedni efekt. Żadna sala restauracyjna nam tego nie zapewni.

– A co sprosta wymaganiom? – rzuciła Róża, pełna najgorszych przeczuć. Skoro matka specjalnie ją tu ściągnęła, zaprosiła na lunch, kroiło się niezłe przedstawienie. Gdzie to zamierzała zorganizować? Wynająć Teatr Wielki? Zamek Królewski? Przekonać władze miasta, by udostępniły budynek magistratu, który także mógł się pochwalić reprezentacyjnymi wnętrzami? Może jakiś park albo ogród? Na przykład Wilanów byłby tu niezłym rozwiązaniem, albo ogród botaniczny, o ile organizowano tam prywatne imprezy.

– Pałac w Łabonarówce – oznajmiła tymczasem Dorota, patrząc na nią triumfalnie.

– Coś mi świta, ale nie jestem pewna... – zaczęła Róża i lekko odetchnęła z ulgą. To nie wydawało się szczególnie ekscentryczne.

– Przypomnij sobie – zażądała matka. – To niemożliwe, żebyś nie pamiętała. Babcia często o nim opowiadała.

Ach, tak! Łabonarówka! Legendarna siedziba rodziny Korsakowskich, którą ojciec Giny kupił dla jej matki Matyldy. Wcześniej pałac był własnością jakiejś zbankrutowanej rodziny arystokratycznej, a Augustyn Korsakowski podniósł go z ruiny i w krótkim czasie doprowadził nie tylko do stanu świetności, lecz wręcz do rozkwitu. Jak mogła nie skojarzyć tej nazwy!

– Obecnie mieści się tam luksusowy hotel – wyjaśniła matka. – Jestem pewna, że organizują tego typu uroczystości.

– Kto jest właścicielem? – zainteresowała się Róża.

– Jakieś małżeństwo. Niezwińscy, o ile dobrze sobie przypominam. Przyjechali zza granicy i odkupili nieruchomość od państwa. Nie muszę ci mówić, w jakim stanie wówczas była. Praktycznie postawili ją na nogi po raz drugi. Tak, ta posiadłość wyraźnie nie ma szczęścia. Babcia często o niej mówiła *palais fatal*, bo wszystkim jej mieszkańcom przynosił pecha... – Matka zamyśliła się, co wykorzystał właściciel restauracji, żeby dolać jej różowego wina, które uwielbiała. Uśmiechnęła się do niego miło i aprobująco skinęła głową.

– Rodzina Korsakowskich nie chciała odzyskać Łabonarówki po wojnie? – Róża spożytkowała pauzę, żeby wtrącić coś od siebie.

Matka zaprzeczyła gestem.

– Nie miała już do niej prawa. Wspominałam ci, że dziadek splajtował podczas Wielkiego Kryzysu, pałac poszedł na licytację, jeszcze przed wojną. On sam…

– Co się stało? – podchwyciła Róża. – Wiem, że nie dożył okupacji.

– Załamał go krach. Po prostu odechciało mu się żyć. Był dużo starszy od Matyldy, chyba nie widział przed sobą perspektyw.

– Zabił się? – Róża słyszała tę historię po raz pierwszy, bo do tej pory opowiadało się o śmierci pradziadka dość lakonicznie.

Matka westchnęła.

– Ponoć strzelił sobie w głowę z pistoletu. Babcia Gina jeden jedyny raz mi wspomniała, że to ona go znalazła w gabinecie… Potem, gdy próbowałam do tego wracać, zawsze mówiła, że ta historia jej się jedynie przyśniła – dodała szybko, widząc zszokowany wzrok córki. – Trudno powiedzieć, co jest prawdą, bo ona miała wtedy zaledwie parę lat. Wielokrotnie próbowałam sobie to wyobrazić: wchodzi do pokoju, a tam na biurku kałuża krwi i broń, z której się jeszcze dymi…

Róża patrzyła na nią z niedowierzaniem i zaniepokojeniem.

– I naprawdę uważasz, że zorganizowanie jubileuszu w tamtym domu będzie dobrym pomysłem? – powiedziała z autentyczną zgrozą.

– Moim zdaniem to znakomity plan. – Matka upiła nieco wina ze swego kieliszka. – Tylko będziesz musiała tam pojechać i wszystko załatwić, bo ja nie mam czasu. Pracuję nad książką.

– Może najpierw pomówiłybyśmy z babcią? – podsunęła Róża, a Dorota się zamyśliła.

– Chyba masz rację – zadecydowała. – Pojedziemy do niej. To dobra myśl.

Róża odchyliła się na krześle i odetchnęła głęboko. Miała niejasne wrażenie, że zaczyna zagłębiać się w dziwny świat pełen dawnych sekretów i tajemnic. Jakby ktoś odkorkował starą butelkę perfum i z jej dna wydobył się zapach, o którym nikt już prawie nie pamiętał, ale który wciąż potrafił podrażniać zmysły. I przywołać historie, jakich istnienia nie podejrzewałoby się w najśmielszych snach.

ROZDZIAŁ 2

Adelajda

Georgina mieszkała w domu seniora Wrzosowy Zakątek.

– Nazwa może nieco pretensjonalna, ale opieka pierwsza klasa. Wszystko jak w angielskiej powieści: pledy w kratkę, herbatka z kropelką mleka o piątej i stylowe meble – zachwycała się Dorota.

Ośrodek kosztował sporo, ale było je stać. Odkąd galeria sztuki zaczęła zarabiać na siebie, Róża dokładała się solidarnie do utrzymania babci. Obie z matką nie chciały, aby jej czegokolwiek zabrakło. Dorota miała za złe swej matce, że ją opuściła i wybrała to miejsce – choć musiała przyznać, że okazało się bardzo wygodne i starsza pani nigdy się tu nie nudziła. Całodobowa fachowa opieka stanowiła duży atut. Gina zajmowała ładny pokój z widokiem na ogród, blisko windy i ogólnodostępnego saloniku, kiedy chciała, mogła wychodzić na zewnątrz, organizowano także wypady do miasta i na różne atrakcje kulturalne. Na miejscu ordynował lekarz, fizjoterapeuci i rozmaici rehabilitanci. Dorota doszła do wniosku, że sama nie dałaby rady zapewnić rodzicielce dostępu do opieki i rozrywek w takim zakresie.

– Pięknie tu. – Matka jak zwykle zachwyciła się, gdy podjechały pod obszerny, ulokowany na dużej działce budynek. – Jak już stanę się nieznośna, chcę tutaj zamieszkać. Pamiętaj o tym.

– Dobrze. Załatwię ci pokój na tym samym piętrze co babcia Gina. Będę was odwiedzała za jednym zamachem.

– To jest możliwe tylko w tym przypadku, jeśli wsadzisz mnie tu jeszcze w bieżącym roku.

– Babcia z pewnością dożyje nie tylko setki, ale i sto dziesiątki, możesz być pewna. Przy jej sto dwudziestych urodzinach zaczniemy się zastanawiać, co dalej – roześmiała się Róża, parkując na stanowisku wyznaczonym dla gości. Dorota wzruszyła ramionami.

– Chyba zdążyłyśmy na podwieczorek. – Wciągnęła z lubością zapach świeżego ciasta, gdy tylko przekroczyły próg. – Mam nadzieję, że nas zaproszą, jak myślisz?

– Nie przymawiaj się – przestrzegła ją córka.

– Nawet mi to przez myśl nie przeszło! Ale jeśli sami zaproponują, nie będę się przecież wzbraniała. Trzeba im po prostu dać szansę.

Żeby pomóc losowi w tej materii, weszła do sali jadalnej i rozejrzała się wokół siebie. Od razu zauważyła ją jedna z pracownic ośrodka.

– Pani Jabłonowska! – wykrzyknęła z entuzjazmem, co od razu uświadomiło Róży, że i tutaj matka miała

wielbicielki swoich dreszczowców. – Pani dyrektor chciała z panią pomówić.

– Mam nadzieję, że nic się nie stało. Nic z mamą… –
Dorota zmarszczyła nos.

– Nie sądzę. To tylko jakieś ogólne sprawy. – Pracownica wyglądała na spłoszoną.

Dorota wycofała się więc z jadalni, obrzucając tęsk-
nym wzrokiem kilkupoziomową paterę, na której pię-
trzyły się apetycznie wyglądające kawałki ciasta przygotowane na podwieczorek, i skinąwszy na Różę ręką,
ruszyła w kierunku gabinetu dyrektorki.

– Ciekawe, o co chodzi. Pewnie znowu podnieśli
opłaty – rzuciła scenicznym szeptem.

– Cóż chcesz. Wszystko drożeje – odmruknęła Róża,
która spodziewała się dokładnie czegoś takiego. W zasadzie koszty nie zmieniły się od poprzedniego roku, więc
podwyżka nie byłaby dla niej szczególnym zaskoczeniem. Zresztą teraz na rynku sztuki panował boom. Ludzie wreszcie zaczęli kupować obrazy i galeria zarabiała
jak nigdy dotąd. Zwiększenie opłat we Wrzosowym Zakątku nie zwiastowało więc dotkliwej wyrwy w budżecie,
dlatego Róża odprężyła się i nawet z lekkim zaciekawieniem przestąpiła za matką próg gabinetu przełożonej.

Dyrektorka była kobietą po czterdziestce, o wyglądzie
profesjonalistki. Dokładnie taką, jakiej oczekiwałoby
się w tym miejscu – ubraną w elegancką, choć nie na-
zbyt klasyczną sukienkę i dobrany pod kolor sweterek.
Włosy miała spięte na czubku głowy, a usta delikatnie

pociągnięte matową szminką. Stanowiła najlepszą reklamę dla swego ośrodka – opanowana i w dobrym guście, roztaczająca atmosferę spokoju i kompetencji.

– Dziękuję, że panie przyjechały – oznajmiła, kiedy już się przywitały i usiadły. – Chodzi o panią Georginę, jest jedną z naszych ulubionych pensjonariuszek. To dama z prawdziwą klasą, czarująca.

– Mama zachowała wiele dawnego uroku. Jej matka, a moja babka, była przed wojną sławną pięknością – nie omieszkała pochwalić się Dorota, a Róża z westchnieniem spuściła wzrok.

– To wiele wyjaśnia. Dobre geny – oceniła dyrektorka, a potem spojrzała na nie z troską. – Niestety, pani Georgina ostatnio czuje się gorzej…

– Coś jej dolega? To serce? Zawsze miała problemy z krążeniem, ale utrzymywaliśmy te sprawy w ryzach – zdenerwowała się Dorota. Dyrektorka wykonała ruch ręką, który miał oznaczać, że nie o to chodzi.

– Podczas rutynowych badań i testów nasz lekarz zauważył u pani mamy pogorszenie pamięci. Gwałtowne pogorszenie – dodała jeszcze, patrząc ze współczuciem. – Od pewnego czasu zaobserwowaliśmy u niej niepokojące zachowania: zamyślała się, myliła różne rzeczy, płakała bez powodu…

– Płakała? – powtórzyła Dorota wstrząśnięta. – Niczego takiego nie zauważyłam, a przecież bywamy tu z córką regularnie. Ty coś dostrzegłaś? – zwróciła się do Róży, która gwałtownie zaprzeczyła. – No widzi pani.

27

Może to nic takiego? Coś chwilowego? Mama czasami miała takie okresy, kiedy gorzej się czuła…

– Epizody depresyjne? – podchwyciła dyrektorka. Dorota uniosła wzrok.

– Nie nazwałabym tego w ten sposób – zaprotestowała. – Moja matka zawsze była pełna energii, życia, miała pogodne usposobienie. Ale sama pani rozumie, w młodym wieku została osierocona, przeżyła wojnę. Niewiele opowiadała o czasach okupacji, ale wiem, że były dla niej bardzo trudne. Podczas powstania warszawskiego straciła przyrodnią siostrę, która ją praktycznie wychowała…

– Nigdy mi o tym nie opowiadałaś! – nie wytrzymała Róża, patrząc na matkę z wyrzutem.

– Bzdura! Na pewno ci wspominałam. – Dorota starała się nie okazać zniecierpliwienia, ale nie bardzo jej to wychodziło. Z kolei dyrektorka milczała i tylko mierzyła je nieodgadnionym, pełnym namysłu spojrzeniem.

– Coś takiego bym zapamiętała – emocjonowała się tymczasem młodsza z kobiet. – Ta siostra walczyła w powstaniu? Była żołnierzem Armii Krajowej? Chciałabym się wreszcie czegoś więcej dowiedzieć.

– W tej chwili to nieistotne – syknęła matka, jakby niezadowolona z tego, że wymsknęło się jej zbyt dużo, ale pewnych rzeczy nie można było już cofnąć. – Chodzi mi bardziej o to, że młodość mojej matki ukształtowały wydarzenia…

– Tragiczne – podsunęła dyrektorka, która wciąż przypatrywała się badawczo.

– Otóż to. Sama pani przyzna, że wojna to doświadczenie, które śmiało możemy nazwać granicznym, rodzaj wielkiej traumy.

– Jestem z zawodu psychoterapeutką, wiem, że pani jest autorką thrillerów psychologicznych – wtrąciła nagle gospodyni. – Rozumiem, że interesują panią te kwestie.

Dorota drgnęła niespokojnie na fotelu.

– Owszem, choć nie wiem, jaki to ma ze sobą związek.

– Zasadniczy. Mam wrażenie, że bardzo zajmuje panią kwestia dziedziczonej traumy.

Matka Róży uniosła wzrok i wpatrzyła się w dyrektorkę ośrodka pełnym niedowierzania wzrokiem.

– Skąd pani o tym wie? – szepnęła.

Tamta poruszyła lekko ramionami, a potem delikatnie się uśmiechnęła.

– Też czytałam pani książki. Bardzo lubię obyczajowe dreszczowce. Każdy z nas relaksuje się po pracy. Pani zapewne również ma jakieś hobby.

– Praktykuję jogę – mruknęła matka.

– Właśnie. Mam jednak wrażenie, że skupiając się na dziedziczonej traumie, zapomina pani o tym, co dzieje się z pani mamą tu i teraz.

– A co się dzieje?

– Ona się mocno zestarzała. Trudno zresztą, żeby było inaczej, osiągnęła piękny wiek w bardzo dobrym zdrowiu. Umysł jednak zaczyna ją zawodzić. I mamy tego pierwsze efekty: zapominanie, splątanie, gubienie się w czasie i przestrzeni.

– Mama się gdzieś zgubiła? – z przerażeniem spytała Dorota.

Dyrektorka wykonała uspokajający gest.

– Metafora. Mam wrażenie, że coraz częściej bardziej realna jest dla niej przeszłość niż czas teraźniejszy. Pani Georgina zaczyna żyć w świecie wspomnień, wśród duchów, które przyoblekają dla niej kształty realnych osób.

– Czy chce pani przez to powiedzieć, że babcia ma jakieś przywidzenia? – Róża była wyraźnie przestraszona.

– Nie posunęłabym się aż tak daleko, ale będziemy ją bacznie obserwować. Uczulam jednak panie, że jej zachowanie się zmienia. Proszę to brać pod uwagę.

– Rozumiemy. Czy możemy coś zrobić? – Głos Doroty lekko się załamał. Chyba właśnie dotarła do niej prawda, co właściwie dzieje się z jej matką.

– Okazać jej mnóstwo miłości i cierpliwości. Wiem, że są panie z nią bardzo związane i ogromnie ją kochają. To się czuje i widzi. Ale osoby tracące powoli kontakt z rzeczywistością mogą wydawać się trudne, nawet nieco przerażać swoich bliskich, a w każdym razie niepokoić zachowaniem. Dla pań także może to nie być łatwe. Jesteśmy tu do pomocy, udzielimy wszelkich wyjaśnień, gdyby potrzebowały panie wsparcia.

– Dziękujemy, pani dyrektor. To bardzo ważne, że nas pani uprzedziła. Będziemy się mogły przygotować.

– Wyłącznie o to nam chodzi. Nie zamierzałam pań straszyć ani przedstawiać przyszłości pani Georginy w czarnych kolorach. Jestem przekonana, że pani mama ma przed sobą wiele szczęśliwych lat. Postaramy się, by je przeżyła w najlepszym komforcie i zdrowiu.

Wyszły na korytarz, gdzie Dorota oparła się na chwilę o ścianę, żeby zaczerpnąć powietrza.

– Nic ci nie jest, mamo? Może chcesz wody? – zatroszczyła się Róża.

– Poproszę. Jeśli można – odpowiedziała słabo. Kiedy córka wróciła ze szklanką, Dorota siedziała na kanapie przy oknie i patrzyła na ogród.

– To dla mnie szok – przyznała. – Chyba normalne, że gdy do człowieka dochodzi, iż jego rodzic niedołężnieje…

– Daj spokój. Babcia wcale nie jest niedołężna. To znaczy nie bardziej niż inni w jej wieku. Doskonale się trzyma. Jeśli coś tam zapomina od czasu do czasu, to przecież normalne. Gdy ma się tyle lat, nie da się pamiętać o każdej rzeczy. Bałam się, że coś jej naprawdę dolega – pocieszała Róża, a matka patrzyła na nią i uważnie łowiła każde jej słowo.

– Ale przecież kiedy byłyśmy tu ostatnio, wszystko było w porządku, prawda? – spytała z nadzieją.

Córka kiwnęła głową.

Choć tak naprawdę od dawna ich wizyty u babci wyglądały zawsze tak samo – siadały w ogrodzie przy stoliku, z herbatą i ciastem i gadały jedna przez drugą. Babcia Gina po prostu uśmiechała się do nich i milczała. Potem Dorota zadawała jej kilka szybkich pytań o stan zdrowia, na które otrzymywała dosyć zdawkowe i niejednoznaczne odpowiedzi (jak uświadomiła sobie teraz z przerażeniem Róża) i spotkanie dobiegało końca. Za mało rozmawiały. To nie była wymiana myśli, a ich monologi przed babcią. Dziewczyna przygryzła wargi, ale nie chciała o tym mówić matce, która była wyraźnie rozstrojona.

– Już mi lepiej – oznajmiła z westchnieniem Dorota, odstawiając pustą szklankę na stolik. – Masz rację, nie powinnam się martwić na zapas. Przecież na razie nic się groźnego nie dzieje. Ta dyrektorka po prostu nas ostrzegła, żebyśmy były uważne i nie czuły się zaskoczone. No to nie będziemy, w razie gdyby coś się stało. Ale nic złego się nie wydarzy. Mama jest zdrowa oraz w pełni sprawna umysłowo, i tego się trzymamy. A teraz chodźmy do niej.

Przekroczyły próg pokoju Giny w dobrych humorach, starając się zapomnieć o tym, co powiedziała im kierująca ośrodkiem kobieta.

Starsza pani siedziała przy oknie i spoglądała na ogród.

– Dzień dobry, mamo – odezwała się Dorota. – Jak się masz?

– Wspaniale. – Gina odwróciła głowę i posłała im promienny uśmiech. – Zmęczyłyście się? Gorąco dzisiaj, prawda?

– Odrobinę. Mam ochotę na herbatę – przyznała Dorota. Jej matka kiwnęła głową.

– Zaraz chyba podwieczorek. Trochę straciłam rachubę czasu, bo się zamyśliłam.

– Niczego nie straciłaś, babciu. Już szykują ciasto na dole, mama zapuściła żurawia i widziała, jakie tam mają pyszności. – Róża wesoło mrugnęła okiem. Starsza pani pogładziła ją po dłoni delikatnym gestem.

– No to chodźmy czym prędzej, skoro jesteście głodne. – Gina uniosła się z fotela, ale córka powstrzymała ją ruchem dłoni.

– Mamy czas. Jeszcze niegotowe. Nie ma nic gorszego, niż przyjść na posiłek za wcześnie.

– Masz rację. Moja matka tego nie znosiła. Uważała to za straszliwie grubiańskie. Przy stole należało być „w sam raz": ani za wcześnie, ani za późno. Nie wiem, jak ona to robiła, ale zawsze się jej udawało.

Róża zerknęła na Ginę z zainteresowaniem. Chyba po raz pierwszy od niepamiętnych czasów tak otwarcie nawiązała do swojej matki i w ogóle do przeszłości. Czy był to przejaw tego, o czym mówiła dyrektorka? Czy po prostu chciała się z nimi podzielić wspomnieniami? Jeśli to drugie, to wnuczka zamierzała pociągnąć ją za język. Niesamowicie zaciekawiły ją te niedopowiedziane historie rodzinne. Wreszcie była okazja, żeby dowiedzieć się czegoś z pierwszej ręki.

Wstała więc i zbliżyła się do ozdobnej konsolki, którą babcia przywiozła tutaj z mieszkania matki. Stały na niej różne fotografie w ramkach, przede wszystkim przedstawiające Różę i Dorotę na rozmaitych etapach ich życia. Gdzieś z tyłu przycupnęło jednak stare zdjęcie w cienkiej srebrnej ramie. Wyobrażało przepiękną kobietę ubraną z elegancją charakterystyczną dla lat trzydziestych w zwężaną sportową spódnicę i długi żakiet z modnymi wyłogami oraz niewielki fantazyjny kapelusz. Kobieta stała w niedbałej pozie obok wspaniałego samochodu, w którym siedziały dwie dziewczynki. Jedna była bez wątpienia nastolatką o długich, potarganych kręconych włosach i naburmuszonej, niechętnej minie, w drugiej z nich, dziecięcej blondynce o twarzy aniołka, domyśliła się Giny.

– Śliczne zdjęcie, babciu – powiedziała, unosząc fotografię i podsuwając ją Georginie przed oczy. – To twoja mama? Matylda Mikanowska?

– Tak, to ona. Była niezwykle piękna. Nie po prostu ładna, nie efektowna ani urocza, ale wręcz magnetyzująca. Mężczyźni tracili dla niej głowę. A ona cóż, umiała i lubiła się podobać, ale nigdy nie przekraczała pewnych granic – podkreśliła Gina, a jej ciepły głos nagle nabrał niespodziewanej surowości.

– Oczywiście. Była przecież żoną i matką. – Dorota posłała córce karcące spojrzenie, choć właściwie Róża nie palnęła żadnej gafy.

– Właśnie. Ojciec ją ubóstwiał. Zrobiłby dla niej wszystko. Poza jednym. – Babcia zachichotała wesoło, przykrywając dłonią usta.

– Czego jej odmówił? – dopytywała się Róża.

– Nie zgodził się na wybudowanie w posiadłości basenu. Uważał, że to nie wypada, aby pani i panienki pluskały się w obecności służby w niekompletnych strojach. Ja byłam co prawda wtedy bardzo mała, ale opowiadano mi, jaka wybuchła awantura…

– Pokłócili się? – To zupełnie nie pasowało Róży do obrazu Matyldy, jaki zdołała sobie narysować w wyobraźni: posągowej i opanowanej, bo świadomej swej wartości i wrażenia, jakie wywiera.

– Moja matka oprócz urody była obdarzona wielkim temperamentem. I kiedy coś się jej nie podobało, potrafiła zachowywać się impulsywnie. – Gina uśmiechnęła się lekko do swoich wspomnień. – Ale tak jak mówię, ona nigdy nie posuwała się za daleko. Łabonarówka to był raj na ziemi. Raj utracony… – Babcia zamilkła, a w jej głosie wybrzmiały gorycz i żal.

Dorota odchrząknęła.

– No właśnie, mamo… Mamy z Różą taki plan… Jesteśmy ciekawe, czy ci się spodoba. Nadchodzą twoje urodziny. W sumie również moje, więc jest podwójna okazja… Ale przede wszystkim, oczywiście, idzie o ciebie. I zastanawiamy się, czy nie zorganizować przyjęcia właśnie tam. W Łabonarówce. Teraz mieści się tam luksusowy hotel. Sprawdzałam. Robią takie imprezy.

– W pałacu? – powtórzyła Gina cicho, a wargi jej pobielały.

– Jeżeli nie chcesz, babciu, to nie ma sprawy, załatwimy coś innego – wyrwała się z zapewnieniem Róża, a matka zgromiła ją wzrokiem.

– Tak. Mamo, ja uważam, że to znakomity pomysł. Wiem, że ci to sprawi przyjemność…

– Łabonarówka... – Starsza pani opadła na fotel i położyła drżącą dłoń na piersi. – Tyle lat, mój Boże, tyle lat...

– Może nie chcesz tam wracać? Ja to rozumiem, mówiłam mamie, że skoro masz nieprzyjemne wspomnienia związane ze śmiercią swoich rodziców...

– Różo, przestań, w tej chwili! – Dorota nie tylko podniosła głos, ale i uniosła się lekko na sofie, na której usiadła zaraz, gdy weszły do pokoju starszej pani.

Gina spojrzała na nie niewidzącym wzrokiem.

– Łabonarówka – wymówiła tę nazwę po raz kolejny, a potem spojrzała na zdjęcie, które wciąż trzymała w zaciśniętej dłoni. – Ada! – krzyknęła zduszonym głosem.

– To twoja siostra, prawda? Przyrodnia? Ta, która zginęła w powstaniu warszawskim? To ona jest na tym zdjęciu? – Róża zbliżyła się do babci i ujęła jej dłonie w swoje. Gina utkwiła w niej wzrok i zaczęła układać sobie jakieś słowa, ale nie mogła wydobyć głosu.

– Różo, teraz już przesadziłaś. Zdenerwowałaś babcię. – Dorota była wyraźnie zła.

Gina pokręciła głową, jakby zaprzeczając temu, co powiedziała jej córka, i mocniej ścisnęła dłonie wnuczki. Nachyliła się bliżej do niej i zaczęła szeptać. W jej głosie był strach.

– Aduniu, uwierz mi. Ja to naprawdę słyszałam. To brzmiało dokładnie tak samo. Jak wtedy, gdy tatuś... No wiesz... Taki sam odgłos... Przysięgam, że nie kłamię... Aduniu, błagam, nie rób tego... Nawet o tym nie myśl...

– Czego miała nie robić? – nie rozumiała Róża, przerażona tą sytuacją.

Babcia opadła na fotel zmęczona i oddychała ciężko. Miała przymknięte oczy.

– Kompletnie wyprowadziłaś ją z równowagi. Trzeba jej zaraz podać krople na uspokojenie, a jeśli nie przejdzie, to wezwać lekarza. Przecież słyszałaś, co mówiła ta dyrektorka. Musimy być delikatne. Nie irytować jej.

– Przepraszam. – W głosie Róży brzmiała panika, kiedy podsuwała babci szklankę wody. Dorota odmierzała krople.

Przez chwilę siedziały w milczeniu, obserwując Ginę. Jej oddech uspokajał się, kolory wracały na twarz. Lek zaczynał działać, sytuacja wracała do normy. Róża odetchnęła, gdy babcia otworzyła oczy i przetarła dłonią czoło. Fotografia w srebrnej ramce wysunęła jej się z palców i spadła na dywan.

– Ostrożnie! – przestrzegła Gina. – To moja jedyna pamiątka z domu. Zdjęcie mojej matki, jej nowego sportowego fiata i nas dwóch: mnie i mojej siostry Adelajdy.

– Masz siłę, żeby zejść na podwieczorek? – spytała Dorota, a Gina pokiwała głową.

– Oczywiście. Ma być dzisiaj ciasto z wiśniami. Prawdziwa gratka.

Przeszły przez hol do windy i naprawdę nic nie wskazywało na to, aby babcia gorzej się czuła.

– Mamo… – zaczęła Dorota, kiedy już we trzy usiadły na patio przy stoliku i dostały herbatę i ciasto. – Nie wiem, czy pamiętasz, o czym rozmawiałyśmy w pokoju?

Przez twarz babci przemknął cień.

– O twoich urodzinach, które chcemy zorganizować w pałacu w Łabonarówce – pospieszyła z wyjaśnieniami Róża. – Masz coś przeciwko temu?

– Absolutnie. To znakomita myśl. Już się nie mogę doczekać – oznajmiła Gina, ale jej wnuczka miała wrażenie, że czyni to z przymusem i sztywno. – Jestem ciekawa, jak pałac teraz wygląda – dodała po chwili już zupełnie innym tonem. – Na parterze Adelajda miała cudowny gabinet muzyczny ze wspaniałym fortepianem, była też biblioteka z niezwykłymi kręconymi schodami i oranżeria... – Babcia zaczęła opowiadać o wyglądzie domu i na tych wspominkach minęła im reszta popołudnia.

* * *

Róża jednak nie dała się zwieść temu ożywieniu babci.

– Chyba niepotrzebnie na nią naciskałyśmy. Wciąż uważam, że z tą Łabonarówką jest coś nie tak. Skoro spotkała ją tam osobista tragedia... – powiedziała do matki, kiedy siedziały już w samochodzie i odjeżdżały z parkingu przy Wrzosowym Zakątku.

– Brednie. Niepotrzebnie wspominałaś o jej siostrze. Nie lubi poruszać tego tematu.

– Bo zginęła podczas wojny? W jakichś strasznych okolicznościach? Wiem, co się działo podczas powstania. Rzeź Woli i te sprawy... Żołnierzy przecież też nie oszczędzano, to było piekło, dużo o tym czytałam.

– Nikt nie wie, co się stało z Adelajdą. Została uznana za zmarłą, i tyle. Z pewnością zginęła, ale w jakich okolicznościach się to wydarzyło, pozostaje zagadką. Babcia walczyła w oddziale jako młodziutka dziewczyna, ma piękną powstańczą kartę, jeśli będzie chciała, to ci opowie. A Adelajda…

– Co?

– Różne plotki o niej krążyły. Również taka, że była konfidentką Gestapo.

Róża musiała przyhamować, bo tak zszokowała ją ta informacja. Odwróciła do matki pobladłą, ściągniętą twarz.

– Jak to?

Dorota wzruszyła ramionami.

– Są rzeczy, których o swojej rodzinie naprawdę lepiej nie wiedzieć. Babcia nie cierpi mówić o Adelajdzie. Przed wojną to była bardzo znana artystka. Śpiewała w rewiach. Miała niezwykły repertuar, była popularna jak Hanka Ordonówna, tylko że nigdy nie grała w filmach, taką wyznawała zasadę. Występowała pod pseudonimem Ada Nirska.

Róża znowu przyhamowała.

– *Kolekcja straconych chwil!* – wykrzyknęła ze zdumieniem.

Matka kiwnęła głową.

– Babcia lubiła tę płytę. Pamiętasz ten szlagier?

– „Mkną chwile zapomniane, stracone, niekochane, a ja wciąż czekam ciebie" – zanuciła Róża mimowolnie.

Ile razy słyszała u babci tę piosenkę, tę płytę? Nirska wykonywała ją wysokim nosowym głosem, a Róża uwielbiała to brzmienie. Jak ze starego kabaretu właśnie, gdzie śpiewa się smutne ballady o niespełnionej miłości.

– O to mi chodziło! – ucieszyła się matka. – A więc pamiętasz?

– Oczywiście, po prostu nie miałam pojęcia, że ta piosenkarka to siostra babci. Naprawdę nie mówiłyście mi o wielu rzeczach – dodała z pretensją. Potem przypomniała sobie gramofonową czarną płytę, pełną szmerów i szumów wynikających z częstego odtwarzania, igłę przeskakującą na wyżłobionych rowkach, i poczuła charakterystyczną dla tych popołudni melancholię. Babcia Gina łatwo się wzruszała i siedziała w ciszy, wpatrując się w wirujący krążek, a czasem w jej oczach pojawiały się łzy. Wtedy Róża myślała, że może straciła kiedyś, dawno temu, ukochanego, ale teraz sądziła, że mogło chodzić o siostrę.

Odetchnęła głęboko i ponownie uruchomiła silnik. Kiedy wyjechała na drogę, matka chwilę podziwiała przesuwający się za oknem krajobraz.

– Musisz tam jak najprędzej pojechać. Do Łabonarówki. Bo tam się to wszystko zaczęło – powiedziała, rzucając córce spojrzenie spod oka.

ROZDZIAŁ 3

Kobieta w jedwabnej sukni

Róża dotarła do Łabonarówki, kierując się wskazówkami GPS-u. Gorzej było znaleźć sam pałac, bo nawigacja nagle zwariowała i zaczęła ją mylić. Musiała zatrzymać się pod lokalnym sklepikiem i spytać o drogę dwóch wąsatych panów, którzy raczyli się jakimś niewymyślnym trunkiem.

Wskazali jej boczny trakt, ciągnący się równolegle do głównej szosy i doradzili skręt w lewo w aleję drzew. Tak zrobiła i po kilku chwilach znalazła się pod bramą, imponującą i wykonaną z kutego żelaza. Podjechała do domofonu i nacisnęła dzwonek. Kiedy jej otworzono i skrzydła bramy rozchyliły się z lekkim zgrzytem, wjechała do środka z bijącym sercem. Miała wrażenie, że zbliża się do jakiejś wielkiej tajemnicy.

Do pałacu prowadziła wyżwirowana aleja wiodąca wśród wspaniałych drzew. Nie ulegało wątpliwości, że ogród był niegdyś chwałą tego miejsca, a obecni właściciele robili wszystko, by przywrócić go do stanu świetności. Starannie pielęgnowano rozłożyste rododendrony, cisy i liczne żywotniki, które najwyraźniej pozostały z dawnego drzewostanu. Dosadzono też sporo nowych roślin. Podobnie postąpiono z małą architekturą – wysiłki szły w tym kierunku, by ocalić, co się dało, z przeszłości, wzbogacając ją o nowoczesne dodatki. Stąd umiejętnie restaurowane marmurowe ławki i stare rzeźby urozmaicone fontannami i efektownymi donicami z roślinnością.

Róża minęła wielki gazon przed frontem i skierowała się prosto do pałacu. On też starał się oddawać ducha swej niegdysiejszej wspaniałości. Budynek wyglądał dostojnie i elegancko, łatwo było zauważyć, jaki ogrom pracy tutaj włożono. Elewację gustownie odnowiono, podobnie jak dach, który olśniewał nowymi dachówkami i mansardowymi oknami. Większość ozdób na froncie także starannie odrestaurowano. Róża pamiętała z opowieści babci, że balkony i loggie miały kunsztowne balustrady, a nad wejściem umieszczono posąg, którego miejsce obecnie zajmowała ogromna donica z pnączami.

– Pani Róża Jabłonowska? – pytanie wyrwało nowo przybyłą z zapatrzenia. Opuściła głowę i zobaczyła kobietę w średnim wieku, ze starannie uczesanymi do góry włosami, w ciemnej spódnicy i miętowej bluzce, podkreślającej jej opaloną cerę.

Skinęła głową.

– Urszula Niezwińska, bardzo mi przyjemnie panią poznać. Zaraz przyjdzie mój mąż, ma w tej chwili telekonferencję. Zapraszam do środka.

Przepuściła Różę w drzwiach, a ta z ciekawością zajrzała do holu. Rzeczywiście, tak jak wspominała Gina, wejście do pałacu w Łabonarówce robiło wrażenie. Wielki przedpokój mieścił ogromne kamienne schody prowadzące na piętro oraz przejścia do bocznych salonów. Wiedziała, że po prawej, tuż obok wejścia, znajdował się salonik muzyczny Adelajdy. Po lewej zaś była jadalnia i spora sala bankietowa.

– Dziękuję za zgodę na obejrzenie pałacu – zwróciła się do właścicielki.

Urszula uśmiechnęła się z entuzjazmem.

– Nie wyobrażam sobie, że mogło być inaczej! Dla mnie to przyjemność gościć panią. Prawnuczkę Matyldy Mikanowskiej!

W jej głosie pobrzmiewał taki zachwyt, że Róża zerknęła na nią ciekawie.

– Moja żona jest autentycznie zakochana w baronównie – usłyszała głos pana domu. Schodził właśnie ze schodów, wygładzając rękawy sportowej marynarki, którą miał na sobie. – Czasami bywam o to zazdrosny! Roman Niezwiński, miło mi panią poznać – przedstawił się, ściskając na powitanie dłoń odwiedzajacej.

Urszula wybuchnęła śmiechem, a potem poprawiła niesforne kosmyki włosów, które wysunęły jej się z koka.

– Co ty mówisz, kochanie, daj spokój…

– Remont był z pewnością pracochłonny. – Róża zwróciła się do gospodarza, który natychmiast zaczął opowiadać, jak wielkie nakłady środków musieli ponieść z żoną, aby doprowadzić to miejsce do stanu świetności.

– To istny worek bez dna. – Uśmiechnął się, a Jabłonowska przyglądała mu się spod oka. Z pewnością nie cierpiał na brak gotówki. Zauważało się to zarówno po jego stroju, jak i zegarku, który nosił na przegubie. Był wyraźnie starszy od swojej żony, ale pełen energii i witalności. A Łabonarówka ewidentnie stanowiła jego dumę i pasję.

– Mamy się czym pochwalić – zwróciła się do swego gościa Urszula. – Nieskromnie mówiąc, zrobiliśmy z tego miejsca perełkę, a prace wciąż trwają.

Wskazała Róży wejście na lewo i po chwili znaleźli się w wielkim salonie.

– Według dokumentacji przedwojennej były tu wspaniałe podłogi intarsjowane i kryształowe lustra na ścianach. Wszystko staraliśmy się odtworzyć z wielką dokładnością…

– Zwłaszcza że konserwator zabytków patrzył nam na ręce, jakbyśmy zamierzali coś tutaj popsuć – parsknął Roman. – Wyobraża sobie to pani? Państwo ludowe przez pięćdziesiąt lat doprowadzało ten obiekt do powolnej ruiny, ale potem, już za demokracji, ja byłem na każdym kroku kontrolowany, czy nie robię czegoś niezgodnie z założeniami… Ech, absurdy tego kraju! Nigdy ich nie pojmę…

Odwrócił się do okna i dalej mruczał coś niepochlebnie na temat dawniejszego ustroju i włodarzy pałacu, którzy nie umieli o niego zadbać. O współcześnie rządzących też nie miał najlepszego zdania, bo dorzucił kilka cierpkich uwag na temat urzędniczej opieszałości i ogólnie panującej niekompetencji.

– Mieszkaliśmy przez wiele lat za granicą, tam obowiązują inne standardy – wyjaśniła Urszula, uśmiechając się wyrozumiale. – Kiedy wróciliśmy do Polski, mąż musiał przyzwyczaić się do wielu... niedogodności systemu – zakończyła, jakby zastanawiając się, jak najlepiej ubrać w słowa to, co chciała powiedzieć.

Róża przytaknęła.

– Rozumiem. Wykonali tutaj państwo wspaniałą pracę. Jestem pełna podziwu.

Roman odwrócił się gwałtownie od okna i zaczął na powrót rozprawiać o wszystkich trudnościach, z jakimi musieli się zmierzyć, dokonując renowacji.

– Pokażmy może pani naszą niespodziankę – przerwała mu w końcu żona, uznając, że nudzi gościa tymi szczegółami, choć Róża słuchała z zainteresowaniem, rozglądając się jednocześnie po jadalni.

Przeszli do sali bankietowej, równie starannie odrestaurowanej jak jadalnia, z pięknymi stylowymi meblami i wyposażeniem, urozmaiconej portretem, który wisiał nad kominkiem. Przedstawiał piękną kobietę o jasnych jak złoto włosach i niewiarygodnie regularnych rysach twarzy, ubraną w lejącą się miękko suknię z jedwabnej tafty.

Odcień tej toalety – ciemny pomarańcz, wpadający w lekki brąz – określano wówczas mianem „capucines" i lansował go paryski dom mody Patou. We włosach miała opaskę, na szyi zaś nosiła niedbale zawiązany w węzeł sznur wielkich pereł. Podobne perły, tym razem w formie potrójnego sznurka, zapięte były na jej szczupłym nadgarstku.

– Matylda Korsakowska z Mikanowskich – oznajmiła Urszula z pewną dumą, jakby baronówna była jej własną krewną, a nie prababką odwiedzającej ją kobiety. – Kupiłam ten obraz na aukcji. Po prostu musiałam go mieć! Myślę, że mnie pani rozumie.

Róża wpatrywała się w swoją prababkę, marszcząc brwi. Matylda była na tym portrecie prawie jej równolatką. Podpis głosił, że wykonano go w końcówce lat dwudziestych.

– Namalował go Karol Mikanowski, kuzyn baronówny. Zdolny malarz, prawda? – uzupełniła Urszula. – Szkoda, że nie kontynuował kariery. To w ogóle był niesamowity okres w dziejach pałacu. Niedługo po nastaniu nowych właścicieli. Matylda była prawdziwą lwicą salonową, animatorką wszelkiego rodzaju zabaw i wydarzeń artystycznych.

– Mówiłem już pani, że moja żona zakochała się w pani prababce – kpiąco przypomniał Roman, który chyba czuł się pominięty w tej dyskusji. – Odnoszę wrażenie, że odrobinę się z nią utożsamiasz, złotko?

– Nie gadaj głupstw – zgasiła go żona, lekko zawstydzona tym, co powiedział.

– A ja sądzę, że jest pani do niej trochę podobna – schlebiła jej Róża, przyglądając się po raz kolejny portretowi z nieco innej perspektywy.

Niezwińska się ożywiła.

– Naprawdę? Nie, pani tak tylko mówi z uprzejmości.

– Tak uważam. Obie macie w sobie coś takiego... Tajemniczego, a jednocześnie bardzo szykownego... – przerwała, bo nagle uderzyło ją coś w tym malarskim wizerunku prababki. W odwzorowaniu jej twarzy widoczne były pasja i oddanie artysty. A jednocześnie rysowała się w nim ukryta prawda o modelce. W delikatnej wypukłości warg, spojrzeniu orzechowych oczu Róża dostrzegła wyrachowanie, przebiegłość i bezkompromisowość w dążeniu do celu. Tak, baronówna Mikanowska to był ktoś, kogo należało się strzec. Groźny przeciwnik, być może najbardziej zacięty wróg. Niebezpieczna i piękna kobieta.

– Szykowna i tajemnicza – powtórzyła tymczasem Urszula i uśmiechnęła się do swego gościa. – Dokładnie tak ją widzę! Czy chciałaby pani jeszcze coś szczególnego zobaczyć? – dodała, a Róża skinęła głową.

– Pokój muzyczny Adelajdy...

– Chodzi o tę jej pasierbicę, która sprawiała tyle kłopotów? Z tego, co wiem, zamierzała uciec z domu w dosyć skandalicznych okolicznościach...

Na twarzy Róży odmalowało się zdumienie.

– Nie wiedziała pani o tym? Ach, tak, przepraszam, może babcia nie chciała tego wspominać – oznajmiła Niezwińska wyrozumiale. – Adelajda to, zdaje się, było niezłe ziółko i awanturnica. W każdym razie utrapienie dla rodziców.

– Skąd te wszystkie informacje? – Róża domagała się odpowiedzi. Gospodyni wprowadziła ją do niewielkiego salonu z dużymi oknami wychodzącymi na park, w którym również znajdował się marmurowy kominek, a potem westchnęła głośno.

– Gdy kupowaliśmy ten pałac, mieszkała w wiosce kobieta, której matka pracowała dla Korsakowskich. Była tu pokojówką czy też pomagała w kuchni, nie pamiętam. I to właśnie ta córka zdradziła mi kilka szczegółów z dziejów rodziny pani babci. Może mi pani wierzyć, mieli bardzo barwne życie.

– Czy ona żyje jeszcze? – Róża była rozemocjonowana i pełna nadziei. Ach, jakby cudownie było móc poznać jakąś relację z tamtych wydarzeń.

– Niestety nie. – Urszula zrobiła zmartwioną minę. – Doszły mnie słuchy, że zmarła w ubiegłym roku.

Jabłonowska pokiwała głową, wyraźnie rozczarowana.

– Proszę, oto gabinet muzyczny. To pomieszczenie pełni funkcję małego saloniku wypoczynkowego, a w razie potrzeby salki konferencyjnej. Piękny widok na ogród, prawda?

Róża rozejrzała się po ślicznie urządzonym pokoju. A więc tutaj przyszła Ada Nirska grała i odbywała lekcje muzyki. Być może właśnie w tym miejscu narodził się w jej duszy plan, żeby zostać kabaretową artystką. I czy właśnie z tego powodu chciała uciec?

– A gdzie jest oranżeria? Babcia wspominała mi, że jej matka miała wspaniałe okazy egzotycznych kwiatów – zwróciła się do Urszuli, która skwapliwie przytaknęła.

– Była to ozdoba posiadłości. Ze zdjęć wiem, że prezentowała się naprawdę spektakularnie. Niestety, dzisiaj pozostawia wiele do życzenia, pokażę pani. Jest połączona z domem, ale teraz nie korzystamy z tego wejścia. Wkrótce jednak zaczynamy remont całości i zrobimy z niej kolejny atut naszego hotelu, na razie jednak jest, jak jest…

Przeszły z powrotem do holu, a potem na podjazd. Niezwińska poprowadziła swego gościa wzdłuż fasady pałacu, a potem w kierunku skrzydła. To tam, przyklejona do głównego budynku, znajdowała się szklarnia.

Urszula miała rację, uprzedziwszy Różę o aktualnym stanie oranżerii, ale i tak rozczarowanie odwiedzającej było widoczne. Z pięknego, przeszklonego pomieszczenia nie zostało wiele. Szyby dawno wybito i zastąpiono deskami, podobny los spotkał szklany dach. Przez wiele lat budynek służył jako magazynek na niepotrzebne sprzęty. Długi czas nikt tu nie zaglądał i nie dbał o dawną cieplarnię.

– Pani prababcia uwielbiała oryginalne kwiaty. Miała uprawę orchidei, wspaniałych róż chińskich, a także kwiatów trujących – zachwycała się Niezwińska. – Ta oranżeria była sławna na całą okolicę, często odbywały się tu małe przyjęcia dla ścisłego kółka przyjaciół baronówny. Mówiło się, że przychodzili tu ulubieni artyści, poeci, malarze, aktorzy, bo Matylda była prawdziwą mecenaską sztuki.

– Słyszałam o jej słynnych *soirèe*[*]. – Róża uśmiechnęła się. – Babcia wspominała, że gościła znane postaci swej epoki…

– O tak! Bywał tu Stanisławski, słynny satyryk, malarze, głównie przyjaciele jej kuzyna Karola, no i oczywiście Tytus Wilski!

Jabłonowska spojrzała na nią z zaskoczeniem, bo nigdy wcześniej nie słyszała tego nazwiska.

– Tytus Wilski? A kto to był?

– Poeta. Syn dawnych właścicieli Łabonarówki, od których Korsakowski odkupił posiadłość. Znakomicie się zapowiadał, miał ogromny talent. Niestety…

– Przestał pisać? – zagadnęła Róża, a Urszula zrobiła gest, który miał oznaczać niepewność.

– Pewnego dnia słuch po nim zaginął. Ponoć wyjechał do Paryża, bo tam pragnął kontynuować karierę, ale już nigdy się nie odezwał. Może po prostu porzucił poezję i zaczął żyć inaczej? Potem wybuchła wojna i nie poznaliśmy losów Tytusa Wilskiego.

– Rozumiem – przytaknęła Róża. – Był dobrym znajomym prababci?

Urszula zerknęła na nią ciekawie, ale i z pewnym wahaniem.

– Przyjaźnili się – ucięła krótko temat.

---

[*] *Soirèe* (fr.) – wieczór, tu w znaczeniu: przyjęcie, spotkanie towarzyskie.

Róża przeniosła wzrok na zdobione drzwi oranżerii. Ostały się jako chyba jeden z niewielu oryginalnych elementów wystroju, pewnie dlatego, że przez swój nietypowy wymiar nie pasowały gdzie indziej.

– Mogę zajrzeć do środka? – spytała, bo czuła niewyjaśnioną potrzebę przekroczenia progu szklarni.

Urszula przyzwalająco kiwnęła głową.

– Nie ma tam nic ciekawego i proszę zachować ostrożność, bo wszystko się sypie. Ale skoro ma pani ochotę, nie będę wzbraniać.

Róża weszła i rozejrzała się po mrocznym wnętrzu. Było tu trochę strasznie – w półmroku rysowały się jakieś kształty, prawdopodobnie pozostałości po owych niechcianych sprzętach. Światło wpadało przez nieliczne odkryte okna oraz dziurawy dach. W jego promieniach wirowały drobinki kurzu jak mikroskopijny śnieg. Kobieta odważyła się zapuścić w głąb pomieszczenia i zobaczyła pozostałości oranżerii. Obramowane kamieniem rabaty, w których kiedyś rosły podziwiane przez gości prababki rośliny. W kącie straszył kikut uschniętej palmy, nadając całości przygnębiający wyraz. Może to właśnie w tym miejscu Matylda Korsakowska czarowała swoich wielbicieli, owych pisarzy, poetów, malarzy? Może Tytusa Wilskiego?

To nazwisko pojawiło się nagle i zupełnie niespodziewanie, Róża zdumiała się, że przyszło jej na myśl. Czy Tytus był wielbicielem jej prababki? Z pewnością tak, bo któż nie uległ jej wdziękom? Miała świadomość swej urody i lubiła się podobać.

Prawnuczka baronówny ponownie rozejrzała się wokół siebie. To miejsce, mimo iż obecnie tak nędzne i godne pożałowania, przyciągało ją z magnetyczną siłą. Była w nim niezwykła moc, emanowało energią, kryło w sobie jakąś tajemnicę, którą chciałoby się zgłębić…

Otrząsnęła się z tego wrażenia, zwłaszcza że zaniepokojona Urszula zaczęła ją nawoływać.

– Pani Różo! Wszystko w porządku? Martwię się!

Wyszła ze szklarni i uspokoiła właścicielkę.

– Nic się nie stało. Ta oranżeria ma w sobie coś niesamowitego – stwierdziła z namysłem. Na twarzy Niezwińskiej odbiło się zdumienie.

– Proszę mi nie mówić, że zobaczyła pani tam ducha!

– Ducha? Nie… Nie sądziłam, że tutaj są duchy – roześmiała się Jabłonowska nieco nerwowo i popatrzyła niepewnie na gospodynię.

Urszula pokręciła głową.

– Każdy pałac ma swoje sekrety – powiedziała enigmatycznie. – I Łabonarówka nie odbiega tutaj od innych.

Róża potarła czoło pełnym zaniepokojenia gestem. „Co się tutaj dzieje, do diabła" – pomyślała. A właściwie: co się z nią działo.

Niezwińska nie zwracała jednak uwagi na jej stan. Opowiadała o planach dotyczących cieplarni. Chciała zatrudnić specjalnego ogrodnika i zrewitalizować to miejsce.

– Kompletnie nie znam się na egzotycznych kwiatach – przyznała. – Próbowałam czegoś się nauczyć, czytałam różne poradniki i książki, ale to dla mnie czarna magia. Muszę poszukać pomocy fachowca.

– Z pewnością będzie tu pięknie. – Róża postanowiła otrząsnąć się z dziwnego wrażenia, jakie zrobiła na niej oranżeria prababki.

– Ja tu panią zagaduję, ale miałyśmy pomówić o szczegółach uroczystości – roześmiała się Urszula. – Zapraszam do pałacu na herbatę, uzgodnimy wszystko.

– Z miłą chęcią. – Odwiedzająca odwzajemniła uśmiech. W tym momencie od strony domu nadszedł jeden z pracowników.

– Pani Urszulo, mąż panią na chwilę prosi. Jest jakiś problem z rezerwacją na sobotę.

– Już idę. Pani Różo, zaraz wrócę. Proszę się przespacerować tą ścieżką wzdłuż domu i przejść na taras, tam się spotkamy. Załatwię szybko sprawy i zjemy coś dobrego.

– Oczywiście. – Jabłonowska była wdzięczna za chwilę samotności. Chciała zebrać myśli. Kiedy Niezwińska zniknęła, wolnym krokiem ruszyła przez pałacowy park. Rosło tu sporo starych drzew, a kwiaty na rabatach starannie pielęgnowano. Reprezentacyjne pokoje i salony otwierały się z kolei na piękną sadzawkę z fontanną przed domem oraz niknący w oddali szpaler różanych krzewów. Wszystko było skomponowane ze smakiem i Róża odniosła wrażenie, że babci może się to spodobać. Postanowiła przejść się po ogrodzie, który zachęcał do przechadzek.

Okrążyła sadzawkę i na chwilę usiadła na marmurowej ławce pod pergolą z białych pnączy, przysłuchując się śpiewowi ptaków. Przymknęła oczy. Co ją właściwie tak bardzo zdenerwowało w tej oranżerii? Może to, że otaczała ją dziwna, zła aura. Róża nigdy nie wierzyła w takie rzeczy. W miejsca, które mają szczególną moc lub chcą coś podpowiedzieć. Tym razem jednak było inaczej. Ta cieplarnia kryła w sobie jakiś sekret. Coś niepokojącego, niedokończoną rozmowę, wydarzenie bez precedensu, obraz namalowany czymś więcej niż tylko światłem.

– Co pani tu robi? To teren prywatny – usłyszała zniecierpliwiony głos.

Otwarła oczy i wyprostowała się przestraszona. Przed nią stał mężczyzna, mniej więcej czterdziestoletni, dosyć niedbale ubrany – w płócienne szare spodnie i koszulę o bardziej sportowym kroju – i patrzył na nią z niechęcią. Miał wyrazistą, nerwową twarz o ostrych rysach i lekko zmierzwione ciemne włosy. W całej jego postawie, sposobie, w jaki się do niej zwracał, dominowały napięcie i dystans. Różę dotknęło to w nieprzyjemny sposób.

– Nie miałam pojęcia, że nie wolno tu wchodzić. Jestem gościem właścicielki, pani Niezwińskiej – wyjaśniła oschle.

Skrzywił się.

– To oczywiste, wszyscy są jej gośćmi. To hotel.

Nie zdążyła nic odpowiedzieć, bo od strony domu nadeszła Urszula.

– Tutaj pani jest! Już się martwiłam. Widzę, że poznała pani mego pasierba. Maks, zjesz z nami lunch? To pani Róża Jabłonowska, prawnuczka baronówny Matyldy Mikanowskiej – obwieściła takim tonem, jakby przyszło jej gościć koronowaną głowę.

Przez twarz Maksa przemknął wymuszony uśmiech.

– Miło mi – oświadczył sztywno, ściskając dłoń Róży. – Maks Niezwiński. Nie będę przeszkadzał w posiłku, mam pilne sprawy.

I nie oglądając się na nie, zniknął szybko za różanymi krzewami.

– Proszę się nim nie przejmować. Zawsze się tak zachowuje. Wszystko już przygotowane. Idziemy? – Urszula wskazała drogę, a Róża skinęła głową.

ROZDZIAŁ 4

Niewiarygodne podobieństwo

Róża musiała przyznać, że obecna właścicielka Łabonarówki postarała się, aby zrobić na niej odpowiednie wrażenie. Lunch był wykwintny i naprawdę smaczny.

– Dołożymy wszelkich starań, żeby jubileusz pani
babci był wyjątkowy – podkreślała co chwilę, kiedy Róża
starała się wyjaśnić filozofię swej matki.

– Sądzę, że mama będzie chciała się jeszcze z panią
osobiście rozmówić w kwestii szczegółów, ja jestem tylko emisariuszem – zakończyła, nieco zmęczona naświe-
tlaniem sprawy. Wikłała się we wszystkie zawiłości tej
kombinacji: połączenia urodzin z pisarskim benefisem,
ale Niezwińska pojęła to wszystko w lot. Najwyraźniej
miała doświadczenie w organizowaniu najdziwniejszych
imprez.

– Proszę się nie martwić, rozumiem, jakie to ważne –
uspokoiła. – Jesteśmy zaszczyceni, że pomyślały panie
o Łabonarówce.

– Mama mówi, że babcia była tu bardzo szczęśliwa. Jako dziecko – westchnęła Róża, a właścicielka spojrzała na nią bystro.

– Pani tak nie uważa?

– Pewnie będzie pani zaskoczona, ale ja mało wiem o historii rodziny – wyznała szczerze. – Babcia niechętnie dzieliła się ze mną wspomnieniami, twierdząc, że zawodzi ją pamięć. Mama także nie była wylewna w opowieściach. Właściwie dopiero teraz, z okazji tego jubileuszu, dowiedziałam się czegoś więcej. Mama wspomniała, że babcia wcześnie została sierotą. Wiem, że pradziadek stracił ten majątek przed wojną. – Zatoczyła ręką wymowne koło, a Niezwińska skinęła głową.

– Owszem. Został zlicytowany za długi. Przykra historia. Pani pradziadek był właścicielem kilku pól naftowych pod Borysławiem, ale ryzykownie inwestował w latach dwudziestych i to doprowadziło go do bankructwa. Podejrzewam też, że miał nieuczciwych wspólników, którzy po prostu go oszukali…

– To bardzo ciekawe. W ogóle o tym nie słyszałam.

– Pani pradziadek, Augustyn Korsakowski, był niezwykłym człowiekiem. Tajemniczym. A właściwie z tajemniczą przeszłością. Pojawił się w Polsce po Wielkiej Wojnie, od razu z dużymi pieniędzmi, które zainwestował w przemysł naftowy. Bardzo w niego wierzył, zawiązał spółkę, która miała poszukiwać nowych złóż ropy i gazu, z ogromnym kapitałem zakładowym.

– To właśnie ta spółka przywiodła go do plajty?

– Między innymi. Gdy na dobre rozhulał się kryzys, majątek stopniał jak śnieg w maju – westchnęła Urszula.

– A pradziadek palnął sobie w łeb z pistoletu – mruknęła Róża, wywołując zmieszanie na twarzy gospodyni.

– Nie chcę poruszać delikatnych rodzinnych kwestii – podkreśliła. – Wiem, że wydarzyła się tutaj niejedna tragedia.

– Niejedna? Mówi pani również o śmierci mojej prababki, prawda? Zmarła niedługo po mężu?

– Owszem, i była to równie zagadkowa sprawa. – Urszula dolała sobie i Róży herbaty.

– W jakim sensie? Chce pani powiedzieć, że także popełniła samobójstwo? Z rozpaczy po śmierci męża czy z powodu utraconego majątku?

Niezwińska rzuciła jej krótkie spojrzenie, jakby namyślając się, co ma odpowiedzieć.

– Pani wie, że ja jestem zafascynowana dziejami rodu Korsakowskich – przypomniała. – Nie chcę jednak, by zabrzmiało to zbyt bezpośrednio czy obcesowo… Matylda… – Odchrząknęła, a potem spojrzała Róży w oczy. – Zapadła na chorobę psychiczną. Tak. To stało się bezpośrednią przyczyną jej śmierci.

– Oszalała?

Właścicielka kiwnęła głową.

– Od tej pani, której matka służyła w pałacu, wiem, że działy się tutaj straszne rzeczy. Nawet jeśli te wszystkie opowieści należy dzielić przez pół, to i tak daje to pewne wyobrażenie…

– Była niebezpieczna?

– Chyba przede wszystkim dla siebie. Ponoć do tego stanu doprowadziła ją nie tylko śmierć męża, ale zachowanie pasierbicy, Adelajdy. To była zła i niewdzięczna dziewczyna. Matylda starała się z niej zrobić prawdziwą damę, co wcale nie było takie proste. Matka Adelajdy wywodziła się z niezamożnej szlachty, małżeństwo trwało bardzo krótko: Augustyn ożenił się z nią niedługo przed Wielką Wojną, zmarła zaraz po niej na hiszpańską grypę. A Adelajda tak się Matyldzie odpłaciła...

– To znaczy?

Urszula przechyliła się przez stolik i zaczęła szeptać.

– Przypuszczam, że tego ani babcia, ani mama pani nie wyznały. Mnie też tę historię zrelacjonowała ta córka pokojówki bardzo niechętnie i w wielkim sekrecie. Adelajda planowała ucieczkę z kochankiem. To byłby wielki skandal, bo ona miała wtedy siedemnaście lat.

– I co się stało? Nie udało się jej? – Różę wciągnęła ta sprawa.

Urszula zacisnęła wargi.

– Nie mam pojęcia, co się właściwie wydarzyło. Moja rozmówczyni opowiadała niezwykle enigmatycznie, ponieważ sama do końca nie wiedziała. Ponoć matka ogromnie wzbraniała się przed wtajemniczeniem jej w szczegóły. Zdradziła jej tylko, że pani Korsakowska popadła w obłęd po tych wszystkich przejściach. Choroba przybrała tak gwałtowny przebieg, że Matylda zmarła. To był ostateczny koniec pałacu w Łabonarówce, bo w krótkim czasie go zlicytowano.

Róża odchyliła się na krześle i spojrzała w górę. Obłoki wolno przesuwały się po niebie. Było tak spokojnie.

– Naprawdę nie pojmuję, dlaczego moja matka uważa, że babcia będzie zadowolona, wracając tu – wypowiedziała na głos swoją myśl i natychmiast się zreflektowała. – Mam nadzieję, że pani nie obraziłam? – zwróciła się do właścicielki. – Pałac jest wspaniały i robi niezapomniane wrażenie, dokonała pani tutaj istnego cudu. Bardziej chodzi mi o to, czego zaznała tu w dzieciństwie moja babcia. Przecież to był koszmar!

– Niekoniecznie. – Urszula skinęła dłonią na kelnerkę, by przyniosła jeszcze herbatę. – Pani Gina była wówczas małym dzieckiem, prawda? Przypuszczalnie nie miała świadomości, co się właściwie działo. To mogą być jedynie strzępy bardzo odległych wspomnień, wrażenia. Pytała ją przecież pani, czy chce tu przyjechać?

– Owszem, i ucieszyła się z tego pomysłu – przyznała Róża.

– Proszę się zatem nie przejmować. Dołożymy wszelkich starań, żeby pobyt był dla pani babci wspaniałym doświadczeniem. Musi pani jeszcze zobaczyć nasze pokoje hotelowe. Dla pani Giny oczywiście zarezerwujemy apartament. Niestety, wnętrza nie wyglądają już tak jak za czasów Korsakowskich, ale mam nadzieję, że nie będzie zawiedziona.

Zaprowadziła ją na górę i Róża przyznała jej rację. Hotel olśniewał elegancją i starannością każdego detalu. Z pokoju, który Urszula pokazała jej jako przykładowy, rozciągał się imponujący widok na ogród.

– Przyjęcie w naszym parku z pewnością zrobi wrażenie na gościach. To będzie niezapomniana impreza. Dla Łabonarówki to także reklama: potomkini dawnej właścicielki znowu w tych progach, epokowe wydarzenie – emocjonowała się Niezwińska.

Róża podeszła do okna. Zauważyła w ogrodzie Maksa. Przechadzał się wokół sadzawki, spoglądając na taras.

– Pani syn nie zajmuje się posiadłością? – spytała, wskazując go ruchem głowy.

– Mój pasierb. To syn męża z pierwszego małżeństwa. Przyjechał tu wypocząć, właściwie dojść do siebie po ciężkich przeżyciach. Jest fotoreporterem wojennym. Praca w hotelarstwie go raczej nie interesuje. – Właścicielka uśmiechnęła się sarkastycznie.

– Rozumiem. – Róża zasłoniła firankę. – Wszystko wygląda wspaniale – zmieniła temat. – Zrelacjonuję naszą rozmowę mamie. Jestem pewna, że się porozumiemy. Możemy wstępnie zarezerwować termin?

– Oczywiście. Zejdźmy na dół, od razu wszystko zapiszę.

Gdy Urszula ustalała szczegóły z pracownicą, Róża zapatrzyła się na portret swojej prababki. Matylda spoglądała na nią zagadkowo, jakby wyczekująco. Co właściwie chciała jej powiedzieć? Na co zwrócić uwagę? Jej wzrok sięgał poza mury pałacu w Łabonarówce, poza jego wspaniały ogród i całą posiadłość... Czy tam gdzieś w szerokim świecie kryły się odpowiedzi?

– Chętnie spotkam się z panią Dorotą, aby wyjaśnić dodatkowe szczegóły – z zadumy wyrwał ją głos właścicielki. Skinęła głową. Matka powinna sama tu przyjechać i przekonać się, jak wygląda pałac.

Urszula skończyła robić notatki i podała Róży wydruk wstępnych ustaleń. Zaczęły się żegnać, a dziewczyna po raz ostatni zerknęła na portret Matyldy Korsakowskiej.

– Proszę chwileczkę zaczekać. Chcemy panią obdarować naszymi specjałami. Eksperymentujemy trochę z kuchnią pałacową wedle najlepszych przepisów z okresu dwudziestolecia międzywojennego. Nasz szef kuchni wyspecjalizował się w pasztetach i w drobiu. Zapakowaliśmy trochę próbek, to będą przekąski dla państwa gości.

Róża podziękowała, mile zaskoczona tym upominkiem. Jakie było jej zdumienie, kiedy spory koszyk do samochodu przyniósł jej Maks.

– Mam nadzieję, że się pani nie obraziła? – rzucił, kiedy otwarła bagażnik i pomogła mu umieścić kosz w bezpiecznym miejscu.

– Z powodu?

– Jak panią potraktowałem w ogrodzie. Irytuje mnie, gdy goście hotelu zapuszczają się w tę część parku. To teren prywatny.

– Rozumiem. To może być uciążliwe, choć pewnie taka jest cena za prowadzenie działalności we własnym domu.

– Trudno to oddzielić, to prawda – mruknął. – Zwłaszcza że wiele osób nie szanuje prywatności. A ja potrzebuję spokoju. Tylko tyle. Przepraszam, że się uniosłem. Nie wiedziałem, że jest pani gościem Urszuli.

– Nic się nie stało.

– Moja macocha uwielbia pani prababkę w sposób wręcz groteskowy, co na pewno nie umknęło pani uwadze – dodał jeszcze, patrząc na nią z lekko ironicznym uśmiechem.

Poruszyła ramionami.

– Myślę, że interesuje ją historia tego domu, i to wszystko. Ja też sądzę, że jego dzieje są niezwykłe i warte poświęcenia czasu.

– A ja mam wrażenie, że to niezdrowa fascynacja. Wszystko tutaj kręci się wokół Matyldy Korsakowskiej oraz jej życia i śmierci. – Nakreślił palcami cudzysłów, jakby cytował tytuł jakiejś pracy naukowej. – Poruszamy się w świecie duchów, obcując z cieniami.

– Niech pan nie przesadza – obruszyła się. – Mało wiem, niestety, o Matyldzie, ale podzielam opinię pańskiej macochy: to bez wątpienia była niesamowita osoba.

– O, to z pewnością. Musiała być wyjątkowa, skoro ktoś taki jak Ada Nirska tak bardzo jej nienawidził – roześmiał się Maks, a Róża spojrzała na niego z nagłym zainteresowaniem.

Pokiwał głową.

– Matylda Korsakowska była pustą salonową lalą. Intrygantką i kokietką, piękną, wyrachowaną, zapewne przebiegłą, ale ostatecznie głupią. Ada Nirska natomiast wymykała się wszelkim ocenom i klasyfikacjom. Zapewne o przyrodniej siostrze swej babci wie pani jeszcze mniej niż o prababce?

– Właśnie. Niedawno w ogóle dowiedziałam się, że była artystką kabaretową, i skojarzyłam, że babcia ma kilka jej płyt. No i zobaczyłam jedno jej zdjęcie z młodości.

– Naprawdę? Chętnie bym zerknął. Odkąd Urszula popadła w swoje uzależnienie i zbiera wszystkie pamiątki po Korsakowskich, intryguje mnie Ada Nirska i próbuję się jak najwięcej o niej dowiedzieć.

Róża spojrzała na niego zaskoczonym wzrokiem.

– Pan chce się czegoś więcej dowiedzieć? – powtórzyła, a w jej głosie zabrzmiała lekka nuta ironii. Maks Niezwiński nie pasował jej do roli tropiciela historycznych ciekawostek, a w każdym razie był to zupełnie odmienny typ niż jego macocha. – Ten pałac ma więcej zagadek, niż można się spodziewać.

– Żeby pani wiedziała. – Mężczyzna się uśmiechnął. – A jedną z nich z pewnością jest pani.

– Ja?

– Tak. Poprzez swoje niewiarygodne podobieństwo do Ady.

Spojrzała na niego z niedowierzaniem, a potem wybuchnęła śmiechem.

ROZDZIAŁ 5

Sztaluga i zdjęcia

Róża musiała przyznać, że pracowało jej się źle i była mało efektywna. Doszła do wniosku, że jest nieco rozkojarzona ostatnimi przeżyciami i kilkoma rozmowami z matką, od której bezskutecznie usiłowała uzyskać potwierdzenie tego, czego dowiedziała się od Urszuli Niezwińskiej.

– Brednie – skwitowała po swojemu Dorota. – Ta kobieta nie ma o niczym pojęcia. Może poznała jakąś córkę ciotki kucharki z pałacu, ale to wszystko. Stugębna plotka przeinacza wszystko.

– Znała córkę pokojówki – sprostowała Róża. – I bardzo interesuje się historią rodziny Korsakowskich.

– Ciekawią ją sensacyjne bajeczki – doprecyzowała matka. – Jeśli chcesz wiedzieć, w takich posiadłościach, gdzie pracowało mnóstwo służby, nic innego się nie robiło, tylko w kuchni fantazjowało na temat jaśnie państwa. Łabonarówka nie była tu wyjątkiem, zaręczam ci. Czego nie wiedzieli, to sobie dośpiewali, a co podpatrzyli, interpretowali po swojemu, bo tak naprawdę o niczym nie mieli pojęcia.

– To znaczy, że pradziadek nie popełnił samobójstwa, a Matylda nie oszalała?

Dorota odwróciła do córki rozzłoszczoną twarz.

– Nie powtarzaj tych bzdur! Sama wyjaśnię tej pani, gdy się spotkamy...

– Ale właściwie co?

– Owszem, mój dziadek popełnił samobójstwo, ale babcia... – Dorota się zawahała.

– Co z nią? Jednak nie popadła w obłęd za sprawą niewdzięcznej pasierbicy-skandalistki? – Róża wydęła wargi. Matka poruszyła ramionami.

– Naprawdę, czego ci ludzie nie wymyślą. Adelajda nigdzie nie uciekła. Mówiłam ci, że wychowywała babcię Ginę w Warszawie, przed wojną. Pomagała jej w tym taka starsza krewna, miała na imię bodaj Bisia... Tak, ciocia Bisia, w ten sposób o niej mówiły. Jak więc miała uciec?

– Może jej się nie udało? Matylda ją powstrzymała?

– I co? Z tego powodu zwariowała? Powtarzam ci po raz ostatni, moja babcia nie była szalona. Rozchorowała się po śmierci męża, takie rzeczy się zdarzają. To była gwałtowna choroba, pewnie coś zakaźnego, jak to w tamtych czasach. Cud, że mamie nic się nie stało, była wtedy małą dziewczynką. A to, co powtarzały pokojówki w kuchni, należy traktować z przymrużeniem oka. Wtedy nie było seriali z Netfliksa. Musiała wystarczyć własna wyobraźnia i strzępki zasłyszanych rozmów, z których układało się całe intrygi. – Dorota głęboko westchnęła. – Właściwie to cieszę się, że wybrałyśmy Łabonarówkę na tę imprezę. Chętnie tam pojadę, spotkam się z właścicielką i pogadam z nią. Lepiej, żeby nie rozpowszechniała takich banialuk, nawet jeśli nie ma złych intencji.

Róża jednak nie była pewna, czy to naprawdę są wyssane z palca historie. Wiedziała, że od babci raczej niczego się nie dowie, a informacji na temat Ady Nirskiej także nie znalazła wiele. To była artystka znana przed wojną, obecnie kompletnie zapomniana. O gwiazdach pokroju Ordonki, Toli Mankiewiczówny czy Lody Halamy wciąż pamiętano, między innymi dlatego, że zachowały się filmy z ich udziałem, a o Adzie Nirskiej wspominano nader rzadko. „Wspaniały sceniczny głos i osobowość" – udało się przeczytać Róży w jakimś internetowym artykule na temat międzywojennych scen rewiowych stolicy. Zdjęcie artystki nie było zbyt wyraźne ani dobre. Ada miała pociągłą bladą twarz, wielkie, wykrojone w kształt migdała oczy i kręcone, nieokiełznane włosy – nie uznawała zupełnie fryzur charakterystycznych dla swej epoki: gładkich falowanych uczesań ani figlarnych loczków. Była w niej jakaś gwałtowność i pierwotna siła. Płomień, przed którym czuło się respekt.

„Czy rzeczywiście jestem do niej podobna?" – kołatało jej się w myślach, bo wciąż nie mogła się pozbyć z głowy tych słów Maksa Niezwińskiego. Nie. Ada to była dzikuska, a Róża przecież miała spokojne i ustabilizowane życie, bez miejsca na burzliwe zwroty.

Westchnęła więc tylko nad sobą, czując w niejasny sposób, że zamyka się na coś ekscytującego i nadzwyczajnego, czego mogłaby doświadczyć, gdyby przestała aż tak bardzo się kontrolować, i postanowiła skupić się wyłącznie na pracy. Miała wyrzuty sumienia względem wspólniczki, której w tym okresie pomagała mniej.

Kolejny dzień w galerii rozpoczął się od awantury w wykonaniu Konrada Taksińskiego. Oburzony malarz wpadł do środka, roztrącając przy wejściu osoby, które przyszły na kolejną wystawę przedaukcyjną. Bea zamierzała bowiem pójść za ciosem i zorganizować letni salon sprzedażowy.

– Wyłącznie nowe, gorące nazwiska. Dorzucimy kilkoro naszych pewniaków, wszystko sprzeda się na pniu – zapewniała Różę, kiedy prezentowała jej ten pomysł.

– Tak, wiem, surrealiści zawsze dobrze idą – mruknęła wspólniczka, niechętnie odrywając się od swoich myśli.

– I fantastyka. Doskonały temat na lato. Pójdzie jak woda. Chciałabym…

Nie zdążyła już dokończyć, bo do galerii wpadł Taksiński. Jak zwykle miał zamaszyste ruchy, rozwiane włosy i obłęd w oczach. Był najwyraźniej w swojej fazie twórczej, kiedy wszystkiego można się było po nim spodziewać.

– Nie wiem, komu sprzedały panie moje płótno, ale to jakiś kretyn! Żądam rozwiązania tej umowy! – wrzasnął, strasząc dodatkowo klientów, których już wcześniej potrącił w przejściu. Przyglądali mu się teraz z niepokojem.

– O którego z kupujących panu chodzi? – Bea postanowiła być racjonalna i poprowadzić dialog z furiatem, licząc na to, że go uspokoi.

– O tego z ostatniej aukcji, oczywiście. Napisał mi maila z podziękowaniami i załączył zdjęcie oprawionego obrazu wyeksponowanego na ścianie. Pomijając fakt, że rama jest absolutnie koszmarna, powiesił go do góry nogami. Natychmiast odpisałem mu, żeby skorygował ten błąd, a ten idiota na to, że tak mu się bardziej podoba! To jest zniewaga dla mojej sztuki, nie będę sprzedawał swoich dzieł prymitywnej ciemnocie, muszą panie natychmiast odzyskać tę pracę!

Bea westchnęła znacząco i zaczęła wyjaśniać, że umowy nie da się zerwać z takiego powodu jak niewłaściwe – zdaniem malarza – powieszenie obrazu.

– Ależ to jest naruszenie moich podstawowych praw jako twórcy. Mojej artystycznej wizji – dowodził Taksiński, coraz bardziej czerwieniejąc. – Staram się to wytłumaczyć pani spokojnie! – W tym momencie mocno podnosił już głos. – To jest pani zasrany obowiązek! – wybuchnął wreszcie. – Ma pani odzyskać obraz, inaczej pozwę was do sądu.

Beata lekko wzruszyła ramionami, co nie uszło uwagi rozsierdzonego malarza.

– Teraz jeszcze kpi pani ze mnie? Uważa to pani za śmieszne? Debilka! Natychmiast zrywam z wami umowę!

W tej chwili proszę mi zwrócić obraz, który tutaj zostawiłem po ostatniej aukcji. Nie myślcie sobie, że go ode mnie wyłudzicie, oszustki!

– No teraz to zdecydowanie pan już przesadził. – Bea nie zamierzała tego puszczać płazem. – Jestem w stanie zrozumieć, że się pan zdenerwował, czasami każdemu puszczają nerwy, ale rzucanie takich oszczerstw może się skończyć pozwem o zniesławienie.

– Bezczelna, niekompetentna flądra – mruknął Taksiński, ale nieco się opanował, bo przeląkł się ewentualnych konsekwencji. Tymczasem Róża wyniosła z zaplecza obraz, który parę dni wcześniej zapobiegliwie przywiozła od matki.

– Proszę bardzo – rzuciła oschle. – Przechowałam go dla pana. Byłam pewna, że zażąda pan zwrotu tego prezentu. – Ostatnie słowo wypowiedziała jadowitym tonem.

Malarz obrzucił ją niechętnym spojrzeniem.

– Mam nadzieję, że nie jest uszkodzony. W innym razie…

– Obciąży nas pan kosztami – usłużnie podsunęła Bea. – Na pana miejscu cieszyłabym się, że oddajemy go panu bez słowa. Podarował go pan Róży przy świadkach, których możemy w każdej chwili wskazać. To wyraz naszej dobrej woli, a nie przymus.

– Akurat. – Najwyraźniej Taksiński musiał mieć ostatnie słowo. – Już mnie tu więcej nie zobaczycie. Ani moich prac.

Odwrócił się i wymaszerował z galerii, po drodze zderzając się z jakimś wysokim mężczyzną, który właśnie wchodził.

– Nie zatęsknimy – burknęła Bea, odprowadzając go wzrokiem. – Co za dupek, że też nam się trafił taki dopust.

– To było jasne od początku – skomentowała Róża. – On nigdzie nie zagrzewa miejsca na dłużej, kwestia czasu, kiedy się pożre z kolejnym właścicielem galerii. Zrobię nam kawy, dobrze?

– W porządku. Muszę ochłonąć, no i trochę ogarnąć ten chaos. – Wskazała ruchem głowy osoby w galerii, które z ciekawością przysłuchiwały się wybuchowi malarza i komentowały między sobą jego zachowanie. Należało ich przynajmniej przeprosić za tę niesmaczną scenę.

Róża podeszła do ekspresu, żeby nastawić napój, a wtedy zbliżył się do niej człowiek, którego przed chwilą potrącił w drzwiach Taksiński. Uniosła głowę i rozpoznała go ze zdumieniem.

– Maks? To znaczy przepraszam: pan Niezwiński? – zreflektowała się po chwili. – Co pan tutaj robi?

– Nic nie szkodzi. Chyba lepiej, żeby zwracała się pani do mnie po imieniu – odezwał się mężczyzna. Dzisiaj wyglądał dużo lepiej niż w dniu, gdy go poznała. Nie tylko ubrany był staranniej, ale wydawał się bardziej wypoczęty i odprężony. Zaskoczyła ją ta zmiana.

– Zgoda, proszę mi mówić po prostu Róża, tak będzie prościej. – Wyciągnęła rękę, którą on uścisnął skwapliwie.

– Wiem, że jesteś zdziwiona, że tutaj przyszedłem, ale zapewniam, nie jestem jakimś stalkerem – roześmiał się.

– Chciałeś po prostu obejrzeć galerię i być może kupić jakiś obraz do kolekcji – podsunęła z humorem.

Skinął głową.

– Z ust mi to wyjęłaś. Z pewnością jednak nie tego pana, którego miałem wątpliwą przyjemność spotkać w drzwiach. Ma osobowość skutecznie zniechęcającą do swojej sztuki.

Zaprzeczyła gestem.

– I tutaj robisz błąd. Jest antypatyczny, ale jego prace są cenione, to dobra lokata kapitału.

– Ty jednak pozbyłaś się jego arcydzieła bez gadania. Raczej z widoczną ulgą.

– Faktycznie. Przyłapałeś mnie. Moja matka i tak uznała, że to bohomaz.

– Z tego, co zdążyłem zauważyć, nie myliła się ani na jotę.

Uśmiechnęli się do siebie, a Róża lekko się odprężyła. Kiedy Maks się tu zjawił, czuła pewne zdenerwowanie i dyskomfort. Po co przyszedł? Ich znajomość nie zaczęła się zbyt fortunnie, nie zapałali do siebie sympatią, a wręcz przeciwnie – odniosła wrażenie, że był zirytowany jej obecnością. Czego zatem chciał? Może naprawić złe pierwsze wrażenie? Namówiła go do tego macocha, zaniepokojona, że hotel może stracić pożądaną klientkę? E nie, chyba by na to nie poszedł – nie wyglądało na to, aby Urszula miała na niego jakikolwiek wpływ.

Te wszystkie myśli przeszły jej przez głowę, gdy nalewała kawę do filiżanek i podała mu jedną.

– Byłem w okolicy – wyjaśnił. – Odwoziłem moją dziewczynę. Mieszka niedaleko.

Skinęła głową ze zrozumieniem. To wiele tłumaczyło.

– Właściwie to chciałem cię przeprosić za tamto. Zachowałem się jak gbur. Czasami mnie tak najdzie.

– Już ci mówiłam, że nic się nie stało, ale to miłe z twojej strony. – Patrzyła na niego uważnie, bo nie wierzyła, że fatygował się specjalnie ponownie przepraszać za ten sam incydent. Na jej oko to w ogóle nie leżało w jego zwyczaju. To nie był człowiek, który lubi się kajać, nawet gdyby miał do tego powody.

– Uff, chyba udało mi się zażegnać niebezpieczeństwo kompromitacji galerii ze strony uroczego Konrada T. – Bea bezceremonialnie wyjęła Róży z ręki filiżankę z kawą i szybko upiła łyk. – My się chyba nie znamy? – zwróciła się do Maksa. – Jest pan znajomym Róży czy naszym przyszłym klientem? Zresztą jedno nie wyklucza drugiego. Chętnie doradzimy.

– To Maks Niezwiński z Łabonarówki – przedstawiła Róża. – Moja wspólniczka Beata Kulesza.

– Mój Boże, zatem serial dramatyczno-satyryczny pod uroczo rymowanym tytułem „Urodziny babci Giny" ma swój dalszy ciąg – skonstatowała Bea, wyciągając rękę i jednocześnie obrzucając Maksa taksującym wzrokiem. Wyraźnie mu to nie przypadło do gustu, bo odchrząknął nieco skonfundowany.

– Przybywam tu absolutnie prywatnie. Sprawami organizacyjnymi zajmuje się moja macocha, ale z tego, co wiem, przygotowania są zakrojone na szeroką skalę – wyjaśnił, zwracając się do Róży.

– Trudno żeby nie. Skoro Dorota tym zawiaduje, nie może być inaczej – skomentowała Bea. – Ona ma niewiarygodny rozmach. Już się nie mogę doczekać tej imprezy.

Chętnie jeszcze by coś dodała albo nawet porozwodziła się nad skomplikowanym charakterem matki Róży, wprawiając ją samą w pewne zakłopotanie, ale jedna z osób oglądających wystawę przedaukcyjną podeszła, aby zapytać o wycenę obrazu, więc zajęła się klientem.

Maks i Róża zostali sami.

– Przepraszam. Moja wspólniczka jest dosyć bezpośrednia.

– To zapewne dobrze rokuje w tym biznesie – zbagatelizował, rzucając Bei krótkie spojrzenie. – Ale ja mam inną sprawę. Chodzi o naszą ostatnią rozmowę. Tę o Adzie Nirskiej – sprecyzował, a Róża zerknęła ciekawie.

– Może chcesz pogadać gdzie indziej? Mamy tu takie pomieszczenie, powiedzmy, biurowe – zaproponowała, a on z ochotą skinął głową. Nie odpowiadała mu sala wystawiennicza, do której co chwila ktoś wchodził zerknąć na płótna. Róża zostawiła Beę bez wyrzutów sumienia. Jak się zorientowała, wspólniczka właśnie udzielała krótkiej instrukcji „jak inwestować w sztukę", wygłaszając ją do pary w średnim wieku, która chyba była zainteresowana kilkoma dziełami z aukcji. Dało się zauważyć, że radzi sobie świetnie i nie potrzebuje pomocy.

„Pomieszczenie biurowe" powstało z części korytarza, z wyjściem na wewnętrzne podwórko. Cała galeria mieściła się w dawnym magazynie i miała styl loftowy, który obu dziewczynom bardzo odpowiadał. Małe biuro znajdowało się w odosobnionym miejscu, na tyłach sali wystawienniczej. Jego zaletą było to, że nikt tu nie docierał, a duże przeszklenia od strony dziedzińca zapewniały światło i swobodną atmosferę. Panowały tu bałagan i rozgardiasz, ponieważ wspólniczki gromadziły w tym miejscu wszystkie materiały dotyczące aukcji, dokumentację i różne papiery, a żadna z nich nie była zbytnią pedantką. Maks rozejrzał się po tym chaosie z pewną niechęcią, a potem, odsunąwszy paczkę niewykorzystanych katalogów z fotela, rozsiadł się na nim wygodnie.

– Proszę. – Pogrzebał chwilę w swej reporterskiej torbie, którą nosił przewieszoną przez pierś, a potem podał Róży pakiet w szarym papierze.

– Co to jest? – Z pewną nieufnością obróciła w dłoniach pakunek, zanim do niego zajrzała.

Wzruszył ramionami.

– Sama zobacz.

Odwinęła papier i ze zdumieniem zobaczyła kilka starych zdjęć. Nie były to jednak typowe fotki, jakie spodziewałaby się ujrzeć – scenki rodzajowe czy rodzinne. Te fotografie miały drapieżny i śmiały charakter, można je byłoby określić mianem wyuzdanych. Przedstawiały uchwycone momenty miejskiego życia, gdzieś w kawiarni czy nocnym klubie, pełnym roznegliżowanych tancerek i artystek scenicznych oraz klientów tych przybytków – swobodnych, wyzywających i niedbających o konwenanse. Były to czarno-białe zdjęcia w klimacie lat dwudziestych i trzydziestych. Miały wiele uroku, przyciągały pewną zalotną pikanterią i nieprzyzwoitością. Obietnicą bezwstydu i perwersji ledwo tylko zasugerowaną, a jednak sugestywną.

– Są piękne. – Róża stuknęła paznokciem w fotografię przedstawiającą półnagą tancerkę z pióropuszem białych strusich piór na głowie. Wokół niej zgromadził się tłum wpatrzonych w nią mężczyzn, nieruchomych i milczących, z jednakowym pożądliwym wyrazem twarzy. Było w tym coś niepokojącego i elektryzującego zarazem.

– To oryginały z epoki. – Maks wyjął jej pakiet z dłoni. – Zrobione aparatem Leica, cudem techniki tamtych lat, teraz kultowym.

– Niesamowite. Skąd je masz? Kolekcjonujesz takie zdjęcia? Twoja macocha wspominała, że jesteś fotografikiem.

Przez jego twarz przeszedł niemiły grymas.

– Fotoreporterem wojennym. A właściwie byłem nim. Nie chcę o tym gadać, jeśli pozwolisz. A wracając do tematu: interesuję się fotografią z tamtych czasów. To są zdjęcia bardzo w stylu międzywojnia, coś jak Lotte Jacobi czy Dora Kallmus… Słyszałaś o nich?

Pokręciła głową. Chyba tylko raz urządziły aukcję starych fotografii, ale robiły to z duszą na ramieniu, bo żadna z nich nie znała się na temacie zbyt dogłębnie i obawiały się kompromitacji. Nazwiska, które podał, nie były jej do końca obce, ale też z niczym konkretnym się nie kojarzyły.

– Nieważne – zbagatelizował. – Chodzi mi o ogólny nastrój, atmosferę tych ujęć. Ktoś miał prawdziwy talent. I oko jak mało kto. Te zdjęcia mówią.

– To prawda. Jest w nich coś...

– Prowokacyjnego i dwuznacznego, ale bez pornograficznego aspektu? – dokończył, a ona kiwnęła głową.

– Są zmysłowe – przyznała. – Działają na wyobraźnię.

– Właśnie. Tak samo je oceniam. – Rozłożył zdjęcia na stole i przyjrzał im się raz jeszcze z uwagą.

– Nie powiedziałeś, skąd pochodzą. To twoje zbiory?

Poruszył się niecierpliwie, a potem spojrzał na nią z uwagą.

– To jest właśnie najciekawsze. Znalazłem je w oranżerii.

– W cieplarni w Łabonarówce? Tej zrujnowanej? – Próbowała sobie to ułożyć.

Skinął głową.

– Urszula strasznie przejęła się tym jubileuszem, no i twoją wizytą. Za punkt honoru postawiła sobie doprowadzenie tej szklarni do stanu używalności. Przynajmniej uporządkowanie jej, by nie straszyła gości. Zaglądałem tam, bo przyznam, że przyciąga mnie to miejsce. Ma w sobie jakiś rys niesamowitości…

– To samo poczułam, kiedy tam weszłam – przerwała mu. – Jest takie inne niż dom.

– Mniej uładzone i sztuczne, prawda? Bardziej prawdziwe niż wszystko inne – przytaknął. – Robotnicy wynosili jakieś stare połamane graty, resztki szafy i innych sprzętów, pamiętających zapewne jeszcze twoich pradziadków, a ja niespodziewanie natknąłem się na to…

Sięgnął ponownie do torby i wydobył z niej pordzewiałe, ale solidnie wyglądające pudło po tytoniu.

– Było zakopane niedaleko progu, robotnicy wyjęli je, wprawiając na nowo drzwi.

– Zdjęcia były w pudełku?

– Nie tylko.

Maks odchylił się nieco na oparciu fotela i spojrzał na nią triumfalnie.

– No więc co jeszcze? – rzuciła zniecierpliwionym głosem. Naprawdę Maks mógłby świetnie się dogadać z jej matką i zacząć wspólnie z Dorotą pisać dreszczowce. Miał znakomite wyczucie chwili i potrafił budować napięcie jak nikt.

– Pistolet.

– Żartujesz… – Wpatrzyła się w niego szeroko otwartymi oczami.

Pokręcił głową.

– Sama zobacz. – Ponownie sięgnął do torby i wyjął zawiniątko w szmatce. Kiedy je odwinął, ujrzała pistolet w ciemnym kolorze.

– To walther PP – wyjaśnił i przeładował. – W komorze nie ma naboju, nie martw się. Te pistolety zaczęto produkować w Niemczech w tysiąc dziewięćset dwudziestym dziewiątym roku, a dwa lata później powstała ich mniejsza wersja walther PPK. Zdobyły ogromną popularność, używała ich policja, potem wojsko, ogólnie hitlerowcy je uwielbiali, podobnie jak NKWD, które posługiwało się nimi na przykład w Katyniu.

– Przestań. – Wzdrygnęła się. – Myślisz, że ten pistolet ma coś wspólnego ze śmiercią mojego pradziadka? Urszula na pewno wspominała, że się zastrzelił.

Maks zbliżył walthera do oczu, a potem zmarszczył brwi.

– Nie wykluczam. To może być ta broń. Niezawodna i skuteczna. Szczyt osiągnięć tamtych czasów. Gdybym chciał sobie palnąć w łeb na przełomie lat dwudziestych i trzydziestych, zrobiłbym to z walthera.

Ponownie rzuciła mu karcące spojrzenie. Nie podobało jej się, że żartuje w ten sposób.

– Wybacz. Jeśli jednak to pistolet, z którego zabił się Augustyn Korsakowski, to w jaki sposób trafił do tego pudełka? I kto do diabła zrobił te zdjęcia?

– No i kto na nich jest? – Róża raz jeszcze sięgnęła po fotografię kobiety w pawich piórach.

– Tych raczej nie zrobiono w Polsce. Nie ta poetyka – mruknął Maks. – Może to Wiedeń albo Berlin, trudno powiedzieć. Jedną osobę powinnaś jednak znać.

– Tak? – zdumiała się.

Podsunął jej fotkę, którą obejrzała pobieżnie, bo wcześniej jej uwagę przyciągnęły sceny z nocnych klubów. Na tym zdjęciu była również kobieta, ale sportretowana z pewnego oddalenia, w buduarze czy w sypialni. Leżała na szezlongu, w jedwabnej koszulce, która opływała jej zgrabną sylwetkę. Nogi miała odsłonięte po uda, na nich pończochy, nie nosiła butów. Głowę odwróciła w ten sposób, że widać było tylko część twarzy, jedno oko i jasną falę włosów spływającą na oparcie otomany. Na wysmukłej szyi widniał sznur pereł, takie same perły oplatały jej nadgarstek. W dłoni trzymała papierosa w ozdobnej długiej cygaretce, zwanej w tamtych czasach lufką albo fifką.

– Matylda Korsakowska! – Głos Róży wyrażał krańcowe zdumienie.

– Właśnie. – Maks był z siebie bardzo zadowolony. – O tym chciałem z tobą porozmawiać. Nie wydaje ci się to wszystko dziwne?

Pytanie zawisło w próżni, bo Róża nie wiedziała, jak na nie odpowiedzieć.

CZĘŚĆ II

Łabonarówka, 1929 rok

ROZDZIAŁ 1

Ambicje i upokorzenia

Kiedy Adelajda po raz pierwszy zobaczyła pałac, była piękna wiosna 1929. Jej ojciec kupił majątek dwa lata wcześniej, ale objął go właśnie teraz. Przedtem Łabonarówka była własnością rodziny Wilskich, którzy musieli ją sprzedać na spłatę długów i przeprowadzkę do Warszawy. Wyprowadzali się niechętnie, zwłaszcza stara pani Wilska, która urodziła się w Łabonarówce, tutaj dorastała i wychowała swoje dzieci, a teraz – na starość – musiała wynieść się z domu. Nie mogła darować synowi, że nie potrafił utrzymać rodowej posiadłości i spieniężył ją komuś takiemu jak Korsakowski – dorobkiewiczowi i człowiekowi niższej klasy. Co prawda ożenił się on z baronówną Mikanowską, ale to nie zmieniało ani na jotę sytuacji. W domu hrabiów Wilskich mieli osiedlić się ludzie bez ziemiańskiego pochodzenia.

– Z gminu – podkreślała zdegustowana. Trudno jej było sobie wyobrazić, że w dawnych rodowych wnętrzach, w ogrodach założonych przez jej przodków pojawią się nowi właściciele i ich goście. Zapewne równie okropni jak oni sami.

– Mamo, nie przesadzaj – mruczał jej syn Stanisław, którego rozrzutność i nietrafione inwestycje doprowadziły do takiego, a nie innego końca Łabonarówki. Sam zazdrościł Korsakowskiemu. Był to człowiek absolutnie znikąd, który dzięki zręcznie prowadzonej polityce wkrótce stał się jednym z najbogatszych ludzi w kraju. Mógł więc spełnić marzenie swej młodej żony Matyldy i nabyć dla niej tę oto posiadłość.

– I ta cała Mikanowska. – Helena Wilska kręciła głową. – Jej ojciec dostał tytuł od Franciszka Józefa w uznaniu zasług dla cesarstwa! – Te ostatnie słowa stara hrabina wypowiadała z obrzydzeniem, dając do zrozumienia, co myśli o takiej postawie. Wilscy byli gorliwymi patriotami, jej przodkowie walczyli w powstaniu listopadowym i styczniowym. Drugi syn, Władysław, poległ w wojnie z bolszewikami i była z niego dumna. Zawsze starała się to tłumaczyć wdowie po synu, Aleksandrze, która najwyraźniej nie rozumiała, że powinnością każdego mężczyzny z rodu Wilskich jest brać udział w niepodległościowych zrywach, a śmierć za ojczyznę jest najbardziej zaszczytnym końcem żywota, jaki można sobie wyobrazić. Aleksandra nie podzielała jej poglądów. Wciąż była w żałobie po stracie ukochanego męża i nie mogła się pogodzić z jego odejściem.

Wbrew temu, co myślała o niej Helena, Łabonarówka nie była rajem na ziemi. Już dawno straciła swój światowy sznyt i elegancki urok. W chwili, gdy kupił ją Augustyn Korsakowski, swoją świetność miała już dawno za sobą. Część komnat wyłączono z użytku – były w tak złym stanie, że nikt nie odważyłby się tam mieszkać, dach nadawał się wyłącznie do remontu, a słabo ogrzewane, tchnące wilgocią pomieszczenia domagały się natychmiastowej renowacji.

Augustyn zrobił to wszystko, bo pieniądze nie grały dla niego roli. Nie tylko wyremontował pałac, lecz także zamontował w nim nowoczesne ogrzewanie i oświetlenie. Wielkie pomieszczenia od razu nabrały blasku. Sala balowa ozdobiona lustrami czy biblioteka ze spiralnymi schodami stanowiły prawdziwą dumę Łabonarówki. Podobnie jak reprezentacyjny salon na parterze – ogromna sala w wieloma wyjściami do parku. Także tutaj dokonano prawdziwego cudu, by w niedługim czasie zamienić zachwaszczony i zarośnięty niedopilnowanymi roślinami teren w prawdziwe cacko. Obecnie ogród był na najlepszej drodze, by w kolejnych sezonach konkurować z tymi najsłynniejszymi, w tym zagranicznymi. Kiedyś dumą Łabonarówki była wielka oranżeria, w której uprawiano egzotyczne kwiaty. Dochodziła do budynku mieszkalnego i była z nią połączona. W ostatnim okresie straszyła popękanymi szybami i niedomykającymi się drzwiami. Korsakowski zlecił reperację wszystkich usterek, zatrudnił też specjalnych ogrodników do zajęcia się kolekcją.

Po dwuletnim remoncie pałac i jego otoczenie zaczęły błyszczeć. Łabonarówka odwdzięczała się swemu nowemu właścicielowi, budząc podziw we wszystkich, którzy ją odwiedzali.

Właśnie takie – monumentalne i pełne subtelnego czaru – wrażenie zrobiła nowa siedziba rodziny na szesnastoletniej Adelajdzie, która wychyliła się przez okno samochodu ojca, żeby zobaczyć wszystko dokładnie.

– Adelajda, *fi donc*[*]! – Matylda odwróciła się gwałtownie, widząc, że starsza córka jej męża przytrzymuje rękami kapelusz i połową ciała prawie zwisa z okna. Obawiała się, że ktoś może zobaczyć Adelajdę w takiej pozie i powziąć błędne przeświadczenie, że dziewczyna jest niewychowana. Odkąd sześć lat temu baronówna Mikanowska została panią Augustynową Korsakowską, robiła wszystko, by wychować Adelajdę na młodą damę. Matka dziewczyny zmarła niedługo po wojnie na szalejącą wówczas grypę, a ojciec – po stosownej żałobie – ożenił się ponownie z dwudziestodwuletnią panną, która uchodziła za największą piękność w stolicy. W istocie była ładna i umiała swoją urodę podkreślić. Miała miękko wijące się złociste loki, a jej brązowe wyraziste oczy zdawały się przewiercać rozmówcę na wylot. Patrzyła przy tym w taki sposób, że każdy mężczyzna topniał pod tym spojrzeniem jak wosk. Była urocza, dowcipna i pełna życia. Zachwycała każdego, kto się z nią zetknął. Tak, Matylda Mikanowska wiedziała, że uroda i arystokratyczny

---

[*] *Fi donc* (fr.) – wstyd, nieładnie.

tytuł to jej największy kapitał i nie zamierzała go roztrwonić. Wręcz przeciwnie – postanowiła ulokować go tak, aby zawsze przynosił jej zyski.

Augustyn już wówczas dysponował niewiarygodnym majątkiem i miał widoki na dalsze bogacenie. Kuzyn Matyldy, młody Karol Mikanowski, zawsze powtarzał, że szwagier (jak przekornie nazywał męża swej kuzynki) ma w sobie coś z Midasa – wszystko, czego się dotknie, zamienia w złoto. Matylda nie zamierzała rezygnować z takiej okazji. Wojna sprawiła, że rodzinny kapitał rozwiał się niczym dym z papierosa. Baronówna miała już dosyć przestarzałych strojów, liczenia każdego grosza i pełnych litości, nieszczerych spojrzeń krewnych. Chciała być bogata i mieć wspaniały dom. Być może również własny samochód, bo wchodziły wówczas w modę, zastępując niemodne powozy. Kiedy więc Korsakowski oświadczył się jej, nie wahała się ani chwili, bo mógł się rozmyślić i znaleźć sobie kogoś innego. Miał wspaniały dom w Warszawie, kilka szybów naftowych w Borysławiu, rafinerię w Drohobyczu oraz mnóstwo pieniędzy. Oczywiście rozliczne ciotki i kuzynki szeptały po kątach, że *c'est une chose bien affreuse**, aby baronówna Mikanowska wchodziła w taki związek, toż to straszny mezalians! Młodsze krewne jednak dobrze ją rozumiały, a może nawet zazdrościły jej? Znalazła przecież męża milionera i nie musiała troszczyć się o przyszłość. Chciała przede wszystkim zapomnieć o wojnie i powojennym

---

* *C'est une chose bien affreuse* (fr.) – to rzecz przerażająca.

kryzysie – które kojarzyły jej się z biedą, strachem i galopującymi cenami.

Augustyn ocalił ją przed widmem niedostatku i pozwolił, aby zajęła należne sobie miejsce. Była mu za to ogromnie wdzięczna. Wiedziała, że czasy się zmieniły – dziewczęta zaczęły bardziej decydować o sobie i nie były już tak uzależnione od zdania rodziny jak kiedyś. Wojna przekształciła stosunki społeczne i Matylda doświadczyła tego osobiście. Oczywiście, plotkowano o Augustynie niestworzone rzeczy, że podczas wojny wzbogacił się w niegodziwy sposób, a w posiadanie roponośnych gruntów wszedł na skutek różnych machinacji, szeptano, że to aferzysta i człowiek pozbawiony skrupułów, ale jej było wszystko jedno. Korsakowski miał pieniądze i chciał się z nią ożenić, zatem jedynie to ją interesowało. W rok po ślubie urodziła dziecko, córeczkę, której dano na imię Georgina. Od momentu przyjścia na świat mała stała się oczkiem w głowie ojca. Zresztą Augustyn uwielbiał obie swoje córki: Adelajdę – dzikie dziecko o nieujarzmionej naturze, którą Matylda wielkim wysiłkiem starała się utemperować, i rozważną, pełną słodyczy Ginę – równie urodziwą jak jej matka, a być może zapowiadającą się na jeszcze większą piękność.

Teraz właśnie upomniana przez macochę Adelajda na moment schowała się do wnętrza samochodu, by po chwili znowu wychylić się przez okno. Była zachwycona Łabonarówką, a najbardziej – imponującym ogrodem wokół pałacu. Dostrzegła kątem oka duży staw otoczony drzewami i malowniczą roślinnością oraz sztuczną ruinę wzniesioną, aby dodać parkowi romantyzmu. Jeszcze nawet nie postawiła stopy na progu swego nowego domu, a od razu pokochała go całym sercem! Ojciec powiedział jej, że na parterze tuż obok ogromnego salonu jest pokój muzyczny ze specjalnie sprowadzonym fortepianem! Ach, pokój muzyczny! Marzyła o czymś takim od dwóch lat, kiedy zaczęła na poważnie brać lekcje gry i śpiewu, a panna Pernolli, która była jej nauczycielką, stwierdziła, że ma doskonały głos.

– Mogłaby zrobić karierę. – Panna Pernolli mówiła to do Augustyna Korsakowskiego pełnym przekonania tonem. On się obruszył.

– Żadna z moich córek nie musi robić kariery – podkreślił surowo. – Mają wszystko, czego potrzebują. Ale jeśli Adelajda ma ochotę uczyć się śpiewu, niech tak będzie.

Zatem uczyła się z całą pasją, na jaką ją było stać. Najbardziej lubiła jednak kabaretowe szlagiery i rytmiczne fokstroty. Gdy panna Pernolii wychodziła, usatysfakcjonowana ćwiczeniami swej zdolnej uczennicy, Adelajda siadała do fortepianu i grała modne melodie. Nigdy nie była w takim teatrzyku, nie widziała żadnej rewii, bo ojciec by się na to nie zgodził. Jednakże Matylda je uwielbiała i często nuciła piosenki z popularnych przedstawień. Kupowała też płyty gramofonowe, które puszczała w salonie. Adelajda mogła ich słuchać bez końca. Macocha nauczyła ją też tańczyć fokstrota i charlestona, którego po raz pierwszy zaprezentowała jakiś czas temu Zula Pogorzelska w jednej z rewii. Taniec był zresztą pasją Matyldy, podobnie jak muzyka i śpiew stanowiły największą miłość Adelajdy. Kiedy w modę wszedł shimmy, macocha bez przerwy ćwiczyła kroki i do perfekcji opanowała zgrabne potrząsanie ramionami, podczas gdy bransolety na jej nadgarstkach wydawały oszałamiające dźwięki. Była w tym tańcu kusząca, zwodnicza i tak olśniewająca, że trudno było od niej oderwać wzrok.

– Musisz się zgrabniej ruszać – strofowała pasierbicę, która wstydziła się zwracać na siebie uwagę. – Tylko w ten sposób zostaniesz zauważona w towarzystwie. Nikt nie lubi ludzi banalnych i szarych. Trzeba się wyróżniać.

Adelajda nie miała wątpliwości, że Matylda potrafiła przyciągać spojrzenia. Kiedy tylko oddała małą Ginę pod opiekę wykwalifikowanej piastunki oraz sprowadzonej specjalnie ze Lwowa do pomocy dalekiej krewnej Augustyna, ciotki Albiny, nazywanej przez wszystkich Bisią, łaknęła wszelkiej możliwej rozrywki. Miała głód zabawy, błyszczenia w towarzystwie, pokazywania się. Łabonarówka całkowicie zaspokajała jej ambicje dotyczące bogatej ziemiańskiej siedziby. Pałac był wspaniały, a ona sama dokładała wszelkich starań i nie szczędziła pieniędzy męża, by czynił na odwiedzających spektakularne wrażenie.

– Ma powalać na kolana – lubiła mawiać. – Każdy, kto przestąpi mój próg, musi wiedzieć, kim jestem.

– Co do tego nie ma najmniejszych wątpliwości, kuzyneczko. – Karol, najczęstszy świadek tych wynurzeń, uśmiechał się złośliwie.

Dobrze znał Matyldę i jej niepohamowane ambicje. Kuzynka paliła się ze wstydu, gdy jej ojciec powoli tracił wszystko. Był to splot naprawdę niefortunnych zdarzeń, bo Edward Mikanowski nie był pozbawionym rozumu utracjuszem. Wręcz przeciwnie, córka uważała, że nie brakowało mu rozsądku ani sprytu. Wojna jednak podkopała mocno rodzinne finanse, a inflacja szalejąca w pierwszych latach niepodległości dołożyła swoje. Oszczędności znikły, pałacyk w stolicy trzeba było sprzedać, a rodzina zaczęła żyć wspomnieniami dawnej świetności i znosić te wszystkie pełne wyższości uśmieszki znajomych, którzy powoli się od nich odsuwali, zostawiając ich w towarzyskiej próżni, jakby byli trędowaci. Kiedy ojciec w końcu zmarł – jak uważała Matylda ze zgryzoty i troski – jej samej nie pozostało nic innego, jak zadbać o własne interesy. Małżeństwo okazało się najlepszym możliwym rozwiązaniem, a jako żona milionera baronówna ponownie rozkwitła. Teraz do szczęścia brakowało jej wyłącznie wielkiego dworu i oddanych wielbicieli. Była młoda, bardzo piękna i kiedy tylko wyzwoliła się z pierwszych obowiązków macierzyństwa, postanowiła przede wszystkim zadbać o swoją pozycję towarzyską.

To właśnie zapewnić miała jej ta posiadłość, skrupulatnie dobrana służba, wspaniałe toalety i osobliwy ogród, który stanowił smaczek przyciągający uwagę. W starannie wyremontowanej oranżerii Matylda postanowiła uprawiać egzotyczne i niezwykłe kwiaty. Takie, o jakich nikomu się nie śniło – trujące, mięsożerne, dziwne i wynaturzone. Od dzieciństwa interesowała się botaniką, a szczególnie pociągały ją różne hybrydy. Teraz, kiedy wreszcie miała na to fundusze, mogła zrealizować swoje marzenia o wyjątkowych gatunkach orchidei, zjadliwych daturach, których kielichy przypominały wydłużone trąbki, oleandrach o duszącym słodkim zapachu, czarujących naparstnicach i innych niebezpiecznych roślinach.

W szklarni spędzała mnóstwo czasu. Lubiła pić tutaj popołudniową herbatę i odpoczywać z książką. Uważała to miejsce za swoje prawdziwe królestwo, w którym czuła się sobą. Niczego nie udawała i mogła bez przeszkód snuć marzenia i kreślić plany.

Tak jak jej mąż pracował właśnie nad powołaniem nowej spółki naftowo-gazowej, tak ona przygotowywała w głowie wielki projekt. Chciała, by przyjęcia wydawane w Łabonarówce stały się sławne i nobilitujące, a o zaproszenie do jej domu było równie trudno jak do samego prezydenta Mościckiego. Planowała sobie, że w krótkim czasie zacznie u niej bywać cała śmietanka towarzyska, elita i arystokracja, a ona stworzy słynny salon, którym będzie niepodzielnie władać. Popołudniami w oranżerii dumała więc, jak rozegrać swoją partię, kogo zaprosić i w jaki sposób zainicjować skomplikowany łańcuch towarzyskich powiązań. To wszystko musiało być subtelnie i starannie skojarzone, bez żadnych nieprzewidzianych wpadek.

Przedstawiła swój pomysł mężowi i Augustyn niespodziewanie zapalił się do niego. Była zaskoczona, bo do tej pory Korsakowski raczej unikał przyjęć. Uważał je za stratę czasu i marnowanie cennej energii. Kiedy się poznali w Warszawie, od razu było jasne, że nie jest typem lwa salonowego. Bywanie w towarzystwie nudziło go, a przyjęcia i wizyty miały dla niego o tyle sens, o ile służyły interesom. Lubił załatwiać sprawy szybko i bez zbędnej zwłoki.

Dlatego też entuzjastyczne podejście do planów żony nieco ją samą zdumiało, bo spodziewała się większego oporu i kręcenia nosem. Była pewna, że postawi na swoim, jak zwykle, ale że odbędzie się to po pewnych namowach i być może nawet małej kłótni.

Tymczasem Augustyn od razu kiwnął aprobująco głową.

– Doskonała myśl, koteczko. Sam zastanawiałem się, czy by tutaj kogoś nie zaprosić. Mamy tak wspaniały dom, reprezentacyjny i wart pokazania…

– Otóż to, mój drogi. Jestem pewna, że nasz salon mógłby stać się wyznacznikiem stylu, gustu i dobrego smaku. Zaproszenie do nas byłoby spełnieniem marzeń i ambicji wielu osób, a zaszczytu nie dostępowałoby się łatwo. Tylko starannie dobrane, elitarne towarzystwo. Żadnej nudy i zwyczajności. Łabonarówka ma być miejscem pożądanym, dokąd przyjeżdża się jak po przygodę…

– Właśnie o tym mówię. Zaprosimy panów z ministerstwa przemysłu i kilku bankierów. Wraz z żonami, rzecz jasna, żebyś się nie nudziła. Uważam, że ten wspaniały dom, z jego jeszcze wspanialszą gospodynią będzie znakomitą oprawą dla mego przedsięwzięcia. Dla mojej nowej spółki naftowo-gazowej, wielkiego skoku naprzód w dziejach naszej ojczyzny…

Mina Matyldy wyrażała, że bynajmniej nie o bankierów ani urzędników jej chodziło. Jej ambicje zmierzały w zupełnie innym kierunku.

– Ministra też zapewne da się namówić – dodał mąż ugodowo. – Jeśli nie teraz, to na pewno z czasem, zostaw to mnie. Także ludzi z otoczenia marszałka Piłsudskiego. Będziesz miała swoje towarzystwo, obiecuję ci. I to w najlepszym możliwym stylu.

– Wolałabym sama zająć się doborem gości – rzuciła Matylda oschle. – To ma być pierwszorzędne grono, a nie nudziarze zajmujący się swoimi banalnymi interesami.

Mąż roześmiał się tubalnie.

– Banalne interesy! Moja kochana, to są sprawy o przełomowym znaczeniu dla kraju, który powoli dźwiga się z marazmu i zaczyna rozwijać. To nasz przemysłowy patriotyzm. Obowiązek…

Przestała go słuchać. Augustyn zrobił się całkiem niemożliwy. Ich ostatni pobyt w Warszawie także był kompletnym niewypałem. Oczywiście, udało jej się obstalować kilka nowych toalet, zamówić lub kupić kilkanaście par butów, coś z galanterii oraz wreszcie odebrać swe ulubione, zamówione we Francji perfumy z werbeną, ale reszta? Fiasko. Mieli bywać w teatrze, rewii, odwiedzać znajomych. Skończyło się tak, że Augustyn całe dnie spędzał w ministerstwie przemysłu lub na różnych spotkaniach w klubach, a ona z głupiutką kuzynką Tunią Rolską odwiedzała znajomych i krewnych. Nie dostała przez to żadnego sensownego zaproszenia, bo wszyscy albo wyjechali, albo bawili się gdzie indziej.

„Trzeba było kupić dom letni w Juracie" – myślała, odwiedzając z Tunią hrabinę Wilską, dawną właścicielkę Łabonarówki, której wypadało złożyć uszanowanie, a której Matylda nie cierpiała. „Przynajmniej spędziłabym czas w jakimś miłym towarzystwie".

U Wilskiej poznała dwie młode ziemianki, panie Jełowicką i Starnowską, i już miała je zaprosić do siebie, kiedy zobaczyła minę starej hrabiny. No tak, jeśli ktoś będzie jej utrudniał życie towarzyskie, to właśnie ona. Ta stara wiedźma, mimo iż udawała słodką i powtarzała co chwila, jak bardzo się cieszy, że Korsakowscy zadbali o jej dawny majątek, jest zazdrosna i pełna uraz. „Nigdy mi tego nie daruje" – przemknęło przez myśl Matyldzie i po raz pierwszy odniosła wrażenie, że jej plan może nie wypalić, bo ktoś potężniejszy będzie torpedował wszystkie jej zamierzenia. A co, jeśli Wilska nastawi przeciwko niej całe towarzystwo? Doprowadzi do bojkotu i ostracyzmu?

Otrząsnęła się. To przecież niemożliwe. Nikt aż tak nie liczy się z Heleną Wilską. Może miała kiedyś jakieś znaczenie, jej mąż przyjaźnił się z Piłsudskim, a jeden z synów był jego adiutantem i zginął w wojnie z bolszewikami, ale to w końcu tylko stara kobieta. I zrujnowana, zatem niemająca zbyt wielkiego posłuchu wśród arystokracji.

„A ja mam pieniądze i potrafię ich używać". Matylda uśmiechnęła się drapieżnie do siebie, po czym już zupełnie swobodnie zaproponowała Jełowickiej i Starnowskiej wizytę w Łabonarówce, a potem z satysfakcją patrzyła, jak obie z trwogą oglądają się na starą hrabinę i wahają się, co zrobić, bo w końcu była właścicielka nie została zaproszona.

O majątku Korsakowskich opowiadano bajeczne historie. Obie niesamowicie chciały zobaczyć zmiany, jakie wprowadzono w pałacu. Nie zamierzały jednak narażać się na gniew i niezadowolenie starej hrabiny. Sytuacja iście patowa, z której bardzo trudno było wybrnąć, nie obrażając którejś ze stron. W końcu jednak ciekawość zwyciężyła i obie, choć ze szlachetnym ociąganiem, ale przyjęły zaproszenie. Matylda zerknęła triumfalnie na Helenę Wilską. Stara dama wydawała się nieporuszona tym afrontem. Uśmiechnęła się nawet łaskawie i zadysponowała podanie herbaty. Jednak ze zmrużenia oczu i nerwowego zaciśnięcia dłoni na koronkowej chusteczce można było wnosić, jak bardzo w rzeczywistości ją to obeszło. Nieodwołalnie zaliczyła Matyldę Korsakowską do pozbawionych klasy parweniuszek, z którymi nikt z prawdziwego towarzystwa nie powinien się zadawać. Młoda dziedziczka wydawała jej się nie tylko osobą niewychowaną i pozbawioną podstawowego obycia, lecz także celowo grubiańską. „Dorobkiewicze. Tym są i niczym więcej" – pomyślała hrabina ze wstrętem, pewna, że już nigdy nie ugości dawnej baronówny Mikanowskiej w swoim domu. I tak wyświadczyła jej zaszczyt, przyjmując ją u siebie. Wykazała się wspaniałomyślnością i została obrażona. Teraz już mogła nienawidzić Korsakowskich w sposób otwarty. I jej syn Stanisław nie miał już prawa tonować jej w tej niechęci. Wszystko to, co podejrzewała – że są to ludzie z gminu i ich nobilitacja do sfery wyższej jest jedynie pozorna – okazało się prawdą. Jak zawsze się nie myliła.

– Kto bywa u Korsakowskich, wystawia sobie jak najgorsze świadectwo – oznajmiła więc w parę dni później na herbacie u prezydentowej Mościckiej, gdzie zgromadzone tam panie wypytywały o młodą żonę naftowego potentata.

– Nie chcę powtarzać plotek, ale Matylda Korsakowska wywodzi się z rodziny o podejrzanej reputacji. – Najlepsza przyjaciółka hrabiny Heleny, pani Drewnowska, żona prezesa banku, uśmiechnęła się obłudnie. – Jej ojciec zgrał się na wyścigach, tak mówią, a matka... – Tu nachyliła się do pań i powiedziała konspiracyjnym szeptem: – To była dama wybitnie słabej konduity*. Ponoć mąż poznał ją w Marsylii, a panie same wiedzą, co to za miasto i kto się tam obraca...

---

* Konduita – dawniej: prowadzenie się, zwłaszcza budzące wątpliwości moralne.

Panie wymieniły znaczące spojrzenia.

– Słyszałam, że Korsakowski zdobył majątek w niezbyt jasnych okolicznościach – dorzuciła jedna z kobiet, żona wysokiej rangi wojskowego.

– Spekulant i aferzysta – mruknęła młoda dama, daleka kuzynka prezydenta, która właśnie przyjechała do stolicy.

Wilska uśmiechnęła się z wyższością. Jeśli Matyldzie Korsakowskiej wydawało się, że może tutaj coś zdziałać, myliła się i to bardzo. Stolica wciąż była naturalnym środowiskiem i enklawą ludzi takich jak stara pani Helena, którzy łatwo nie dali wydrzeć sobie władzy. Ona też nie zamierzała. Nowa dziedziczka Łabonarówki nawet nie miała pojęcia, jakie nad jej wyśnionym salonem zbierają się chmury.

ROZDZIAŁ 2

Kuzyn i kuzynka

Matylda Korsakowska dbała o formę. Jednak nie w taki sposób jak inne panie z jej sfery, które interesowały się po prostu wodolecznictwem i homeopatią – ona była wysportowana i zgrabna. Obawiała się utyć, więc okresowo wypoczywała w słynnym zakładzie leczniczym Apolinarego Tarnawskiego w Kosowie w województwie stanisławowskim. Nauczyła się tam obywać bez potraw mięsnych, pokochała różnego rodzaju surówki i dania jarskie, które od razu wprowadziła na stół Łabonarówki, oraz zainteresowała się gimnastyką. Każdego dnia młoda dziedziczka oraz jej pasierbica ubrane w białe długie sukienki przypominające koszule nocne ćwiczyły w parku, tuż koło oranżerii. Służba początkowo naśmiewała się z ekscentryczności pani domu i kręciła głowami na „wstyd dla jaśnie pana", ale wkrótce pogodzono się ze sportowym trybem życia Matyldy. W parku powstał kort tenisowy, a Korsakowska marzyła o basenie – dokładnie takim, jaki był w Kosowie. Na to jednak jej mąż nie wyraził zgody. Dotąd ulegał wszystkim jej kaprysom – kupił ten pałac i wyposażył go według jej gustu, zgodził się na uprawę warzyw na domowy stół, opłacił budowę kortu. Basen jednak to było coś, na co nie mógł przystać. Wybuchła kłótnia, bo zaprotestował gwałtownie i stanowczo.

– Pani domu i panienka w negliżu! Stanowczo nie wyrażam zgody. Matysiu – zwrócił się do swojej małżonki ulubionym zdrobnieniem. – Wiesz, że uczyniłbym wszystko, aby ci nieba przychylić, ale nie będziecie z siebie robiły widowiska. Zdecydowane nie! I proszę, żadnej dyskusji na ten temat.

Próbowała perswadować, przedstawiać argumenty, a nawet – kiedy i to nie poskutkowało – straszyć złym nastrojem i samopoczuciem, ale Augustyn był niewzruszony. Zdenerwowała go tylko tak mocno, że poczerwieniał i zachodziło niebezpieczeństwo, iż dostanie apopleksji.

Zawiedziona Matylda musiała ustąpić pola. Cóż, mąż był człowiekiem starej daty, nie rozumiał pewnych spraw. Przyszedł jej jednak do głowy nowy pomysł i chciała go jak najszybciej wprowadzić w życie.

Kuzyn Karol Mikanowski właśnie wrócił z Berlina i był zachwycony tym miastem, w którym każda noc była nową, fascynującą przygodą, pełną niedostępnych gdzie indziej uciech, rozgrzana kokainą, odurzona haszyszem i występną miłością. Tam żyło się gorąco, intensywnie, bez wstydu i wspomnień. Karol przywiózł z Berlina ostatni wynalazek techniczny – niewielki aparat fotograficzny Leica i prawie całkowicie porzucił dla niego malarstwo.

– Fotografia to przyszłość, Tilly – mówił do kuzynki, pokazując jej z dumą urządzenie. – Trzeba chwytać chwilę na bieżąco, utrwalać ją. To znacznie ważniejsza sztuka niż płótno, farby i pędzle. Prawdziwsza.

– Nie powinieneś porzucać malarstwa, Lolu – strofowała go kuzynka, martwiąca się, czy jej wspaniały portret w pomarańczowej sukni zostanie dokończony. Kuzyn pracował nad nim od dłuższego czasu, a teraz zupełnie nie miał do tego głowy. Pochłaniał go Berlin, podróże i obyczajowe awantury oraz zdjęcia. Bez przerwy biegał po pałacu, fotografując obie córki Korsakowskiego – Ginę z nianią i Adelajdę przy fortepianie podczas lekcji muzyki, ogrodników przy pracy, kwiaty w cieplarni oraz kucharki w kuchni. Kiedy wpadł tam z hałasem w porze przygotowań do obiadu, wywołał mały popłoch – podkuchenne zaczęły wrzeszczeć zupełnie nie wiadomo dlaczego, a główna kucharka wypędziła go na zewnątrz, nie zwracając uwagi na fakt, że to ulubiony krewniak jaśnie pani.

– Nie zachowuj się jak jaskiniowiec – obruszyła się Matylda, gdy doniesiono jej o wyczynach kuzyna. – Może takie zwyczaje są do pomyślenia w Berlinie, ale nie tutaj. My tu żyjemy na prowincji, mój drogi!

– Ach, Berlin! Jestem w nim zakochany. W atmosferze tego miasta, jego zapachu, zawrotnym tempie życia. Och, Tilly, gdybyś to widziała! Kabarety, bary, w których spotykają się różni ludzie… Tak różni, że trudno sobie to wyobrazić. Mężczyźni w strojach kobiet, uwodzący innych mężczyzn…

Matylda zamknęła mu usta dłonią w lekkiej rękawiczce, oglądając się jednocześnie, czy nie słyszy tego pasierbica albo Augustyn.

– Zamilcz! – syknęła ostrzegawczo, a on roześmiał się wzgardliwie.

– Skoro taka z ciebie cnotka, nic już więcej nie powiem. Są też inne lokale, bardziej przyzwoite. – Wygładził sobie materiał spodni na kolanach. – Romanisches Café, gdzie spotykają się artyści: pisarze, aktorzy, ludzie sztuk pięknych…

Kuzynka przymknęła z rozkoszą oczy.

– Ależ chciałabym wieść takie życie. Wśród artystów, malarzy, poetów… Nie masz pojęcia, Lolu, jak ja się tutaj nudzę… Jakie jałowe są moje dni!

Kuzyn rzucił jej zaciekawione spojrzenie, a potem wydął lekceważąco wargi.

– Chciałaś być dziedziczką, więc nie powinnaś teraz narzekać. To w końcu ty namówiłaś tego poczciwinę na zakup tej rudery…

– Ale myślałam, że będą nas odwiedzać arystokraci, hrabina Potocka, Radziwiłłowie…

Karol wybuchnął śmiechem.

– Tilly, jaka ty jesteś naiwna! Tytuł twojego ojca jest dla osób z tej sfery tyle wart, co nic. Dla arystokracji jesteś parweniuszką, przypomnij sobie, co mówiła o tobie hrabina Wilska…

Matylda skrzywiła się nieładnie, a na jej nieskazitelnym czole pojawiła się zmarszczka.

– Stara wiedźma – prychnęła przez zęby. – Mimo bankructwa wciąż zadziera nosa. To niewiarygodne, jak niektórzy ludzie potrafią być aroganccy.

– Bo uważają się za lepszych. – Kuzyn poruszył ramionami.

– A nie mają ku temu powodów! – Matylda uderzyła dłonią o poręcz fotela. Była zirytowana i dotknięta do żywego. Nie cierpiała Heleny Wilskiej bardziej niż kogokolwiek w swoim życiu. Oczywiście doniesiono jej, co ta okropna kobieta wygadywała na jej temat w stołecznym towarzystwie. A jak potraktowała Korsakowską podczas wizyty! Po prostu okropnie! Pogardliwie i z góry, bez krzty szacunku, zupełnie jakby młoda dziedziczka musiała się czegoś wstydzić.

– Żmija! – dodała Matylda i postanowiła natychmiast zapomnieć o Wilskiej. Jeszcze kiedyś trafi się okazja, żeby jej odpłacić pięknym za nadobne. Już ona się o to postara!

– Nie zaprzątaj sobie nią myśli. – Kuzyn Karol był podobnego zdania. – Mam pomysł, jak możesz sobie osłodzić życie na tym wygnaniu. – Teatralnym gestem zatoczył koło i wskazał przepiękny ogród. Nad stawem Adelajda zabawiała małą Ginę. Odgrywały herbatkę dla lalek, bo starsza siostra podawała właśnie młodszej filiżankę, aby ta postawiła ją przed piękną lalką o porcelanowej twarzy.

Kuzyn chwilę patrzył z uśmiechem na dziewczęta, zatrzymując dłużej wzrok na Adelajdzie, ubranej w białą sukienkę do kolan i z długimi rudymi lokami przewiązanymi malachitową wstążką.

– Jaki to pomysł? – ponagliła go Matylda, wyrywając z tego zapatrzenia. Odwrócił twarz w jej stronę.

– Musisz zapraszać tu ludzi.

Korsakowska wzruszyła ramionami, była wyraźnie rozczarowana.

– Przecież to robię. Tylko że ci, których pragnęłabym najbardziej gościć, zwykle odmawiają, a partnerzy biznesowi Augustyna są tacy okropni. I mają takie straszne, banalne żony…

Karol machnął lekceważąco dłonią.

– Nie mówię o tych jegomościach i ich połowicach, starych pudłach. Chodzi mi o wesołe towarzystwo. Młodych ludzi: adeptów sztuki, aktorów, literatów… Och, Tilly, mam tylu znajomych w tych kręgach, że gdybyś tylko otworzyła dla nich swój dom, wreszcie twoje życie nabrałoby barw. Moglibyśmy tu spędzać czas prawie jak w Berlinie!

Spojrzała na niego roziskrzonym wzrokiem.

Marzyła o tym, aby stać się muzą poetów, malarzy, może nawet muzyków? Czyż to było niemożliwe? Opowieści Karola o artystycznym życiu stolicy Niemiec podrażniały jej wyobraźnię. Skoro nie mogła podróżować na własnych warunkach – Augustyn z pewnością chciałby jej towarzyszyć i kontrolować każdy jej krok – mogła sprowadzić te światowe rozrywki do siebie. Urządzać wieczorki, bale i zabawy. Przyjmować obiecujących młodych twórców, kreować gusty, może stać się ambasadorką tego środowiska? Potem będzie się mówiło, że to Matylda Korsakowska odkryła diament, wyszukała jakiś niewiarygodny talent. A wszyscy będą wpatrzeni w nią i tylko w nią, ona znajdzie się na piedestale jako udzielna bogini tego małego światka, rozdająca łaski i ganiąca za nieposłuszeństwo.

Od rozlicznych możliwości, jakie dawała taka rola, aż zakręciło jej się w głowie. Karol miał rację. Po cóż wyjeżdżać, bywać, narażać się na niemiłe uwagi, czasami odmowę i nieprzyjazne traktowanie, jeśli można królować u siebie i narzucić swoje reguły gry?

Teraz tylko należało przekonać Augustyna. Wydęła wargi w pogardliwym grymasie. To nie będzie trudne. Wystarczy garść pochlebstw i umiejętna manipulacja jego uczuciami. W końcu czegóż nie robi się dla ukochanej żony, aby była zadowolona, zdrowa i szczęśliwa. A ona tutaj bez towarzystwa więdnie, jej uroda znika, a siły się wyczerpują. Jest młoda, potrzebuje podniet, rozmów, inteligentnego towarzystwa, którego nie mogą jej zapewnić starzejące się żony innych przedsiębiorców, zajęte wyłącznie domowymi troskami i wychowaniem licznych dzieci. Skoro Korsakowski ma taki klejnot jak Matylda, powinien nadać mu odpowiednią oprawę. Jej powodzenie w towarzystwie, renoma znakomitej gospodyni i organizatorki przyjęć, z towarzyskim *esprit**, by-

---

* *Esprit* (fr.) – dowcip, w znaczeniu: inteligencja, bystrość umysłu, wyrobienie.

walczyni salonów, zapewnią im obojgu właściwą pozycję w społeczeństwie. Augustyn musi to docenić, w końcu sam był zwolennikiem wspinania się po szczeblach drabiny towarzyskiej.

Karol obserwował kuzynkę z uśmiechem, a potem zaproponował jej papierosa. Kiedy przyjęła i zapaliła go w długiej cygaretce, zauważył wesoło:

– Prawdziwa „nowa kobieta" z ciebie. Tak mówią w Berlinie – podkreślił. – Na szczęście kończą się czasy matron, zajętych gospodarstwem i popędzaniem służby. Teraz pora na młodość, żywotność, entuzjazm!

Wtórowała mu śmiechem, zadowolona z tego, co wymyślili. Była pełna nadziei i energii, wreszcie patrzyła w przyszłość z optymizmem i ciekawością.

Ależ tu się za chwilę zmieni! Powiodła roziskrzonym wzrokiem po pałacowym ogrodzie, zerknęła na oranżerię. Jej dom: piękne miejsce i powód do dumy. Tutaj będzie błyszczeć i onieśmielać urokiem.

Przymknęła z lubością powieki, zaczarowana tymi marzeniami. Karol położył delikatnie rękę na jej dłoni.

– Kiedy pomówimy o Adelajdzie? – szepnął jej do ucha. Jego gorący oddech owiał jej policzki. Otworzyła oczy i spojrzała na niego z lekkim zniecierpliwieniem.

– Niedługo – rzuciła nieuważnie, jakby nie chcąc kontynuować tematu. – Na wszystko przyjdzie stosowna chwila – wyjaśniła szybko. – A teraz pora na obiad. Nie rozumiem, czemu jeszcze nie dzwonią! Czy ja naprawdę muszę się tu wszystkim sama zajmować?

W tym momencie zabrzmiał gong, a pasierbica porzuciła zabawę nad stawem, powierzając siostrę niani, i pobiegła się szybko przebrać. Matylda, choć nowoczesna, nie znosiła sportowych strojów przy stole.

– Czy ci już mówiłem, co najchętniej jadają w Berlinie? – Karol podał ramię kuzynce i wspólnie udali się do jadalni. – Kacze udka z rzepą w czerwonym winie!

– Musisz mi więcej opowiedzieć o tym. Chętnie skopiuję kilka dań na mój stół.

– Och, powinnaś skopiować coś więcej niż tylko jadłospis, najlepiej cały styl życia. – Nachylił się do jej ucha, żeby coś szepnąć, a potem ukradkiem pocałował ją w szyję. Kuzynka uśmiechnęła się triumfalnie, ale zaraz się odsunęła, markując niechęć, i rzuciła mu ostrzegawcze spojrzenie. Szli już korytarzem w kierunku pokoju stołowego, a ze schodów schodził właśnie pan domu, do tej pory pogrążony w swoich rachunkach.

– Witam cię, drogi szwagrze. – Karol podał mu rękę dystyngowanym gestem i jednocześnie obrzucił właściciela Łabonarówki pobłażliwym spojrzeniem.

Augustyn był ponad dwadzieścia lat starszy od swojej żony i właściwie mógłby być jej ojcem. Nie zaliczał się przy tym do tych dziarskich pięćdziesięciolatków z otoczenia marszałka Piłsudskiego, których wciąż ponosiła wojskowa fantazja i potrafili przetańczyć całą noc, kończąc bal ognistym mazurem. On starzał się w widoczny sposób. Był lekko przygarbiony, często kiwał głową w zabawny sposób, łatwo dostawał zadyszki i się męczył, co zdarzało się ludziom o słusznej tuszy. Może kiedyś, w młodości, był awanturnikiem i – jak wspomniał pewnego razu pod wpływem dobrego koniaku i szczerości Karolowi – brał udział w wydarzeniach 1905 roku, kiedy to zetknął się z przyszłym komendantem Piłsudskim. O samej rewolucji wspominał niechętnie, ale Mikanowski odniósł wrażenie, że był bojowcem, a być może nawet konstruował bomby. Nie byłoby w tym nic dziwnego – Korsakowski zawsze interesował się chemią, ukończył politechnikę w Rydze i całkowicie poświęcił się zagadnieniom związanym z pozyskiwaniem i rafinacją cennych kopalin. Jego losy podczas Wielkiej Wojny stanowiły zagadkę i nigdy o tym nie wspominał. Kiedy ktoś go o to zagadnął, obruszał się i zmieniał temat. „Żyjemy tu i teraz. Przeszłość nie jest ważna" – mawiał tonem nieznoszącym sprzeciwu. Jednak przeżycia z przeszłości odcisnęły na nim piętno, zarówno na jego charakterze – z biegiem czasu stawał się coraz bardziej niecierpliwy, nieufny i łatwiej tracący spokój – jak i na zdrowiu.

Karol obserwował, jak szwagier nieuchronnie zapada się w sobie, jakby dręczył go wewnętrzny mrok. Właściwie nie było ku temu powodów. Koniunktura się poprawiała, przedsiębiorstwa Korsakowskiego rozkwitały, każdy projekt, któremu poświęcił choćby odrobinę swej uwagi, odnosił sukces. Miał młodą, przepiękną żonę, dwie urocze córki i tę wspaniałą posiadłość. Nie mógł zatem narzekać ani na życie rodzinne, ani na interesy. Cóż więc go tak trapiło, że odbierało mu humor i czyniło momentami nieznośnym? Może zazdrość o Matyldę? Kiedy ma się w domu taką kobietę, można nabawić się niebezpiecznej manii, że każdy chce ją odbić. Tutaj Karol uśmiechnął się pod nosem.

Augustyn nawet ucieszył się na widok kuzyna żony. Miał nadzieję, że Matylda teraz się rozchmurzy, bo pojawienie się towarzystwa, które lubiła, zawsze działało na nią dobrze. Dlatego też przywitał szwagra niespodziewanie wylewnie, wspominając o polowaniu, na które mogliby się wspólnie wybrać. Miał go wkrótce odwiedzić wiceminister przemysłu i chciał przygotować jakąś rozrywkę.

– Bardzo chętnie – zgodził się skwapliwie Karol. – W Berlinie nie miałem okazji niczego sensownego ustrzelić. – Tu mrugnął okiem do Matyldy, która zrobiła omdlewającą minę.

– Gdzie dziewczynki? – zatroszczył się pan domu.

Jego żona poruszyła ramionami.

– Mam nadzieję, że Bisia ich dopilnowała. Widziałam, że Adelajda znowu biegała po ogrodzie jak opętana. Stanowczo brakuje jej ogłady i poloru. Ta dziewczyna kompletnie tutaj zdziczeje, za chwilę nie będzie jej można pokazać w towarzystwie.

– Nie przesadzajmy. To jeszcze dziecko – zbagatelizował ojciec.

– Dorastająca pannica. Czas ją utemperować, bo nigdy nie znajdzie kandydata do zamążpójścia.

– Och, Tilly, nie bądź taką konserwatystką, po tobie bym się tego nie spodziewał. – Karol wybuchnął śmiechem. – Teraz w kobietach ceni się oryginalność i temperament.

– Być może, ale nie w damach z towarzystwa – zimno oświadczyła Matylda.

Weszli do sali jadalnej dokładnie w tym momencie, gdy ciotka Bisia przekroczyła próg z Adelajdą oraz Giną u boku.

– Chciałam przywitać się z moją małą przed obiadem. – Matylda uśmiechnęła się promiennie do męża, który z aprobatą skinął głową. Młoda pani podeszła do dziecka i pogładziła małą po jasnych lokach.

– Dobrze się czuje? Jadła już? – zatroszczyła się, a opiekunka zaprzeczyła.

– Niania zje z nią w pokoju dziecinnym. Zaraz ją zaprowadzę.

– Doskonale. I Bisiu, zejdź na dół jak najszybciej, żebyś zdążyła usiąść z nami do stołu. Nie będziemy czekali – łaskawym tonem oznajmiła dziedziczka.

Przez twarz kobiety przemknął grymas przykrości, że potraktowano ją w ten protekcjonalny sposób, ale tylko przytaknęła. Kochała obie dziewczynki i za nic w świecie nie weszłaby w konflikt z matką młodszej z nich. Matylda mogłaby się rozzłościć i ją oddalić, a wtedy co? Albina, czyli Bisia, była cioteczną siostrą Krystyny, matki Adelajdy, i Augustyn Korsakowski przygarnął ją w trudnym czasie z dobrego serca, kiedy naprawdę nie miała się gdzie podziać i groziła jej nędza. Była mu za to dozgonnie wdzięczna. Uważała za najlepszego człowieka na świecie, a jego starszą córkę wręcz ubóstwiała. Starała się polubić również jego młodą żonę, bo to dzięki niej, a właściwie ich małemu dziecku, miała tę pracę. Bisia była niegdyś we Lwowie nauczycielką na pensji dla dziewcząt. Osobista tragedia, którą przeżyła, a o której nie lubiła wspominać, i ta okropna wojna zmieniły wszystko. Gdyby nie Augustyn, być może już by nie żyła? On i te dwie dziewczynki dały jej siłę i nowe chęci do życia. Była więc gotowa znieść w tym domu wszystko, byle tylko móc w nim pozostać. Zresztą cóż właściwie takiego się stało? Przyzwyczaiła się do dąsów osób wyżej postawionych od siebie, to były zwykłe sprawy. Popchnęła więc wciąż wahającą się Adelajdę w kierunku stołu, a sama szybko wyszła przekazać małą Ginę niani.

– Siadajmy. Nie lubię spóźniania się do obiadu. Ani przychodzenia zbyt wcześnie. To jest w okropnym guście – zaśmiała się Matylda, rzucając pasierbicy znaczące spojrzenie.

Adelajda aż pochyliła się pod tym karcącym wzrokiem. Słyszała, o czym rozmawiali w drodze do jadalni. Nie byli zadowoleni z jej zachowania i znowu mieli o coś pretensje. Jak zawsze. Odkąd nastała w tym domu Matylda, Adelajda czuła się jak czarna owca. Wiecznie krytykowana i niespełniająca oczekiwań.

Rozmowa przy stole toczyła się wokół interesów papy i wrażeń wuja z Berlina.

– Podobno jakiś jazzowy band ma występować w Kasino Hotel w Sopocie – zwrócił się do kuzynki Karol. – Mam wrażenie, że słyszałem ich w Berlinie.

– Musimy tam wreszcie pojechać – powiedziała do męża Matylda. – Czytałam znowu o tym hotelu w którymś z tygodników. To najbardziej szykowne miejsce nad Bałtykiem. Warto w nim bywać.

– A ostatnio namawiałaś mnie na dom w Juracie. – Mąż uśmiechnął się pobłażliwie.

– Willę na półwyspie także trzeba mieć – poparł kuzynkę Karol. – Dotarło do mnie, że letnie domy, które tam budują, zamierza kupić sporo osób z kręgu moich znajomych. Przede wszystkim artyści, tacy jak Wojciech Kossak, ale też ktoś z rządu i kół przemysłowych.

To ostatnie zainteresowało Augustyna. O ile nie imponowało mu ewentualne sąsiedztwo nawet bardzo głośnego malarza, o tyle willa w pobliżu kogoś z pożądanego przemysłowo-ministerialnego środowiska była warta rozważenia.

Matylda posłała kuzynowi spojrzenie pełne aprobaty. Umiał odpowiednio zagaić do jej męża, prawie równie dobrze jak ona. Tak, razem z kuzynkiem byli w stanie skutecznie wodzić Korsakowskiego za nos.

Uśmiechnęła się triumfalnie i zadysponowała kawę w salonie.

– Adelajdo, możesz już wstać od stołu – rzuciła pasierbicy. – Tylko nie wychodź do ogrodu, raczej zajmij się czymś konkretnym, może nauką?

Powiedziała to nieco sarkastycznym tonem, bo dziewczyna niezbyt przykładała się do lekcji, których udzielali jej prywatni nauczyciele sprowadzeni przez ojca oraz

Bisia. Adelajda nie widziała sensu w zgłębianiu matematyki ani ukochanej przez Korsakowskiego chemii. Lubiła czytać, łatwo uczyła się języków obcych, no i cały wolny czas poświęcała muzyce. Tylko to pochłaniało ją całkowicie i bez reszty.

Starsza córka Augustyna z ulgą odsunęła krzesło, pożegnała się ze wszystkimi i umknęła na piętro, gdzie mieściły się pokoje „dziecinne". Zajrzała do Giny, która odpoczywała pod czujnym okiem bony, a potem poszła do swego saloniku. Najchętniej wróciłaby na dół, do pokoju muzycznego, ale bała się rozgniewać macochę, która w pobliskim salonie piła zapewne kawę z kuzynem.

Westchnęła ze smutkiem i wzięła do rąk książkę, ale nie mogła czytać.

Po chwili do pokoju weszła ciotka Bisia.

– Znowu mnie obgadują. Uważają, że jestem nieokrzesana – rzuciła Adelajda, pełnym przykrości głosem.

Ciotka złożyła jej poranną sukienkę i usiadła na fotelu przy oknie, masując sobie skronie. Ostatnio coraz częściej dopadały ją bóle głowy, mawiała, że to z gorąca.

– Ojciec tak nie uważa, on cię kocha.

– Papa być może tak, ale ona… – Podopieczna pochyliła głowę, żeby ciotka nie dostrzegła łez.

Bisia wstała z fotela i usiadła obok niej na łóżku, a potem serdecznie ją objęła.

– Nie zamartwiaj się, kochanie. Krystyna czuwa nad tobą i nie da ci zrobić krzywdy. Ja to wiem.

Dziewczyna podniosła oczy i spojrzała na nią.

Ciotka skinęła głową.

– Codziennie się o to modlę. Żeby opiekowała się nami z góry. I tak właśnie jest, bo otrzymałam od niej znak.

Adelajda wpatrywała się w nią intensywnie.

– Mama ci się ukazała? – spytała niepewnie.

Bisia zaprzeczyła gwałtownie.

– To nie miało nic wspólnego z tym, co czasami robi Matylda. Wiesz, z tym wywoływaniem duchów, wirującymi stolikami, tym całym Ossowieckim, w którego tak są wpatrzone panie z towarzystwa, i temu podobnymi rzeczami. Ja nie wierzę w telepatię i jasnowidzenie, to są zwyczajne herezje i wiary w tym nie ma za grosz. Zabawy znudzonych bogaczy. Twoja matka naprawdę ma nad tobą pieczę, bo to przekonanie spłynęło na mnie w modlitwie, i to jest pewne.

Ciotka była osobą o niezachwianej wierze i głęboko przekonaną do ingerencji sił boskich w życie doczesne. Jak często powtarzała, co zresztą wywoływało sarkastyczny uśmiech na twarzy Matyldy, tylko ufność w wyroki Opatrzności trzymała ją w jako takiej równowadze psychicznej. Dlatego też z niechęcią patrzyła na wszystkie eksperymenty żony Augustyna ze zjawiskami nadprzyrodzonymi, które owocowały seansami spirytystycznymi w pałacu. Uważała to za niemoralne i niegodne osoby z klasą i pozycją. Nie uznawała takich rozrywek, które dla niej były zwykłymi kpinami z absolutu i wielkiej tajemnicy. Nie powiedziała tego jednak Adelajdzie, by dodatkowo nie zaogniać jej stosunków z macochą. Wiedziała, że i tak nie są najlepsze, choć Matylda nie traktowała swej pasierbicy źle. Po prostu nie miała do niej cierpliwości. Nie nadawała się na matkę dorastającej panny, podobnie jak zresztą na matkę małego dziecka, co Albina skonstatowała z westchnieniem.

Takie kobiety jak baronówna Mikanowska nie powinny w ogóle mieć dzieci, ponieważ nie były w stanie obdarzyć ich szczerym macierzyńskim uczuciem i troską, kochały wyłącznie siebie i tylko o siebie dbały.

Kiedy o tym myślała, Bisia mimowolnie dotykała medalionu, który nosiła na szyi. W środku, obok zdjęcia przedstawiającego małą, niespełna sześcioletnią dziewczynkę, wsunięty był pukiel jej ciemnych włosów. Kiedyś lśniący, miękki i delikatny, teraz spłowiały, suchy i pozbawiony życia. Jadwinia zmarła na szkarlatynę w czasie wojny. Kiedy ciotka Albina wspominała te straszne chwile, żal i rozpacz na nowo targały jej duszą. Nie umiała i nie potrafiła pogodzić się ze stratą dziecka. Z utratą męża – tak. Zginął na froncie, takie rzeczy się zdarzają, cierpiała, ale ból przeminął. Natomiast rana po śmierci córki nie zabliźniła się nigdy. Stała się zupełnie inną osobą, straciła radość i chęć życia. Upływ czasu niczego nie zmienił, wręcz przeciwnie – pogłębił tylko ten stan. Gdyby nie Augustyn, który wyrwał ją z tej otchłani cierpienia, chyba by się zabiła, nie dbając o to, że skazuje się na wieczne potępienie. Za to także żywiła do męża swej kuzynki głęboką wdzięczność – bo ocalił jej duszę przed piekłem. Była więc mu gotowa służyć ze wszystkich sił i otaczać jego córki opieką.

W dawnych latach lubiły się z Krystyną, jego pierwszą żoną. Były może odmiennych charakterów i upodobań, ale Albina widziała w kuzynce osobę szczerą, dobrą i uczciwą, a te cechy bardzo ceniła. Potem wyszła za mąż, podobnie Krystyna, i ich drogi się rozeszły, jak często się zdarza. Córka Krystyny, Adelajda, była tylko trzy lata młodsza od Jadwini. Albina często wyobrażała sobie, kim byłaby teraz jej córeczka. Miałaby dziewiętnaście lat, być może właśnie wychodziłaby za mąż, a może chciałaby się kształcić? Zostać nauczycielką jak ongiś ona sama albo urzędniczką w jakimś ministerstwie? Albo artystką, jak Adelajda, która miała tak wspaniałe uzdolnienia muzyczne. I choć kochała małą Ginę nad życie, to właśnie starsza z córek Korsakowskiego była jej oczkiem w głowie. Bo w symboliczny sposób przypominała jej Jadwigę.

– Wszystko się ułoży, zobaczysz. – Pogładziła teraz swoją ulubienicę po ramieniu uspokajającym gestem. – Ojciec nigdy by cię nie skrzywdził, pamiętaj o tym. Ja też na to nie pozwolę.

– Obiecujesz? – Ada podniosła na nią swoje oczy o tajemniczym kolorze, który raz wydawał się zielony, a raz chabrowy, i wpatrzyła się z nadzieją.

– Tak. I nigdy w to nie wątp. Ja dla ciebie zrobię wszystko. Naprawdę nie zawaham się przed niczym.

Wypowiedziała te słowa takim tonem, że Adelajda bez trudu jej uwierzyła. Przymknęła oczy, a potem ułożyła głowę na kolanach ciotki, która zaczęła gładzić ją po rudych lokach i uspokajającym tonem nucić starą lwowską kołysankę, którą dziewczyna pamiętała jeszcze z ust matki.

ROZDZIAŁ 3

Vervein

– Pamiętasz te kilka dni lata, które spędziliśmy razem na południu Francji zaraz po zakończeniu wojny? – Karol strzepnął popiół z papierosa do kryształowej popielniczki Augustyna, stojącej na nocnym stoliku po stronie łóżka zajmowanej zwyczajowo przez małżonka. Matylda skinęła głową i uśmiechnęła się lekko, z rozmarzeniem do tych wspomnień. – To była jakaś rybacka wioska, gdzieś w Camargue. Tylko sól, bieda i konie – ciągnął, a ona nie wiedziała, do czego zmierza. – Kąpaliśmy się codziennie w morzu. Fale miały dokładnie taki kolor makreli jak na obrazach van Gogha, pamiętam, że chciałem je wówczas malować. Miałaś taką słoną skórę… Kiedy cię całowałem, usta mi cierpły – roześmiał się krótko, gładząc ją po odsłoniętym udzie. Przeciągnęła się leniwie i z zadowoleniem jak kot.

– Byliśmy tacy szczęśliwi – skomentowała.

– Teraz jesteśmy bardziej. Bo wszystkich przechytrzyliśmy. I mamy, co chcemy.

Poprzedniego dnia w Łabonarówce odbyło się bardzo udane polowanie. Zjawili się na nim ludzie z ministerstwa przemysłu i bankierzy, sami dobrzy znajomi Korsakowskiego, jego partnerzy, których chciał wciągnąć do swego obiecującego interesu związanego z ropą naftową i gazem. Ustrzelili dzika, kilka jeleni i co niemiara zajęcy, a obiad, który wyprawiła pani domu, był tak wspaniały, że goście nie mogli się nachwalić gościnności i wystawności przyjęcia.

Augustyn prawie od razu wyjechał do Warszawy, bo miał umówione spotkanie w ministerstwie i nie chciał tracić ani chwili, a jego żona została sama. Towarzyszył jej rzecz jasna kuzyn, który chętnie zatrzymał się w posiadłości szwagra na kilka dni. Potem zamierzał wrócić do Berlina. Oczywiście nie zapominając o planach kuzynki – w stolicy chciał szepnąć paru osobom kilka słów na temat jej salonu. Musiał pomóc wyselekcjonować gości tej gąsce – uśmiechnął się do siebie, ponownie dotykając końcami palców jedwabistej skóry Matyldy. Fascynowała go od dawna, właściwie od dzieciństwa. Zawsze wiedział, że są sobie przeznaczeni i nic tego nie zmieni. Popychała ich ku sobie jakaś przemożna i trudna do opanowania siła, której nie mogli, a nawet chyba nie chcieli się opierać. Wojenne koleje losu rodziny – ewakuacja do Francji, skąd pochodziła matka Matyldy, ułatwiły im wiele. Miał świadomość, że gdyby nie wojna, wszystko potoczyłoby się zapewne inaczej, bo ten cały obłęd, ta karuzela śmierci, przerażenia, chaosu i strachu dla nich okazały się wyzwoleniem, ponieważ nikt nie zadawał im żadnych pytań.

Karol wciąż czuł przyjemny dreszcz na myśl o tych wspaniałych dniach na wybrzeżu, gdzie rozkwitła ich miłość. Zakazana, sekretna, a przez to tak pożądana i pobudzająca zmysły. Oboje jednak wiedzieli, że to nie może trwać wiecznie ani że nie skończy się ślubem. Byli zbyt bliskimi krewnymi, zresztą ich sytuacja majątkowa także była opłakana. Rodzinie Karola nie powodziło się wcale lepiej niż bliskim Matyldy. Dodatkowo jego krewni stracili cały majątek w ryzykownych i szalonych inwestycjach, nieprzemyślanych fantazjach, które miały przynieść miliony, a w rezultacie doprowadziły do ruiny. Młodego Mikanowskiego zawsze ratowały wrodzony spryt i wiara w swą szczęśliwą gwiazdę. To on usilnie namawiał Matyldę na małżeństwo z Korsakowskim. To było idealne wyjście z sytuacji dla nich obojga, wręcz uśmiech przychylnego losu. Przy umiejętnym poprowadzeniu spraw mogli wyłącznie na tym skorzystać. Kuzynka postawiła sprawę jasno – po ślubie nie zamierzała romansować pod nosem męża. Zdaniem Karola obudziły się w niej jakieś mieszczańskie konwenanse i uprzedzenia. A może to był wyłącznie strach? W każdym razie skrupuły szybko ustąpiły, kiedy okazało się, że zachowując dyskrecję i ostrożność, mogą żyć praktycznie jak przedtem. Czegóż więcej brakowało im do szczęścia? Matyldzie zapewne niczego – miała pieniądze, dumnego z niej męża i kochanka spełniającego jej zachcianki.

Natomiast Karolowi ten układ coraz bardziej zaczynał ciążyć. Kuzynka po prostu go wykorzystywała, nie dzieląc się z nim swoim bogactwem, a przynajmniej nie w takim stopniu, na jaki zasługiwał. Dlatego postanowił jak najszybciej wprowadzić w życie plan, który opracował sobie podczas ostatniego pobytu w Berlinie.

– Powinniśmy pomówić o Adelajdzie – stwierdził, całując Matyldę w to urocze miejsce pomiędzy łopatkami, kiedy odwróciła się na brzuch, żeby sięgnąć po papierosa. Zawsze podziwiał idealną linię jej pleców, prawdziwą rozkosz dla malarza.

– Mówiłam ci już. Zostawmy to. – Kuzynka otwarła papierośnicę, włożyła jeden z papierosów do długiej kryształowej lufki i zapaliła.

– Nie. Ona za chwilę będzie miała osiemnaście lat i zrobi się za późno.

– Na razie ma szesnaście i Augustynowi nawet nie śni się wydawać ją za mąż.

– Więc to najlepszy moment, aby wybrać jej kandydata. Jedynego możliwego.

Korsakowska westchnęła i lekko uniosła się na poduszkach.

– Twój mąż nie jest już najmłodszy, Tilly. A moje małżeństwo z Adelajdą jest szansą na utrzymanie całego majątku w jednych rękach. Naszych. Nie mów, że o tym nie myślałaś.

Na pięknym czole Matyldy pojawiła się chmura, jak zawsze, gdy przypomniała sobie o tej nieuczciwości męża. Bo tak właśnie oceniała to, co zrobił. Była to najzwyklejsza i podła zdrada. Ona poświęciła dla niego swoją młodość, urodę, powodzenie, status w towarzystwie, a on odpłacił się jej w taki sposób? Tak obrzydliwie ją potraktował? A ona chciała wyrzec się dla niego Karola, być przykładną, wierną żoną, dobrą matką, strażniczką domowego ogniska. Wszystko to śmiechu warte!

Wstrząsał nią dreszcz obrzydzenia, kiedy przypomniała sobie tę rozmowę. To było jeszcze w Warszawie, niedługo po tym, jak Augustyn kupił Łabonarówkę. Miał to być upominek. Za urodzenie Georginy, córki, którą kochał jak szalony. Inne damy z socjety otrzymywały w takich sytuacjach pierścionek lub cały garnitur z brylantów, ona zaś dostała to – majątek ziemski, który mogła urządzić wedle swego gustu. Była dumna, szczęśliwa i pełna nadziei.

Wtedy mąż wziął ją za rękę, zaprowadził do swego ponurego i nudnego gabinetu, gdzie spędzał godziny na swoich interesach i projektach przemysłowych, i spokojnym, ale nieznoszącym sprzeciwu głosem wyłożył swoją wolę.

– Kiedy umrę, majątek zostanie podzielony pomiędzy ciebie i moje dzieci – oświadczył, a ona skinęła głową, bo było to dla niej oczywiste. Augustyn jednak zrobił ruch ręką, jakby chciał podkreślić, że ma coś niezwykle istotnego do dodania. – Ty odziedziczysz Łabonarówkę wraz z ziemią, pałacem i całym jego wyposażeniem. Otrzymasz też hojną rentę. Natomiast Adelajda i Georgina resztę.

– Czy ja dobrze rozumiem? – Matylda aż uniosła się z fotela. – Dzielisz cały majątek pomiędzy dzieci?

– Tak, poza Łabonarówką, która w całości przypada tobie, w dwóch równych połowach między nie. A jeśli będziemy mieć więcej potomków, to w trzech i tak dalej…

– To niemożliwe! Dzieci otrzymają pola naftowe, rafinerie, szyby i to wszystko?

Augustyn skinął głową.

– Również pieniądze, kamienicę w Warszawie, udziały w innych spółkach przemysłowych i akcje. To bardzo pokaźny majątek, zabezpieczy je do końca życia.

– Ale co ze mną?! O mnie nie pomyślałeś?

– Ty także jesteś bezpieczna. Będziesz miała swój pałac oraz stałą pensję. Niczego ci nie zabraknie – wyjaśniał jej spokojnie.

– Nie zabraknie? Ty chcesz, żebym ja żyła w nędzy! Na pewno nie na poziomie, do którego jestem przyzwyczajona! To jest okrucieństwo! Nawet trudno je sobie wyobrazić.

– Matysiu, jesteś i będziesz bajecznie bogatą kobietą. Nie ma absolutnie powodu, żeby twoje życie zmieniło się w jakimkolwiek stopniu tylko dlatego, że ja odejdę. – Augustyn powiedział to dziwnym, kpiącym tonem i jego żona w tym momencie uświadomiła sobie, że jej mąż nie żartuje. Być może od dawna przejrzał jej grę? A co, jeśli wiedział o wszystkim, tylko wygodnie mu było przymykać oczy? Prawdopodobnie igrał z nią w ten bezwzględny sposób, bo tylko to mu pozostawało, jedynie taką mógł mieć satysfakcję.

Poczuła, jak lodowaty mróz przenika jej ciało. Ten człowiek miał ją w ręku. Dysponował nią jak… służącą, jak jakąś wiejską wyrobnicą! Była całkowicie w jego mocy, zdana na łaskę i niełaskę jego kaprysów. Obudziła się w niej nienawiść do Korsakowskiego, jak zawsze względem ludzi, którzy wystrychnęli ją na dudka i sprawili, że przeliczyła się w swoich kombinacjach. Było to uczucie tak potężne i przemożne, że prawie odbierało jej oddech. W tym momencie była gotowa zabić męża, żeby mu udowodnić, na co ją stać.

Zabić – nie. Za to się idzie do więzienia, a tego nie miała ochoty doświadczyć. Tylko głupcy i nieudacznicy płacą za swoje zbrodnie. Ona odwdzięczy mu się inaczej. Nie da po sobie niczego poznać. Oczywiście przyjmie Łabonarówkę, ten dar, który ma jej wszystko zastąpić i osłodzić gorycz utraconego majątku. I na pewno nie pozwoli się wyzuć z reszty. Jest przecież to dziecko, które urodziła. Do pełnoletności Giny to ona będzie zarządzała pieniędzmi, gdy Korsakowski umrze. No i jest jeszcze Adelajda. Pasierbica niekoniecznie musi wyjść za mąż, można jej też wybrać odpowiedniego kandydata… Może też wcale nie osiągnąć dorosłości – w końcu jej matka dosyć młodo zmarła na grypę, takie rzeczy się zdarzają.

Matylda na tę myśl uśmiechnęła się do siebie, drapieżnie rozchylając usta. Wiele się mogło stać przez najbliższe lata, nie ma więc powodu psuć sobie urody złością i zamartwianiem się. To by tylko ucieszyło tego wstrętnego człowieka, jak zaczęła w myślach nazywać męża. Rozpogodziła się więc i kiwnęła potakująco głową.

– Masz rację – powiedziała pokornie, choć wiele ją to kosztowało. – To ty znasz się na interesach, nie ja. Z pewnością to najsłuszniejsze rozwiązanie. A ty będziesz żył jeszcze wiele, wiele lat i wszyscy będziemy szczęśliwi w naszym pięknym nowym domu. I nie rozmawiajmy więcej o takich smutnych rzeczach, to źle na mnie wpływa, dostaję migreny.

Spojrzał na nią z troską i natychmiast wstał, aby ją odprowadzić do bawialni, gdzie mogła odpocząć. Kiedy później wracała wspomnieniami do tej rozmowy, głowiła się, czy naprawdę dobrze odczytała jego intencje. Może niczego się nie domyślił, a to wszystko była jedynie jej fantazja spowodowana rozdrażnieniem wynikającym z nerwów? Fakt jednak pozostawał bezsporny – zamierzał ją wydziedziczyć z majątku, a tego w żadnym razie nie zamierzała mu darować.

Teraz więc, kiedy Karol znowu wrócił do tematu zamążpójścia Adelajdy, poczuła znajomy niepokój. Tak, kiedyś popełniła ten błąd i po jakiejś szczególnie namiętnej nocy wyłożyła mu ten pomysł. Mógłby poślubić starszą córkę Korsakowskiego i w ten sposób zacieśnić więzy rodzinne, no i majątkowe. Kuzyn najpierw parsknął śmiechem na tę ideę, ale ziarno padło na podatny grunt. Później sam zaczął do tego wracać. Wtedy jednak Matylda była już coraz mniej przekonana do własnego projektu. Zawsze obawiała się mężczyzn, którzy mogliby ją trzymać w szachu, a w przypadku Karola miała szczególnie dużo do stracenia. Ach, wspaniale byłoby go mieć cały czas przy sobie! Przymykała z rozkoszy oczy, myśląc, jak wyglądałoby wówczas ich życie. Ten mariaż nastręczał jednak mnóstwa trudności i przeszkód. Oczywiste jest, że Augustyn nie wyrazi zgody na ten związek. Matylda była o tym głęboko przekonana. Nie lubił Karola i nie cenił go. Uważał go za kogoś w rodzaju czepiającego się klamki krewnego, domowego błazna, który po prostu umila rodzinie czas, bawiąc ją od czasu do czasu swoją obecnością. Nie doceniał jego inteligencji, uroku ani malarskiego talentu.

Gdy niedawno Karol zaczął malować portret Matyldy – we wspaniałej jedwabnej sukni w kolorze capucines, stwierdził, że kuzyn go nigdy nie skończy. Był przecież pochłonięty tyloma innymi artystycznymi projektami.

Matyldzie szczególnie zależało więc na tym portrecie. Chciała udowodnić mężowi, że powstanie. Dlatego zachęcała Karola do pracy.

– Adelajda jest jeszcze bardzo młoda – powtórzyła teraz, gdy kuzyn ponowił swe natarczywe pytanie o jej pasierbicę.

Karol prychnął.

– Ty byłaś w tym samym wieku, kiedy poszłaś ze mną do łóżka.

– Nie bądź wulgarny. – Skrzywiła się.

Przyciągnął ją do siebie.

– Zawsze lubiłaś, gdy bywałem odrobinę wulgarny. Cóż warci są mężczyźni dobrze ułożeni i akuratni? Są bezbarwni i przewidywalni. Awanturnicy tacy jak ja mają znacznie więcej uroku.

– Możliwe, nie przeczę. – Pocałowała go leniwie. Kiedy go objęła, poczuł intensywny zapach perfum z werbeną.

– Vervein... – szepnął jej do ucha i delikatnie przygryzł płatek. Tak się zaczynały wszystkie ich igraszki, to był ten tajemny sygnał łączący zapach jej ciała z erotycznym dreszczem, jakiego doznawał. Tylko ona potrafiła wzbudzić w nim takie emocje i tylko jej równie pożądał. Żadna z kobiet, które posiadł, nie mogła się z nią równać i był pewny, że nigdy takiej już nie znajdzie.

Kiedy zmęczeni i zaspokojeni opadli na małżeńskie łóżko Korsakowskich, Karol wyciągnął leicę z zamiarem zrobienia Matyldzie zdjęcia.

– Przestań. – Przysłoniła się prześcieradłem.

– Daj spokój. Nie bądź taką skromnisią. Fotografowałem już po kabaretach w Berlinie.

– Fotografowałeś dziwki. To wstrętne, że mi to mówisz.

– Fotografowałem artystki. Jeśli były dziwkami, to tym lepiej. Miały urok i seksapil, którego próżno szukać gdzie indziej.

– U mnie?

– Nawet i u ciebie.

Odrzuciła prześcieradło i spojrzała na niego wyzywająco.

– No to rób te swoje zdjęcia.

Spojrzał na nią badawczo, tak jak artysta na swój model.

– Ale nie tak. Połóż się na tej otomanie i odwróć lekko głowę. Tak. Idealnie. A teraz włóż tę jedwabną koszulkę. Weź do ręki lufkę. O tak. Wyciągnij dłoń. Cudownie. To będą moje najlepsze zdjęcia – zachwycił się.

Matylda usiadła na szezlongu i wpatrzyła się w niego.

– Wolałabym, żebyś dokończył mój portret.

Machnął lekceważąco ręką.

– Zrobię to. Już ci obiecałem.

– Kiedy?

– Jak wrócę.

– Z Berlina? Podaj datę.

– Och, nie zanudzaj mnie, bo nie jest ci z tym do twarzy. Muszę załatwić mnóstwo spraw. Chcesz mieć swój salon niczym ten u Morstinów w Pławowicach, tak?

Skinęła głową.

– Mam mnóstwo znakomitych pomysłów, jak ściągnąć do ciebie sławy i przezabawnych ludzi, z którymi nigdy się nie będziesz nudziła, a których się nie powstydzisz. Zdaj się w tej materii na mnie.

Rzuciła się w jego kierunku i przytuliła się do niego z całej siły.

– Och, Lolu…

– Wiesz, że nieba bym ci przychylił. Nie masz na świecie, Tilly, nikogo, kto byłby ci tak oddany jak ja. Pamiętaj o tym.

Odsunęła się i spojrzała na niego z nieufnością.

– Czemu mi to mówisz? – spytała obcym głosem.

– Dużo sobie zawdzięczamy i wiele jesteśmy sobie winni – podkreślił. – Tylko my dwoje potrafimy siebie zrozumieć. Dlatego powinniśmy się wspierać. Zastanów się, jak pokonać opór starego i wydać za mnie Adelajdę.

– Znowu to samo. – Wydęła swe ładnie wykrojone wargi i odwróciła wzrok. Była zirytowana tą rozmową, która wciąż dotyczyła tego samego tematu.

Karol schwycił ją za rękę i mocno zacisnął dłoń na jej nadgarstku. Syknęła.

– To boli! Brutalu!

– To miało zaboleć, Tilly. Ja nie żartuję. Nie podoba mi się to, w jaki sposób się ze mną zabawiasz. Zaczynam już tracić cierpliwość.

– Grozisz mi? A to dobre – mruknęła, krzywiąc się i próbując wyszarpnąć mu rękę, ale trzymał ją mocno.

– Tylko ostrzegam. Nie przeciągaj struny, ukochana.

– A co, jeśli nie zrobię tego, co ci się podoba? – rzuciła mu wyzwanie, bo nie miała w zwyczaju wycofywać się ani dawać zbić z pantałyku.

– Wtedy nie zobaczysz mnie więcej.

Wybuchnęła perlistym śmiechem i przechyliła głowę na bok, potrząsając złotymi włosami. Nie wierzyła, że byłby w stanie ją opuścić. Nie, to niemożliwe. Za wiele ich ze sobą łączyło, za bardzo jej pragnął, ta chemia wręcz elektryzowała w powietrzu.

Karol lekko pobladł, a potem puścił jej rękę. Rozmasowała bolący nadgarstek z nieszczęśliwą miną, która miała wzbudzić w nim poczucie winy.

– Zawsze mogę mu uświadomić – powiedział cicho, z szelmowskim uśmiechem.

– Co?

– Kto jest naprawdę ojcem Giny.

Wpatrzyła się w niego z przerażeniem.

– Nie… Nie zrobiłbyś czegoś tak okropnego, strasznego! – Usiadła na podłodze, a w jej oczach odmalowała się autentyczna groza.

– Oczywiście, że nie. Mówiłem, że z mojej strony nic ci nie grozi. Powtarzam ci, jesteśmy sobie coś winni. A szczególnie ty jesteś winna coś mnie. Adelajdę. I liczę, że szybko zrealizujesz to zobowiązanie. Przecież jesteśmy tacy szczęśliwi, prawda? Bo mamy, co chcemy.

Pogładził ją delikatnie po twarzy, a ona przymknęła powieki, lubiła, gdy dotykał ją w ten sposób. Tak, mieli to, co chcieli. A może właściwie – to, na co zasłużyli. Ta nagła myśl przeszyła ją niespodziewanie. Otwarła oczy i spojrzała na niego z nieopisanym strachem. Karol nie miał pojęcia, co się stało, ale także go to zmroziło – ta panika, która odbiła się na jej obliczu.

CZĘŚĆ III

Warszawa, 2019 rok

ROZDZIAŁ 1

W pałacu duchów

Kolejna aukcja znowu zakończyła się dobrym wynikiem finansowym i Bea właśnie zaproponowała rundę po klubach, kiedy Róża pokręciła głową.

– Mam lepszy pomysł. Rozliczę szybko transakcje, roześlę maile do kupujących, a potem zabierzemy moją matkę i skoczymy do Łabonarówki.

– Ty chyba oszalałaś! – Przyjaciółka przewróciła wymownie oczami. – Wiesz, że uwielbiam Dorotę, ale to wariactwo weszło właśnie w szczytową fazę i ja tego totalnie nie zniosę.

– Właśnie dlatego jesteś mi potrzebna – oświadczyła Róża. – Jestem u kresu wytrzymałości. Mama jest, oględnie mówiąc, nieznośna, nic jej się nie podoba. Ta pani Niezwińska to absolutnie święta kobieta, ale mam wrażenie, że i jej zaczyna się wyczerpywać cierpliwość. Potrzebujemy jakiegoś mediatora, w każdym razie osoby, przy której moja matka będzie wstydziła się tak wydziczać.

Bea spojrzała ciekawie.

– Sądzisz, że ja nią jestem? Czemu niby?

– Wiesz, jaka jest mama. Zgrywa taką progresywną i wyluzowaną. Będzie jej głupio toczyć boje o kolor kwiatka w wazoniku przed nakryciem gościa przy piątym stole.

– Święci patrycjusze, to aż tak?

– Jeszcze gorzej. Wyobraź sobie wszystko, co tylko najstraszniejsze, i pomnóż to przez siedem, a jeszcze nie będziesz miała pełnego obrazu. W jej przypadku określenie „upierdliwy klient" jest delikatnym komplementem. Poza tym ona ogromnie się z tobą liczy. Uważa, że masz gust bez zarzutu, więc jak ty powiesz, że jest dobrze, to zamkniesz jej usta jednym słowem…

– Zrozumiałam swoją rolę. Widzę, że nie masz wyjścia.

– Żebyś wiedziała. Gdybym nie była pod ścianą, nie wrabiałabym cię w to. Ostatnio postanowiła zmienić koncepcję wystroju, bo doszła do wniosku, że to może źle wyglądać na filmie, który zostanie tam nakręcony. Rozważała, czy białe hortensje ogrodowe dobrze wypadną, czy nie nadadzą trupiego poblasku. Zastanawiałam się, czy zasugeruje przemalowanie ich, czy raczej przesadzenie w inne miejsce.

– To pewnie nerwowe – zbagatelizowała Bea. – Trema przed wielkim dniem. Chce, żeby było perfekcyjnie, i zaczyna się nadymać.

– Oby. Tylko że to przybiera groteskowe rozmiary.

– Spokojnie. Zostaw to mnie. Skoro uważasz, że dam radę ją obłaskawić, zajmę się tym po całości.

– Na to liczę. Daj mi godzinę na te rachunki i maile, a potem jedziemy. Zapowiedziałam się na popołudnie do Łabonarówki, pani Niezwińska czeka na nas. To taka próba generalna, z menu kolacyjnym, zanocujemy tam.

– Elegancko. Ten facet też tam będzie?

Róża już siadała do laptopa, ale podniosła głowę i zerknęła na wspólniczkę ciekawie.

– No ten jej synalek, który cię tutaj nawiedził. I jak sam podkreślał, nie przyszedł służbowo, tylko prywatnie. Maks, prawda? Cały dzień chodziłaś potem rozkojarzona.

– Bo pokazał mi zdjęcie mojej prababki, które znalazł w domu.

– Nieważne, co ci pokazał, nie wnikam w to. Będzie?

– Pewnie tak, on tam mieszka. A co? Wpadł ci w oko?

– Chyba kpisz. Raczej ty mu wpadłaś.

– Teraz ty kpisz. Gościu ma dziewczynę, co od razu mi oznajmił.

Bea wydęła wargi i wzruszyła ramionami.

– Dziewczynę. To się zawsze tak mówi – mruknęła lekceważąco.

– No jasne – prychnęła Róża. – Najlepszy tekst na podryw. „Mam kogoś". Niezwykle przyciągający, prawda? Mnóstwo facetów na to wyrwałaś, nie?

Przyjaciółka skrzywiła się, a potem zmieniła temat.

– Skoro mamy jechać, a ja dostałam tę misję, godną może nie agenta wywiadu, ale biegłego psychiatry na pewno, to muszę się napić dla odwagi. Idę do baru obok po prosecco i coś do jedzenia. Ty prowadzisz do Łabonarówki, okej?

– Jasne. Dziękuję ci bardzo, że się zgodziłaś.

Uwinęła się ze wszystkimi rachunkami w niespełna czterdzieści pięć minut i była z siebie dumna, jakiej nabrała już w tym wprawy. Inna rzecz, że miały już na tych aukcjach kilkunastu stałych klientów, których adresy były po prostu w bazie, więc nie musiała się z tym biedzić i wprowadzać ich od początku. Kiedy maile zostały rozesłane i odpowiedziała nawet na kilka pytań o koszty przesyłki, a Bea skończyła swoje sushi, popijając je obficie prosecco, Róża zadzwoniła do matki, żeby ją uprzedzić o dodatkowej osobie.

– Bardzo się ucieszyła – zrelacjonowała przyjaciółce, gdy zbierały się do wyjścia.

– Super. Dobrze, że zawsze mam w biurze zapasową zmianę bielizny – zachichotała Bea. – I szczoteczkę do zębów. Nigdy nie wiadomo, gdzie człowieka poranek zastanie. No nie?

– Słuszna uwaga. A teraz już ruszajmy, bo moja matka pewnie biega od okna do okna i czeka na nas.

Dorota jednak nie wyglądała na zestresowaną, kiedy wyszła przed dom i z dystyngowanym wdziękiem wsiadła do auta. Bea doszła do wniosku, że przybrała ową wyluzowaną pozę być może na jej użytek. Zaczęła natychmiast rozprawiać na temat przyjęcia i zmian, które jeszcze można wprowadzić, a które właśnie ostatnio przyszły jej do głowy.

– Powitanie gości na przykład. Zastanawiałaś się nad tym, Różo? – rzuciła do córki.

– Nie bardzo – uczciwie przyznała zagadnięta.

– Powinnyśmy być z babcią w holu czy raczej na tarasie w ogrodzie? Chyba przydałby się nam jednak jakiś mistrz ceremonii, muszę o tym pomówić z Niezwińską.

Róża rzuciła Bei spojrzenie, a ta dyskretnie skinęła głową. Tak, rozumiała doskonale, na co się zanosi.

Urszula przywitała je bardzo serdecznie, nie zdradzając na widok Doroty najmniejszego zniecierpliwienia, co doskonale świadczyło o jej opanowaniu i profesjonalizmie. Róża przedstawiła przyjaciółkę, kładąc akcent na jej znakomite rozeznanie i artystyczny smak zbieżny z gustem mamy. Właścicielka pojęła w lot i bardzo się odprężyła, ściskając dłoń Bei z prawdziwą wdzięcznością.

– Pałac robi wrażenie – skomentowała Bea, rozglądając się po wnętrzach. – Nigdy tu wcześniej nie byłam, o Łabonarówce tylko słyszałam z opowiadań Róży.

– Chciałam paniom pokazać, co nam się udało odtworzyć w oranżerii. – Urszula zaprosiła je ruchem ręki. – To oczywiście praca na lata, ale wreszcie to jakoś wygląda.

Róża z ciekawością poszła do cieplarni, która w istocie bardzo się zmieniła. Uszkodzenia w przeszklonych taflach naprawiono, te połacie, które były trwale zniszczone, wymieniono na nowe, drzwi z pietyzmem odrestaurowano. Wnętrze także robiło inne wrażenie. Urszula zaczęła eksperymentować z nasadzeniami.

Opowiedziała, że zaangażowała eksperta, a on wskazał jej gatunki, od których powinna zacząć uprawę roślin egzotycznych.

– Nie będzie to na razie żaden ogród botaniczny – roześmiała się właścicielka. – Ale zawsze to jakiś początek. To się nie zrobi w pięć minut.

– I tak jest pięknie – pochwaliła Róża. – Pamiętam, jak byłam tu za pierwszym razem. I strach mnie obleciał.

Przygryzła wargi na wspomnienie pistoletu, który później znalazł tu Maks, ale nie zamierzała o tym wspominać. Skoro Urszula nie poruszyła tej sprawy, to być może nie chciała, albo – co bardziej prawdopodobne – wcale o tym nie wiedziała.

– Wyglądała pani tak, jakby zobaczyła jakąś zjawę – skomentowała właścicielka z uśmiechem.

– Ducha? – zaciekawiła się Bea.

– W każdym szanującym się pałacu musi być duch. – Róża odwróciła się i zobaczyła Maksa, który właśnie wszedł do oranżerii z jakąś kobietą.

– Państwo się jeszcze nie znają, nie było okazji – przedstawiła go Dorocie Urszula. – To mój pasierb, Maks, i jego narzeczona, Natasza Kamińska.

– Róża Jabłonowska i Beata Kulesza, czyli Robea ART – rzuciła Bea, przesuwając się do przodu i wyciągając rękę do dziewczyny Maksa, zrobiła przy tym małpią minę do przyjaciółki, na co Róża wymownie się skrzywiła.

– Panie są właścicielkami tej galerii sztuki, o której Maks mi wspominał? – zainteresowała się Natasza, a Bea przytaknęła.

– Owszem. I mówmy sobie po imieniu, jeśli można. To wszystko upraszcza.

– Chętnie. – Natasza się uśmiechnęła. – Zaciekawiła mnie wasza galeria. Może coś mi doradzicie? Oczywiście nie teraz, przy innej okazji. Będziemy urządzać z Maksem mieszkanie, przydałoby się coś do wystroju.

– To nasza specjalność. Aranżacje wnętrz sztuką. – W głosie Bei nie dało się wyczuć ani krzty ironii, ale Róża doskonale ją znała. Już pewnie kombinowała, co może wcisnąć tej dziewczynie. Coś wystarczająco drogiego i ekstrawaganckiego.

– Piękna ta oranżeria, ale ja bym chciała wrócić do spraw związanych z ogrodem. – Dorota jakby się obudziła. Urszula natychmiast zapewniła ją, że kwestia białych hortensji została rozwiązana: odpowiednie oświetlenie załatwi wszystko i właśnie przygotowano próbę.

– Możemy zobaczyć, jak to będzie wyglądało. – Właścicielka zachęciła do wizji lokalnej, a matka Róży natychmiast się zgodziła na oględziny. Bea wyszła za nią, ciągnąc za sobą Nataszę, której tłumaczyła, jak ważną sprawą jest umiejętne budowanie kolekcji dzieł sztuki już od pierwszego zakupionego obrazu. Róża zwlekała. Tak jak poprzednio, oranżeria miała dla niej jakiś elektryzujący tajemny urok.

– Niesamowicie tu, prawda? – skomentował Maks.

– Tak. Twoja macocha postarała się, żeby to miejsce nabrało blasku, a jednak…

– Wciąż jest okropne.

Rozejrzała się.

Metalowe meble ogrodowe, drewniane regały i stojaki na rośliny, ozdobne kanapy wyściełane poduszkami dodawały wnętrzu przytulności. Mimo to nad wszystkim unosiła się atmosfera nieokreślonego niepokoju, a nawet grozy.

– Nie nazwałabym tego tak. Po prostu odczuwam tu lęk.

– Ja też się czegoś boję. Może to przez ten pistolet, który tu znalazłem? Sam nie wiem.

– Wspominałeś o nim pani Urszuli?

– Nie. I dziękuję, że ty nie poruszyłaś tej kwestii. Wydaje mi się, że lepiej, żeby nikt o tym na razie nie wiedział. W sumie nie mamy pojęcia, o co chodzi, prawda?

– Owszem.

– Wiesz, pogrzebałem trochę w internecie. Te zdjęcia, które znalazłem z bronią… Wykonano je leicą, tak jak przypuszczałem. To aparat fotograficzny małoobrazkowy, który wszedł do użycia w tysiąc dziewięćset dwudziestym szóstym roku. Zrewolucjonizował fotografię, bo stał się nagle dostępny. Masa ludzi zaczęła robić zdjęcia, to było odkrycie. Fotki wykonano w nocnych lokalach Berlina pod koniec lat dwudziestych. Gdybym miał obstawiać konkretne daty, to zaryzykowałbym dwudziesty ósmy, dwudziesty dziewiąty rok.

– Babcia była wtedy kilkuletnią dziewczynką. – Róża spojrzała na niego wyczekująco. Skinął głową. – Tylko kto zrobił te zdjęcia? Ktoś, kto bywał w Berlinie i przyjeżdżał tutaj. Ktoś, kto był blisko z Matyldą Korsakowską, żeby odważyła się mu pozować w bieliźnie.

– Pozować... – Maks się zamyślił. – Może jej kuzyn?

– Karol Mikanowski? Ten malarz? – zdumiała się.

– A czemu nie? Z tego, co mówiła Urszula, to był człowiek obyty. Jeździł po świecie, miał mnóstwo kontaktów w sferach artystycznych. To on sprowadził tutaj sławy epoki dwudziestolecia, zainteresował ich Łabonarówką. Odnalazłem taki artykuł, że Karol, wzorując się na Ludwiku Morstinie, który w Pławowicach pod Krakowem urządził Zjazd Poetów, postanowił zorganizować w Łabonarówce Spotkanie Malarzy i Sztuk Pięknych. Nazwał to Charytezjami, bo miały być wyprawiane na cześć Charyt, czyli trzech Gracji...

– Niezły rozmach, bez dwóch zdań – mruknęła Róża z przekąsem, rozglądając się po oranżerii.

– To prawda, tupetu mu nie brakowało. Sam chyba kreował się na kogoś w rodzaju Apollina, opiekuna muz i artystów. Miał talent, ale trochę rozmienił go na drobne...

– W jakim sensie? – zainteresowała się.

Maks wzruszył ramionami.

– Brak stałości w działaniu. Trochę malował, trochę pisał, trafiłem na jakieś jego korespondencje do gazet, mogę ci dać przeczytać, jeśli chcesz. Potem zajął się fotografią. Chyba zamierzał wyspecjalizować się w zdjęciach mody, to zresztą był niezły plan, w tamtych czasach ten kierunek raczkował, mógł się wybić.

– Nie wyszło mu?

– W niczym nie był konsekwentny. Szybko się nudził, zniechęcał. To był taki *bon vivant* i lekkoduch.

– Neurotyk?

– Pewnie moja dziewczyna lepiej by go zdiagnozowała. – Maks uśmiechnął się ironicznie. – Ale coś w tym stylu.

– Natasza jest psychiatrą?

– Owszem. Tak się zresztą poznaliśmy.

– Aż się boję zapytać, w jakich okolicznościach – zażartowała, zanim przyszło jej do głowy ugryźć się w język.

– W takich. Byłem jej pacjentem.

Zapadło niezręczne milczenie. Przerwała je Bea, której głos dobiegł z ogrodu.

– Róża! Gdzie ty jesteś! Czekamy!

– Już! – odpowiedziała z ulgą, że nie musi dalej prowadzić rozmowy z Maksem. Oboje wyszli z oranżerii. Dorota i Urszula zakończyły inspekcję ogrodu. Efekty były więcej niż zadowalające, matka wręcz promieniała.

– Te podświetlenia są genialne! – emocjonowała się. – Kwiaty po prostu lśnią. Są perłoworóżowe, nie mam pojęcia, jak pani uzyskała taki efekt.

– Kierowałam się pani życzeniami. Cieszę się, że jest pani usatysfakcjonowana – z prostotą podsumowała właścicielka hotelu.

Róża odetchnęła z ulgą i zerknęła z wdzięcznością na Beę. Ta skinęła głową. Tak, dało się urobić matkę, żeby przestała się czepiać każdego detalu.

– Zjemy coś? – Natasza wydawała się znudzona tymi dywagacjami nad kwiatami i przytuliła się do Maksa. Jego macocha zerknęła na zegarek.

– Chyba już wszystko gotowe do naszej degustacji. Zapraszam na taras.

Przy pięknie udekorowanym stoliku czekał na nich Roman Niezwiński, który pełnił tutaj honory domu. Trzeba przyznać, że znowu wszystko było na najwyższym poziomie, zarówno wystrój, obsługa, jak i jakość dań. Dorota wyraźnie się odprężyła.

– To będzie wspaniała impreza – rzuciła Bea. – Mam za sobą otwarcie nowej wystawy Matisse'a w Nicei i to się jakościowo nie umywało do tego, co tu widzę.

Urszula posłała jej kolejne pełne wdzięczności spojrzenie, a Dorota wdała się z jej mężem w rozmowę na temat historii pałacu. Oczywiście zeszło na dzieje rodziny Korsakowskich.

– Pani wie, jak moja żona wielbi pani babkę – zaczął Roman. – Otacza ją istnym kultem…

– Była niezwykłą kobietą, to prawda. Mama nieustannie wspomina, jaką miała klasę i charyzmę. Nie chciałabym państwa urazić, ale jedno nie daje mi spokoju… – Dorota zwróciła się bezpośrednio do Urszuli.

– Co takiego? – zaniepokoiła się właścicielka i znowu przybrała postawę czujnego wyczekiwania, jak zawsze, gdy Jabłonowska zaczynała kolejną litanię życzeń.

– Nie chciałabym być źle zrozumiana, ale córka mi wspominała, że pani często mówi, iż moja babka była chora psychicznie... – Dorota zawiesiła na Urszuli spojrzenie, w którym było coś z przygany. – To przecież nieprawda!

– Nie wyraziłam się w ten sposób – zaprzeczyła Niezwińska. – Jej śmierć była dziwna. Gwałtowna i poprzedzona niecodziennym zachowaniem. Na granicy obłędu.

– O to właśnie mi chodzi – nie ustępowała Dorota. – W tej rodzinie wydarzyło się wiele tragedii. Wszyscy znamy historię mojego dziadka, który zbankrutował i potem popełnił samobójstwo... Śmierć Matyldy w nie tak długim czasie po nim także była straszliwym ciosem, ale nie chciałabym robić z tego sensacyjnej historyjki rodem z taniego romansu. O zwariowanej żonie, która krąży po domu w malignie, ma jakieś przywidzenia, traci zmysły i w końcu od tego umiera... Proszę mieć wzgląd na moją matkę... To starsza osoba, wrażliwa, to może ją bardzo dotknąć, była ogromnie przywiązana do swojej rodzicielki.

– Oczywiście. Nie chciałam niczego sugerować. Tak mi to przedstawiła kobieta, której matka tu pracowała. Proszę nie podejrzewać, że coś zmyśliłam – tłumaczyła się Urszula, która strofowana w ten sposób aż poczerwieniała z upokorzenia.

– Ja pani nie obwiniam ani nie zgłaszam pretensji – oświadczyła Dorota, choć przecież wszystko, co powiedziała, zabrzmiało inaczej. – Plotki dawnej służby to żaden wyznacznik prawdy, powinniśmy o tym pamiętać.

– To mogło być zapalenie mózgu – niespodziewanie włączyła się Natasza, która do tej pory wyłącznie przysłuchiwała się dyskusji z nieodgadnioną miną i tylko sączyła wino ze swojego kieliszka.

– Co proszę? – Dorota uniosła wzrok i wpatrzyła się w nią.

– No tak. Ta gwałtowna choroba pani babci. To był koniec lat dwudziestych?

– Początek trzydziestych.

– Wówczas jeszcze dosyć często zdarzały się takie przypadki. Na końcówkę lat dwudziestych przypadał okres drugiego rzutu epidemii śpiączkowego zapalenia mózgu, czyli tak zwanej choroby von Economo. Słyszeli o niej państwo?

Wszyscy zaprzeczyli ruchami głowy.

– To makabryczna przypadłość, która zebrała niesamowite żniwo po pierwszej wojnie światowej i trwała przez całe lata dwudzieste, a nawet nieco później. Trudno precyzyjnie oszacować, ile osób na nią umarło, bo szalała początkowo równocześnie z hiszpanką i to zaciemnia obraz, ale śmiertelność była na poziomie czterdziestu procent. Przyjmuje się, mogła zabić nawet pół miliona ludzi. Zaburzenia świadomości, halucynacje to częste objawy chorobowe. Piśmiennictwo notuje historie pacjentów, którzy pod wpływem majaków się okaleczali lub próbowali kogoś zamordować. To nie musiał być zatem obłęd ani żadna choroba psychiczna, tylko neurologiczna.

– Pani jest lekarzem? – zainteresowała się Dorota.

– Natasza jest psychiatrą. Pomogła Maksowi, gdy wrócił z Syrii, gdzie był fotoreporterem wojennym, i miał zespół stresu pourazowego... – pospieszyła z wyjaśnieniami Urszula, ale pasierb spiorunował ją wzrokiem.

– Gdybym chciał to obwieścić wszystkim przy stole, zrobiłbym to sam – oświadczył lodowato.

– Myślałam, że już nie masz z tym problemu – brnęła macocha.

– Bo nie mam.

– W takim razie nie rozumiem, o co chodzi.

– Właśnie o to. Że ty to powiedziałaś.

– Maks. W tej chwili przestań. – Roman uniósł się na krześle i spojrzał na syna miażdżącym wzrokiem. – Po pierwsze, mamy gości i ta scena jest po prostu niesmaczna. A po drugie, obrażasz Urszulę. To jest niedopuszczalne.

Natasza położyła lekko rękę na dłoni Maksa, który najwyraźniej zamierzał ostro zripostować. Dorota patrzyła na to wydarzenie z lekkim zaskoczeniem, a Bea zwyczajnie – dolała sobie trochę wina, jakby liczyła na dobrą zabawę i dalszy rozwój sytuacji. Róża, jak zawsze w takich momentach, czuła się niezręcznie.

Maks opanował się, choć widać było, jak ze złości drga mu dolna szczęka.

– Przepraszam – mruknął. – Poniosło mnie. Czasami się nie kontroluję. Wybaczcie mi. – Lekko pocałował dłoń Nataszy.

– Nic się nie stało – zbagatelizowała Dorota. – Ja też zbyt ostro wystąpiłam z moimi uwagami. Naprawdę nie miałam nic złego na myśli. Nie zarzucam państwu złej woli ani że rozpowszechniają państwo plotki na temat rodziny. Nawet mi to przez myśl nie przeszło! To wręcz absurdalne, biorąc pod uwagę, z jakim pietyzmem traktuje się tu wszystkie pamiątki po Korsakowskich, choćby ten piękny portret...

Atmosfera od razu się rozluźniła i rozmowa zeszła na dzieła sztuki, więc pałeczkę przejęła Bea, opowiadająca o galerii i najnowszych nabytkach.

– Jeśli chcesz przeczytać artykuły Karola Mikanowskiego, mogę ci je przynieść po kolacji. – Maks nachylił się do Róży, najwyraźniej żeby zatrzeć złe wrażenie.

– Chętnie – odparła z ulgą.

– Styl dosyć egzaltowany i w sumie nic ciekawego, ale może ty się czegoś doszukasz? – dodał jeszcze, a potem zajął się swoją narzeczoną, która zwróciła się z jakimś pytaniem.

Róża zapatrzyła się na ogród i odetchnęła głęboko.

Coś ją przytłaczało w tym domu. Nieuchwytny lęk i obawa, czające się między okazałymi krzewami róż i wyglądające z mroku. Jakby ktoś ją z uwagą obserwował i śledził każdy jej krok. Nie było to miłe.

– Zimno ci? – spytała Bea, widząc, jak przyjaciółka krzyżuje ramiona.

Róża zaprzeczyła.

– Po prostu dreszcz mnie przeszedł – odszepnęła.

– Też czasami tak mam. Niby fajnie, a jednak zgroza. Nie łam się. Przemyciłam butelkę prosecco w torebce, nie zginiemy w tym zamku duchów!

ROZDZIAŁ 2

Ciemna, gwiaździsta noc

– Nie no, to było po prostu zarąbiste. – Bea z rozmachem usiadła na swoim wielkim łóżku i rozejrzała się po apartamencie. – Trzeba przyznać, że wszystko tu jest stylowe: wystrój, jedzenie, ogród i awantury również. Czułam się jak w starym kinie. Tylko brakowało, żeby ktoś zemdlał, a pokojówka przyniosła sole trzeźwiące.

– Nie przesadzaj – zmitygowała ją Róża. – Przynajmniej mama się opanowała.

– Myślę, że będzie miała niezły temat do swojej następnej powieści. Byłaby głupia, gdyby z tego nie skorzystała. Portret rodziny we wnętrzu. Idealny motyw do jej obyczajowego dreszczowca. Wszyscy czekają, żeby sobie skoczyć do gardeł. Najlepsza figura dramatu: narzeczona psychiatra. Jestem pewna, że jeszcze przed kolacją wystawiła nam wszystkim diagnozy. Bea: zaburzenia obsesyjno-kompulsywne, Róża: narcystyczne.

– Nie mam zaburzeń narcystycznych – zaprotestowała przyjaciółka, zanosząc się śmiechem.

Bea wyciągnęła ze swej obszernej designerskiej torebki butelkę i zaczęła rozglądać się za kieliszkami.

– W powieści byś miała. Tak jest lepiej dla fabuły. Musi być jakiś czarny charakter, który potem ulegnie przemianie. Kurczę, czy tutaj nie ma żadnego szkła? Będziemy pić w szklankach do płukania zębów.

– Ty powinnaś pisać do spółki z moją matką. Albo zrobić jej konkurencję.

– Za leniwa jestem. Wolę wciskać ludziom obrazy, których wcale nie chcą kupić, ale to im dodaje prestiżu. Tej pani doktor też jakiś sprzedam.

– Aleś ty cyniczna.

– Pragmatyczna. Tylko i wyłącznie.

W tym momencie do drzwi ktoś zapukał i Róża ze zdumieniem ujrzała pokojówkę, która wcześniej zaprowadziła je do tego apartamentu.

– Coś się stało? – spytała.

– Pan Maks przysłał to dla pani. – Podała jej plik kartek odbitych na ksero. – Jakieś materiały, podobno pani wie.

– A tak. Artykuły. Bardzo dziękuję.

– Chwileczkę! – Bea wyjrzała zza jej pleców. – Czy możemy prosić o kieliszki? Dwa? – Rozczapierzyła obrazowo palce.

– Już przynoszę. Coś jeszcze? Herbata? Coś do jedzenia?

– Herbaty chętnie się napijemy, jeśli to nie kłopot – uprzejmie poprosiła Róża. Pokojówka się uśmiechnęła.

– Najmniejszy. W razie czego proszę dzwonić. Telefon do recepcji lub wprost do kuchni.

– Dziękujemy.

– Rewelacyjna obsługa – podsumowała Bea. – Tu jest naprawdę jak w raju. Impreza twojej matki to będzie sensacja roku. Możesz być spokojna. Chyba że wydarzy się jakiś skandalik, ale to też nie problem, takie rzeczy tylko dodają smaczku.

Podeszła do wielkich drzwi balkonowych i otwarła je na oścież, żeby wyjść na obszerny taras. Dostały pokój od strony ogrodu i świeże nocne powietrze wtargnęło do środka.

– Piękny wieczór – powiedziała Róża, oddychając głęboko.

– Słyszysz? – Bea uniosła rękę. Istotnie od strony domu napływały podniesione głosy.

– Ktoś się kłóci.

– Najwyraźniej ten cały Maks ze swoją dziewczyną. – Bea odebrała kieliszki od pokojówki, odkorkowała butelkę i nalała po porcji prosecco, nie oszczędzając na ilości, w myśl zasady, że po co dwa razy się męczyć i dolewać, skoro można to zrobić raz, a dobrze.

– Skąd ta pewność?

– Ten układ jest w ogóle jakiś pokręcony. Ona jest jego lekarką, tak? To mi pachnie dziwną zależnością.

– Zapewne poznali się w szpitalu, i tyle. Z pewnością nie może go leczyć, skoro są razem. To nieprofesjonalne – orzekła Róża.

– No właśnie. A jeśli? Wiesz, jakaś mroczna historia, zakazany romans i jeszcze ten pałac z kupą tajemnic twojej rodziny, no wiesz, te wszystkie samobójstwa, obłędy i choroby...

– Bredzisz. – Róża wybuchnęła śmiechem i od razu przypomniała sobie o artykułach przekazanych jej przez Maksa. – Masz bujną wyobraźnię.

– Po prostu lubię, jak coś się dzieje i nie jest nudno. Ciekawi mnie ta jego historia. Fotoreporter wojenny w Syrii. Wiesz coś o tym? Opowiadał ci?

– Nic. Poza tym, że to rzucił.

– Intrygujące. Pewnie mu się przytrafiło coś okropnego, zresztą trudno się dziwić, wojny są straszne. Zaraz odpalę internet i poczytam, może coś znajdę.

– Lepiej byś odpoczęła po tych wszystkich mocnych wrażeniach. Wiesz... aukcja, obłaskawianie mojej matki, potem ta zwariowana kolacja, niczym z *Alicji w Krainie Czarów*...

Bea dopiła drinka i zerknęła na butelkę.

– Może masz rację. Zrobię sobie kąpiel. Ta ogromna wanna w łazience wygląda kusząco. Ty potrafisz człowiekowi zniszczyć motywację do czegokolwiek i włączyć opcję leniwca jak nikt. Naleję sobie jeszcze lampkę, chcesz?

– Tylko trochę mniej, jeśli można. Przeglądnę te artykuły od Maksa.

– A co on ci właściwie dał?

– Znalazł jakieś korespondencje, które pisał przed wojną do gazet Karol Mikanowski, kuzyn mojej prababki Matyldy.

– O, to z pewnością będzie pasjonująca lektura. – Bea wymownie ziewnęła. – Musisz mi potem streścić, co i jak. Idę się moczyć w pachnącej pianie, więc raczej mi nie przeszkadzaj.

– Nie zamierzam.

Róża wzięła swój kieliszek, plik odbitek i wyszła na taras. Chwilę czytała z zainteresowaniem, ale wkrótce jej uwagę przyciągnęła tocząca się gdzieś w pobliżu rozmowa.

– To cię nie dotyczy! – usłyszała podniesiony głos Maksa.

– Wszystko, co jest związane z tobą, dotyczy również mnie. – Natasza mówiła to spokojnie, ale stanowczo i Róża miała wrażenie, że przysłuchuje się wymianie zdań pomiędzy lekarzem a pacjentem. Choć przecież taka relacja byłaby niewłaściwa.

– Ale ta historia akurat nie.

– Maks, nie zachowuj się w ten sposób, bo to mnie przeraża.

– Czyli co konkretnie?

– Ten twój upór i dziecinne zacietrzewienie. To mi przypomina twój najgorszy czas. Gdy się fiksowałeś na jednej rzeczy i nie chciałeś z tego wyjść.

– Bo znalazłem sobie coś, co mnie wciągnęło? Bo wreszcie mam jakiś cel?

– Nie masz żadnego konkretnego celu. Ubzdurałeś sobie, że trafiłeś na wielką tajemnicę i odkrywasz coś ważnego. Nic bardziej błędnego. Chcesz, żeby tak było, bo koniecznie pragniesz wrócić do gry.

– A to coś złego?

– Wiesz, że tak. Podjąłeś decyzję, że kończysz z tym, i powinieneś się jej trzymać.

– To, że postanowiłem odpuścić wojnę, nie znaczy, że nie mogę już pracować w inny sposób.

– Rozumiesz doskonale, co mam na myśli.

– Psychoterapia mi pomogła, przepracowałem to i mam pod kontrolą.

– Tego się nigdy nie ma pod kontrolą.

– Jasne. Powiedz mi teraz, że we mnie nie wierzysz i nie masz do mnie zaufania! – Podniósł głos tak bardzo, że Róża słyszała każde słowo tak wyraźnie, jakby stał tuż obok. Wręcz przeraziła się tego podsłuchiwania.

Gdzie właściwie był ich pokój? Rozejrzała się po oknach, w których paliło się światło. Balkon na bocznej ścianie pałacu był dobrze oświetlony i właśnie ktoś na niego wyszedł, bo uniosła się firanka. Maks spojrzał w dół i zauważył ją siedzącą na fotelu i spoglądającą w jego stronę. Chwilę patrzyli na siebie, a potem on, nie uczyniwszy żadnego gestu, wrócił do wnętrza i starannie zamknął drzwi. Nie usłyszała już dalszej rozmowy.

Zrobiło się jej głupio, choć przecież nie miała powodu czuć się winna. Nie podsłuchiwała celowo, to oni powinni zadbać o to, żeby nikt ich nie słyszał. Tak czy siak, niezręczna sytuacja. W sumie ciekawe, o co się pokłócili. Przy kolacji wydawali się raczej zgraną parą. „O ile można tworzyć harmonijny związek z psychiatrą" – parsknęła sama do siebie i upiła łyk z kieliszka. „Ciekawe, jak to jest mieć takiego specjalistę w domu" – rozważała dalej. „Pewnie Bea ma rację – analizuje cię w każdej sytuacji. Na przykład w łóżku. To musi być okropne". I choć wiedziała, że wcale tak nie jest, przez chwilę chichotała nad tą myślą, a potem wróciła do artykułu. Nie było jej dane zbyt długo poczytać o wrażeniach Karola w Berlinie z czasów Republiki Weimarskiej, bo do pokoju wparowała Dorota.

– Myślałam, że przyjdziecie do mnie podzielić się wrażeniami – zgłosiła pretensję, gdy tylko umościła się wygodnie na wolnym fotelu na tarasie.

Róża, pomna na to, jak dobrze rozchodzi się tutaj głos w przestrzeni, skłoniła ją do wejścia do pokoju. Matka zauważyła butelkę prosecco i poprosiła o drinka. Córka zaoferowała jej własny kieliszek, co przyjęła bez grymaszenia.

– Sądziłam, że będziesz wolała wypocząć. Bea poszła się kąpać – wyjaśniła, a Dorota tylko wzruszyła ramionami.

– Bez przesady. Nie jestem staruszką, która o dziesiątej musi leżeć w łóżku.

– Jest już po północy, mamo.

– Tym bardziej. Najlepsza pora, aby wszystko omówić. Godzina duchów.

– Nie mam pojęcia, co chcesz omawiać o tej porze.

– A ty jak zawsze w kontrze. Nie podoba mi się ta rodzinka Niezwińskich, otwarcie mówiąc.

– Mnie też nie, jeśli mam być szczera. – Bea wyszła z łazienki, owinięta puszystym szarym szlafrokiem, trzymając w dłoni pusty kieliszek. Dolała sobie nieco z butelki i z rozmachem siadła na wolnym fotelu.

– Przesadzacie – zbagatelizowała Róża.

– Kłócili się przy obcych – sprecyzowała Dorota. – I to jeszcze przy klientach.

– Tylko Maks się kłócił, a on nie jest właścicielem hotelu. Być może celowo prowokuje macochę, bo ma wredny charakter. – Róża wzruszyła ramionami. – Nie obarczałabym za to winą Urszuli, ona naprawdę robi, co może, żebyś się czuła tutaj dobrze.

– Nie zaprzeczę – zgodziła się niespodziewanie matka. – Ale jest tutaj coś takiego…

– Co ci nie pasuje? – podchwyciła córka.

– Też to czujesz? – Matka spojrzała na nią z wyczekiwaniem.

– Nie chodzi o jakość obsługi, dania, kwiaty w ogrodzie czy wygląd apartamentów. To jest pod każdym względem perfekcyjne – podkreśliła Róża. – Przytłacza mnie atmosfera tego miejsca. Jest jakaś taka… Mroczna.

– Banialuki – skomentowała matka i wydęła wargi. – Mnie akurat atmosfera wcale nie przeszkadza. Jest elegancko i nastrojowo, to mi wystarcza. Niepokoją mnie właśnie drobne niedociągnięcia. Że zawsze coś jest nie do końca tak, jak być powinno. Ta dzisiejsza kolacja jest najlepszym przykładem. Niby wszystko z najwyższym pietyzmem, wytwornością i szykiem, a potem nagle ten zgrzyt i niesmaczna wymiana zdań przy stole. Jakby zawsze kryło się w tym jakieś drugie dno, podskórna obrzydliwość, która musi znaleźć ujście.

– Wyolbrzymiasz banalną sprzeczkę. – Córka pokręciła głową.

– Ja? Przed chwilą ty mówiłaś o mrocznej atmosferze tego domu, która ci ciąży – zaatakowała matka.

– Myślę, że obie możecie mieć trochę racji. Ten dom jest dziwny. Nawiedzony. – Bea uniosła dłoń z prawie pustym kieliszkiem. – Mamy jeszcze trochę prosecco?

– Już się kończy. – Róża obejrzała butelkę.

– To dolej mi odrobinkę.

– A resztę mnie – poprosiła Dorota.

– Ale z tym nawiedzonym domem to trochę mnie zaskoczyłaś. – Róża pokręciła głową. – Miałam cię za większą racjonalistkę.

– No coś ty. Nawiedzone domy się świetnie sprzedają. Będziecie miały superhit tej waszej imprezy. Benefis autorki dreszczowców w przeklętym dworzyszczu. Czy coś brzmi lepiej? Jeśli dobrze to zagrasz, Dorota, to może być żyła złota i sto punktów do twojej popularności.

– Bredzisz jak mało kiedy – zniesmaczyła się Jabłonowska. – Ja mówiłam poważnie. Oni nam mogą popsuć całą uroczystość, jeśli coś tutaj nawali. Aż mnie ciarki przechodzą. Zaproszę ważnych gości, ludzi, na których mi zależy, a tu nagle wparuje ten cały Maks Niezwiński i zacznie sobie skakać z macochą do oczu przy ludziach. Róża, ty musisz go pilnować!

– Ja? – przeraziła się córka.

– Tak. Zauważyłam, że potrafisz się z nim dogadać. Przecież nie powiem Urszuli, że ma go gdzieś zamknąć, prawda?

– Na twoim miejscu bym powiedziała. – Róża była wyraźnie poirytowana. – Chyba nie uważasz, że to dobry pomysł, żebym to ja przez cały czas go niańczyła.

– Od razu niańczyła. Po prostu kontroluj sytuację. Mam nadzieję, że nie uzna za stosowne plątać się na naszym przyjęciu wśród gości, ale dostrzegłam, że jest dosyć ekscentryczny i coś mu może niespodziewanie strzelić do głowy. Wtedy go delikatnie zneutralizujesz.

– Czyli co twoim zdaniem zrobię? Odprowadzę do kuchni i ubiorę w zawczasu przyszykowany kaftan?

– Niezła myśl – pochwaliła Bea. – Przezorny zawsze ubezpieczony, jak to głosił popularny niegdyś slogan.

– Och, nie wiem! – rozzłościła się matka. – Zagadasz na chwilę i wezwiesz posiłki w postaci jego matki.

– Macochy...

– Właśnie. Albo tej jego dziewczyny, psychiatry. One już będą wiedziały, jak nad nim zapanować.

– Mówisz tak, jakby był groźnym szaleńcem. – Róża zmarszczyła brwi.

Matka dopiła resztkę drinka i odstawiła kieliszek.

– Wiem, że nie jest. Zwyczajnie staram się zapobiec wszelkim zagrożeniom dla mojego jubileuszu. Ta impreza ma być doskonała w każdym calu. Nie życzę sobie nieprzyjemnych niespodzianek. Wyłącznie miłe.

Córka spojrzała na nią naburmuszonym wzrokiem, ale potem się odprężyła. Dorota miała rację. Głupia sprzeczka, zwłaszcza w stylu tej, jakiej były świadkami przy kolacji, mogła zwarzyć dobrą atmosferę. Takich rzeczy należało unikać.

– Masz rację, mamo – przyznała. – Nie pozwolimy zepsuć waszego wielkiego dnia. Twojego i babci. Zauważyłaś coś jeszcze?

– Nic więcej. Hortensje przestały trupio wyglądać w tym świetle, zastawa stołowa jest bez zarzutu, dekoracje również. Degustacja dań wypadła zadowalająco. Jutro ustalimy ostatnie wytyczne związane z salą i zespołem muzycznym. Możemy zamykać sprawę.

Róża odetchnęła głęboko. Najwyraźniej wszystko było dograne. Wciąż jednak czuła ten dziwny dreszcz na plecach. Strach, który jej nie opuszczał.

– Nie traktuj tego tak śmiertelnie poważnie – powiedziała Bea, kiedy Dorota już poszła. Nigdy nie będziesz się dobrze bawiła, jeśli zamierzasz do tego tak podchodzić. To jest tak samo jak z życiem i z facetami. Jeśli bierzesz to serio, przegrywasz na starcie.

– To co mam robić? – nie rozumiała Róża.

– Przede wszystkim nie spinać się tak i nie próbować wszystkim sterować. Musisz dać przestrzeń na niedopowiedzenia i szaleństwo, a wtedy życie samo zagra również z tobą.

– Łatwo ci mówić, zupełnie jakbyś nie znała mojej matki. Ona jak sobie coś ubzdura, będzie mi wierciła dziurę w brzuchu do upadłego. Sama niby taka wyluzowana i odpuszczająca, jeśli coś się nie układa, ale uwielbiająca spychać na innych takie trudne kwestie. I stroić fochy, kiedy coś nie poszło po jej myśli.

– No więc, niech coś pieprznie i nie wyjdzie tak, jak ona chce. Myślisz, że świat się zawali? Nie. Śmiem twierdzić, że w ogólnym rozrachunku Dorota nawet tego nie zauważy, bo będzie zajęta gdzie indziej. No, chyba że wybuchnie jakaś wielka afera albo ktoś widowiskowo oberwie tortem. Ale do tego raczej nie dojdzie. Po prostu wyluzuj i przestań się tym gryźć. Cudownie to zorganizowałaś i ciesz się chwilą. A teraz spać!

Skierowała Różę do sypialni, a ta posłusznie ruszyła do łóżka.

Przyjaciółka miała rację. Dała się zwyczajnie wkręcić. Jak zawsze. Matka umiała wsiąść jej na ambicję i narzucić taki sposób myślenia prymuski. Że musi stanąć na wysokości zadania i realizować plan. A przecież nic na tym świecie nie jest idealne i nawet nie powinno takie być. Wystarczy, że jest po prostu dobre.

Z tą myślą zakopała się w pościeli, ale ponieważ nie mogła zasnąć, po chwili bezsensownego przewracania się z boku na bok zapaliła światło. Jeszcze i bezsenność dopadła ją w tym domu. Czyli komplet nieszczęść. Tylko tego było potrzeba. Sięgnęła z westchnieniem po wycinki od Maksa i zaczęła czytać, najpierw raczej dla zabicia czasu, a potem już z rosnącą uwagą. Po chwili właściwie nie mogła uwierzyć w to, co napisano w tych artykułach. Wyskoczyła z łóżka i zaczęła układać odbitki na stoliku, żeby lepiej im się przyjrzeć i porównać je ze sobą.

ROZDZIAŁ 3

Przepowiednia śmierci

Następnego dnia rano Róża zaspała i zeszła do jadalni, gdy już wszyscy byli po śniadaniu i siedzieli przy kawie.

– Dzień dobry, śpiochu. – Bea zamachała w jej kierunku, kiedy tylko zbliżyła się do stołu.

– Przepraszam – zwróciła się do właścicielki hotelu i swojej matki, a Dorota skrzywiła się z dezaprobatą. – Rozbolała mnie głowa, długo nie mogłam zasnąć – wytłumaczyła się.

Urszula wyglądała na zaniepokojoną.

– Mam nadzieję, że coś pani nie zaszkodziło. Może to jakieś uczulenie?

– To tutejsza atmosfera – burknął Maks, który także dopiero teraz zjawił się przy stole i po prostu skinął wszystkim na powitanie.

– Smog? – Dorota wciągnęła nosem powietrze. – Nie czuję, żeby tu coś takiego było.

– Raczej specyficzny mikroklimat, równie duszący. – Maks sięgnął po kawę i nalał do filiżanki, a potem z niechęcią odsunął talerz przygotowany do śniadania.

– Przestań. Nie ma tutaj nic takiego. – Jego macocha się skrzywiła.

– Ależ jest. Wszyscy to czują, a najbardziej Róża, bo jest szczególnie wrażliwa na takie subtelne zmiany.

– Mówisz tak, jakby dysponowała jakimiś nadnaturalnymi zdolnościami – parsknęła śmiechem Bea, a Dorota pokręciła głową.

– Kto wie? Miałem nadzieję, że w końcu pojawi się tu ktoś taki… – Maks rzucił Róży spojrzenie, a ona się zawstydziła. Znowu czuła się nieswojo.

– Może pójdziemy zobaczyć miejsce pod namioty ogrodowe? – zwróciła się do Doroty Urszula. – Wczoraj wieczorem nie było dobrze widać, a rozciąga się stamtąd wręcz bajkowy widok na pobliski staw i rzekę.

– Chętnie. – Dorota złożyła serwetkę i wstała. – Dołączysz później, Różo? – zapytała córkę, która bez entuzjazmu skinęła głową.

– Znajdzie nas pani bardzo łatwo. Trzeba przejść wzdłuż tarasu i skręcić w prawo, niedaleko oranżerii – wyjaśniła Urszula. Zebrały się do wyjścia, a za nimi ruszyła Bea, pamiętając, że ma hamować wszelkie wyskoki matki swej wspólniczki.

– Przepraszam za mojego pasierba. – Niezwińska nachyliła się w drzwiach do Doroty. – Poprztykał się ze swoją dziewczyną, wyjechała dzisiaj wczesnym rankiem.

– Właśnie zastanawiałam się, czemu jej nie ma – odpowiedziała Jabłonowska, oglądając się za siebie. Róża i Maks tkwili przy stole w milczeniu, jakby czekając, aż za kobietami zamkną się drzwi.

Kiedy ich kroki ucichły, Róża odwróciła się do Maksa.

– Przeczytałam te wycinki.

– I co? Znalazłaś coś ciekawego dla siebie? – Uderzył ją nieprzyjemnie kpiący ton w jego głosie.

– Dla siebie? Ty chyba żartujesz. Przecież on wyraźnie pisze, że ktoś miał zostać zamordowany w tym domu.

Maks westchnął, po czym rozejrzał się wokół i wyjął papierosa, którego po chwili wahania zapalił.

– Miałem rzucić – wyjaśnił. – I prawie mi się udało, ale jeszcze nie dzisiaj. No i nie zamordowany. Ktoś miał zginąć, a to duża różnica.

Obruszyła się.

– Dla mnie żadna. Mógł to zakamuflować w taki sposób. A naprawdę chodziło o zabójstwo.

Maks roześmiał się pobłażliwie.

– Poważnie uważasz, że obwieszczałby to w gazecie? Mnie się wydaje, że on nałogowo zmyślał. Te tygodniki karmiły się wówczas takimi historyjkami.

Róża była poruszona.

– Uważasz, że wyssał to z palca? Po co?

– Właśnie po to. Dla zabawienia czytelnika. Zwróć uwagę, że on nie opisuje żadnych konkretnych osób, nie ma tutaj nazwisk. To ty uważasz, że artykuł dotyczy Łabonarówki.

– Ty też tak pomyślałeś, nie wypieraj się. Od razu za-skoczyłeś, o co mi chodzi.

– Bo ta opowieść budzi emocje. Napisana jest, co prawda, nieznośnym stylem tej epoki, gdy nadużywano przymiotników i wszystko było takie ekscytujące i nie-ziemskie, ale czyta się to dobrze.

– Nie wierzę. – Róża wyjęła z kieszeni spódnicy kart-kę. – Pałac baronowej V. opisany w publikacji to Łabo-narówka. Jest wszystko: sala balowa, jadalnia, taras, nawet oranżeria z trującymi roślinami.

– A do tego hipnotyzer, który przepowiada katastro-fę. – Maks strzepnął popiół i spojrzał na nią ciekawie. – Naprawdę dałaś się nabrać?

– Niby na co? Jestem pewna, że Karol Mikanowski zrelacjonował coś, czego był świadkiem. – Strzeliła pal-cami w odbitkę. – Bo to nim wstrząsnęło.

– Przyjmijmy, że masz rację. Karola poruszyła prze-powiednia śmierci, którą wygłosiło tutaj jakieś medium. Tylko nie wiemy, kto miał zginąć.

– Wiemy. Pan domu. I tak się zresztą stało. Pradzia-dek się zastrzelił.

– On tego nie oznajmia wprost.

– A jak niby inaczej? „Pani domu prawie omdlała, słysząc te tragiczne wieści. Odwróciła swą piękną twarz w stronę drzwi i szeptała bezgłośnie imię swego małżonka".

– Mogła to robić, bo się przestraszyła i wołała o po-moc. Albo Mikanowski to zmyślił, dla większego wraże-nia. – Maks wzruszył ramionami.

– Cały czas utrzymujesz, że Karol był blagierem i mitomanem. Dlaczego? – Róża przechyliła głowę i patrzyła na niego ciekawie.

– Bo on uwielbiał takie mistyfikacje i najbardziej pragnął rozgłosu. Jestem przekonany, że rozdmuchiwał wszystko, co widział, i przekłamywał fakty dla poklasku.

– Czyli nie wierzysz, że w tym domu odbywały się jakieś ciemne misteria? – Róża znowu stuknęła paznokciem w papier, a on się roześmiał.

– Nie wykluczam dziwnych zabaw z alkoholem, a nawet z narkotykami, bo akurat w tamtych czasach było o to łatwo, ale diaboliczne obrzędy? Na pewno nie. Karola z pewnością poniosło, gdy przedstawiał te wydarzenia. Być może jest to echo czegoś, czego doświadczył w Berlinie.

– To znaczy?

Maks dolał sobie kawy i zapalił kolejnego papierosa.

– Berlin przez cały okres trwania Republiki Weimarskiej był siedliskiem wszelkiej deprawacji i występku. Tak go przynajmniej określali faszyści, którzy całkowicie zniszczyli ten świat. Jego nocne lokale dzieliły się na takie, które przeznaczone były dla turystów i miejscowych: burżujów lub artystów, ale też dla ludzi z szeroko pojętego półświatka, gangsterów, alfonsów i dziwek oraz osób o pełnej gamie upodobań seksualnych. Myślę, że Karol mógł się tym fascynować, nawet całkowicie się tym zachłysnąć.

– Bo miał ciekawe preferencje seksualne? – Róża ponownie przechyliła głowę.

– A czemu nie? Moim zdaniem, kiedy się czyta te jego teksty, widać zainteresowania sadystyczne. Nie zdziwiłbym się, gdyby jego „magia erotyczna" była spod tego znaku.

– Teraz to chyba ty przesadzasz i wyciągasz daleko idące wnioski. Na podstawie kilku stron jego artykułów wysnułeś koncepcję, że Karol miał nietypowe skłonności. Może po prostu oszołomiło go takie wolne, nieskrępowane życie?

– Możliwe. W końcu wywodził się z kraju o raczej konserwatywnym sposobie myślenia. Tylko nie zarzucaj mi, że posuwam się za daleko. Sama pomyślałaś, że w publikacji Karola znajdowała się przepowiednia śmierci twego pradziadka.

– Albo zapowiedź jego morderstwa – mruknęła, a on zapatrzył się na ogród.

Potem odwrócił wzrok znowu na nią.

– Wierzysz w to? – spytał dziwnym głosem. Skinęła głową. – Czasami wydaje mi się, że w tym domu naprawdę wszystko jest możliwe – westchnął.

– Ponieważ jest w nim specyficzny mikroklimat? – nawiązała do tego, co powiedział wcześniej. – Bea uważa, że to nawiedzony dom – dodała, a potem prychnęła śmiechem. Maks zaprzeczył gestem.

– To nie takie głupie. Zawsze tutaj wpadam w dziwny nastrój. Jestem rozdrażniony.

– Dlatego pokłóciłeś się z Nataszą? – palnęła i od razu pożałowała, bo spojrzał na nią z wściekłością.

– To chyba nie twoja sprawa. Nie powinnaś się wtrącać w taki wkurzający sposób.

– A ty zawsze jesteś taki cholernie impertynencki? – nie wytrzymała. – Zadałam zwykłe pytanie, fakt, może nie najszczęśliwsze, ale bez złych intencji, a ty z miejsca się irytujesz, jakbym dotknęła cię do żywego.

Spojrzał na nią i wydawało się, że w myślach liczy do dziesięciu, chcąc się uspokoić.

– Po prostu nie lubię takiego wpieprzania się w moje życie.

Róża uniosła ręce w obronnym geście.

– Zrozumiałam, nie musisz mnie strofować jak dziecko. Choć jeżeli ma ci to ulżyć, to proszę bardzo. Dużo gorsze rzeczy przeżywam ze swoją matką i jakoś to znoszę, więc i ciebie wytrzymam. W czynie społecznym i ku większej chwale.

– Będziesz się mną umartwiać, bo cierpienie uszlachetnia? Musiałaś nieźle nagrzeszyć, skoro dostałaś taką pokutę – mruknął, ale widać było, że napięcie minęło, przestał mieć taki czujny, podejrzliwy wyraz twarzy.

Wzruszyła ramionami.

– Masochistka ze mnie. – Uśmiechnęła się krzywo.

– Pasowałabyś do Karola Mikanowskiego. Wspólnota zainteresowań – rzucił, gasząc papierosa.

– Mów, co chcesz, ale mnie to zaciekawiło.

Popatrzył na nią przeciągle.

– Mnie też. Nawet bardzo. Odkąd ojciec kupił tę posiadłość, ciągle kombinuję, co z nią jest nie tak.

– A uważasz, że jest?

Teraz on wykonał lekceważący ruch ramionami.

– Nie gadaj, że tego nie czujesz. Czasami atmosfera jest tak gęsta, że można ją kroić nożem. Tu się wydarzyło coś więcej niż to samobójstwo twego pradziadka i szaleństwo jego żony.

– Jakby tego było mało. – Róża odwróciła się do okna. Matka wciąż nie wracała, widać oględziny terenu pod namiot nie wypadły zadowalająco i szukano innego miejsca.

– Nataszę to przeraża – powiedział Maks niespodziewanie.

– Ten dom?

– Raczej obłęd, jakiego tu można dostać. Bo to się udziela. Uważa, że to mi szkodzi.

– Może tak jest. Nie brałeś pod uwagę?

Przechylił głowę i spojrzał na nią wyzywająco.

– A ty? Masz chłopaka? Troszczy się o ciebie i prostuje twoje ścieżki?

Wzdrygnęła się. Teraz on naruszał granicę, ingerując w tak impertynencki sposób w jej osobiste sprawy.

– Miałam chłopaka – odpowiedziała więc, uznając, że najlepiej przeciąć tę indagację na jak najwcześniejszym etapie. – Jeśli chcesz wiedzieć, nie odpowiadało mi głównie właśnie to prostowanie ścieżek. I to, że chciał mnie zmienić.

– Idiota – skomentował Maks. – Wiesz, co mawiała moja babcia? – dodał znienacka, a ona pokręciła przecząco głową, bo skąd mogła wiedzieć. – Że naprawdę kocha się raz, a potem już się tylko błaga los, żeby powtórzenie okazało się przynajmniej znośne.

– Fatalistka – mruknęła Róża. – Twój dziadek był jej pierwszą miłością?

– Nie mam pojęcia, prawie go nie znałem. Z tego, co wiem, tworzyli bardzo zgodną parę.

– Czyli to właśnie było owo „znośne powtórzenie" – powiedziała złośliwie, a on się roześmiał.

Do jadalni weszła Dorota, razem z Beą i Urszulą. Wyglądały na usatysfakcjonowane, więc Róża odetchnęła.

– Skończyłaś wreszcie to śniadanie? – zwróciła się do niej z pewną pretensją matka. – Musimy już chyba jechać?

– O, tak. – Róża poderwała się z miejsca. – Dziękujemy za gościnę, było cudownie – wyklepała te konwencjonalne podziękowania szybko i w stylu, w jakim żegnała uciążliwych klientów galerii. Przez twarz Bei przeleciał uśmieszek.

– Zawsze nam miło panie gościć – zapewniła Urszula. – Jeśli będą miały panie jakieś pytania czy wątpliwości, proszę dzwonić.

– Lepiej jej nie zachęcać. – Bea wskazała głową na Dorotę, gdy już zabrały swoje rzeczy, pożegnały się i wyszły na podjazd.

– Dała popis w ogrodzie? – domyśliła się wspólniczka.

– Jeszcze jaki! Godny diwy sprzed wojny, więc bardzo trzymała się stylu. Ostatecznie stanęło na tym, że namioty zamienią się w pergole z daszkiem, a na środku przy fontannie stanie podwyższenie. Twoja matka chyba chce wygłaszać jakieś przemówienia albo zmusić do tego kogoś innego.

– Niech ten koszmar się już skończy – szepnęła Róża, odbierając z rąk pokojówki bukiet kwiatów, który przygotowała dla nich Urszula.

– Zawieziemy go do babci – oznajmiła jej matka, kiedy wsiadały do samochodu.

– Poczekaj, Róża! – usłyszała głos Maksa. – Mogę do ciebie zadzwonić, kiedy coś ustalę?

– Znaczy konkretnie co? – Zmarszczyła brwi.

– Jeszcze nie wiem. Wpadnę na coś na temat Adelajdy, Matyldy czy Karola. Generalnie całej tej bandy.

– Zamierzasz się tym zająć? Poważnie?

Skrzywił się.

– Nie mam nic ciekawszego do roboty i wciągnęło mnie to.

– Dobrze, zadzwoń. – Podała mu wizytówkę z numerem telefonu do galerii i po chwili wahania dopisała swój prywatny numer.

– No, no – parsknęła Bea, gdy trzasnęły już drzwi auta i Róża uruchomiła silnik. – Jeszcze czegoś takiego nie widziałam.

– I nic nie zobaczysz – ucięła Róża, a potem odwróciła się do matki. – Odwieziemy Beę do domu i możemy podjechać do babci, do Wrzosowego Zakątka.

– Żaden problem, mogę wybrać się tam z wami – zaprotestowała Bea, a Dorota skinęła głową.

Róża w milczeniu wybrała trasę i skręciła na drogę prowadzącą w kierunku krajówki. Ruch na drodze był o tej porze na szczęście nikły, więc po kilkudziesięciu minutach bez przeszkód i korków dotarły na miejsce.

Wrzosowy Zakątek przywitał je piękną, słoneczną pogodą i koncertem, który odbywał się w głównej sali.

– Wiązanka melodii retro – oceniła matka, gdy weszły do środka. Orkiestra grała nieźle, a artystka wykonująca stare szlagiery miała dobry głos.

– Ciekawe, czy zaśpiewa coś z repertuaru Ady Nirskiej – rzuciła Róża, a matka spojrzała na nią karcąco. Wciąż miała jej za złe rozmowę z babcią o jej siostrze.

Gina zauważyła je i skinęła ręką, by usiadły koło niej.

– Cieszę się, że przyjechałyście. Jest taki dobry koncert. Piękne róże, to dla mnie?

– Tak, mamo, dla ciebie. Byłyśmy w Łabonarówce dopilnować wszystkiego. Przyjęcie zapowiada się wspaniale.

Starsza pani odebrała bukiet, ale nie słuchała córki. Młoda wokalistka zaczęła śpiewać piosenkę, której Róża nie znała. Gina jednak musiała dobrze ją pamiętać, bo nuciła pod nosem i uśmiechała się lekko.

– Co to jest, babciu? – spytała wnuczka, gdy kawałek dobiegł do końca i rozległy się oklaski.

– Och, nie wiem już, ktoś to często śpiewał. Chyba w czasie wojny? Może wcześniej? Ma tytuł *Zawiły seans* i opowiada o wywoływaniu duchów, a właściwie o przywoływaniu miłości…

– Czy to była piosenka Ady Nirskiej? – dopytywała Róża, pochylając się tak, żeby matka nie mogła jej usłyszeć. – Czy pamiętasz, babciu, żeby w Łabonarówce odbywały się seanse spirytystyczne, na których przepowiedziano komuś coś złego?

Gina spojrzała na nią ze zdumieniem.

– A skąd ty o tym wiesz? Jakim sposobem się dowiedziałaś?

– Przeczytałam w starej gazecie. Co się wówczas wydarzyło? Kogo miało spotkać nieszczęście?

Babcia jednak już jej nie słuchała. Piosenkarka zaczęła wykonywać przebój z repertuaru Fogga i wszyscy nucili wraz z nią.

– Piękne róże – powtórzyła Gina, kiedy piosenka się skończyła. – Czy wspominałam już, że bardzo się cieszę z waszego przyjazdu? No i z tego, że przywiozłyście panią Beatę. Wreszcie dowiem się, co u was słychać, jak idą interesy.

Róża chciała jeszcze o coś zapytać, ale Bea szturchnęła ją w ramię. Matka wyglądała na zagniewaną i zmarszczka na jej czole się pogłębiała.

– Spędzimy miłe popołudnie – oznajmiła władczym głosem. – Nie będziemy wracać do niczego z przeszłości. Chyba że chcecie pomówić o czymś naprawdę przyjemnym.

Córka skinęła głową i się poddała. Miała wrażenie, że toczy się wokół niej jakaś gra, obliczona na to, żeby nie zbliżyła się za bardzo do sedna sprawy.

„Ale ja ją zgłębię pomimo wszystkich trudności" – postanowiła, a potem lekkim tonem zaproponowała zajęcie stolika na patio.

– Czy można tu zamówić jakiś obiad? – zainteresowała się Bea. – Jestem głodna jak wilk.

– Zobaczę, co się da zrobić. Moja matka ma tu specjalne względy – odparła wspólniczka.

– Wiadomo, sława. Może to uratuje mnie od śmierci z niedożywienia.

Kiedy Róża zmierzała do kuchni, widziała jeszcze, jak Dorota pochyla się nad Giną i coś jej uporczywie tłumaczy. Nie słyszała słów, ale w całej postawie matki była jakaś gorąca perswazja i prośba.

O co? Trudno to było zgłębić.

CZĘŚĆ IV

Łabonarówka, 1929 rok

ROZDZIAŁ 1

„Płakałem dzisiaj we śnie”

– Jedyne, czym naprawdę mogę się poszczycić, to znakomita pamięć – odezwał się do swego towarzysza Karol Mikanowski, kiedy bryczka zwolniła bieg, powoli wtaczając się na szeroki podjazd przed pałacem w Łabonarówce. Dotarli tu z oddalonego o kilka kilometrów dworca kolejowego i Karol był zły, że kuzynka nie wyprawiła po nich auta. Szybko jednak przeszedł mu ten humor, kiedy zobaczył, że wytwornego cadillaca Augustyna nie ma przed frontem, co oznaczało, że pan domu jest nieobecny.

Jego współtowarzysz podróży całkowicie zignorował uwagę o dobrej pamięci, wpatrując się w rozłożystą bryłę pałacu. Wzrok miał chmurny, a na jego twarzy malowała się wyraźna przykrość. Karol zastanawiał się, dlaczego właściwie dał się namówić na tę wyprawę. Co nim kierowało? Ciekawość? Potrzeba podrażnienia emocji? A może szukał tu czegoś innego? Patrzył na młodego człowieka, na jego przystojną, nerwową twarz i nie posiadał się z radości, że udało się go tutaj ściągnąć. Tytus Wilski. Wnuk Heleny Wilskiej, której tak bardzo nienawidziła Matylda.

Uśmiechnął się złośliwie na samą myśl o tym, jak kuzynka zareaguje na takiego gościa. Gościa skądinąd bardzo pożądanego, bo młody Wilski był wschodzącą gwiazdą literatury, a jego wiersze, drukowane na razie w czasopismach literackich, doceniali również wielcy poeci. Właśnie zupełnie rzucił studia, chcąc się poświęcić wyłącznie sztuce, a jego rodzina była z tego powodu trochę zdezorientowana. Talent talentem – lecz w dzisiejszych czasach dobrze mieć jakiś praktyczny zawód, gdy się nie dysponuje majątkiem.

– Ciekawe, gdzie nasza gospodyni? – Karol był niemile zaskoczony, że nikt nie wyszedł mu na powitanie. – Pewnie zajęta swoim przyjęciem – skomentował, bezceremonialnie wkraczając przez drzwi do środka. Kiedy służąca pospieszyła mu naprzeciw, rzucił jej nonszalanckim gestem kapelusz i zawołał:
– Zajmij się panem Wilskim, ja poszukam kochanej kuzyneczki!

Tytus skrzywił się na tę ostentację, do której nie był przyzwyczajony, i wykonał gest, którym dał do zrozumienia pokojówce, że da sobie radę sam, kiedy chciała odebrać jego płaszcz i kapelusz.

– Pani zaraz zejdzie. Miała pilny telefon, musiała na chwilę opuścić gości. Całe towarzystwo jest w ogrodzie, chętnie pana tam zaprowadzę.

– Poczekam tutaj. – Wskazał boczny salon. – Znam ten dom.

– Dobrze, proszę pana. Uprzedzę jaśnie panią.

Tytus przestąpił próg mniejszego saloniku i zdumiał się zmianami, jakie tutaj zaszły. Nie był sentymentalny i nie darzył domu babki szczególnym uczuciem. Wręcz przeciwnie – wydawał mu się dusznym, przesyconym pretensjami miejscem. „Z lekkim dodatkiem aromatu naftaliny" – skomentował w myślach. Teraz była to w całym znaczeniu tego słowa nowobogacka rezydencja. Jeśli coś mogło być ostentacyjnie krzykliwe i kipiące luksusem – z pewnością takie właśnie się stało. Nie szczędzono tu pieniędzy ani wysiłku, by kłuć nimi odwiedzających w oczy. Bo ten dom nie był przeznaczony dla jego mieszkańców, a w każdym razie nie w pierwszym rzędzie dla nich. Miał zaświadczać o statusie jego właścicieli i potwierdzać go przed każdym, kto przekraczał ten próg.

Młody Wilski nie kochał swej babki. Pogardzał zarówno Heleną, jak i systemem wartości, który wyznawała. Jego ojczyzną była przede wszystkim sztuka, jego religią – słowo. Konserwatyzm babki, jej tradycjonalizm, patriotyzm pojmowany jako nieustanne poświęcanie się dla ojczyzny odrzucały go i były dlań obce. Ona wciąż tkwiła w dziewiętnastym wieku, pełnym narodowych powstań, płaczu, żalu i żałobnych czarnych sukien ze sztychów Artura Grottgera. On był człowiekiem dwudziestego wieku i w nim chciał żyć. Ten dom, pałac w Łabonarówce, kojarzył mu się więc z tym wszystkim, co tak bardzo chciał w swoim życiu pogrzebać i od czego musiał się uwolnić. Krępującymi go związkami rodzinnymi, niezrozumieniem dla wyboru kariery, oczekiwaniami, którym nie umiał i nie zamierzał sprostać. Rozglądając się po salonie, odczuwał z jednej strony przykrość, że w taki sposób zbezczeszczono tradycję jego rodu, a z drugiej tajoną i dziką satysfakcję z tego upokorzenia, które dla niego samego mogło być wyzwoleniem.

Chwilę wsłuchiwał się w te dwa uczucia, które toczyły w nim walkę. Dawało to taki efekt, jakby miły, pokorny młodzieniec znosił razy od nieokrzesanego ulicznika. Dziwiła go własna obojętność dla tej sytuacji. I wówczas nagle usłyszał muzykę.

Osoba, która grała na fortepianie, czyniła to z prawdziwą pasją. Wydobywała nuty z gwałtownością ognia przebiegającego po klawiszach. Widział tył jej głowy, długie rude włosy, a właściwie nie rude, bo ten kolor był jedyny w swoim rodzaju: migotliwy, pełen blasku, świetlistości i słońca. Miedziane loki wydawały się emitować własne światło, gdy potrząsała głową, uderzając w klawisze. Potem nagle przerwała, by zacząć grać spokojnie, lirycznie, jedną z mniej znanych pieśni Schumanna.

– *Płakałem dzisiaj we śnie* – wypowiedział bezwiednie na głos tytuł, oszołomiony i zdumiony, bo ta pieśń i te słowa skojarzyły mu się niespodziewanie z rozmyślaniami, których przed chwilą doświadczył.

Musiała to usłyszeć, bo przerwała grę i odwróciła się spłoszona. Jej oczy wpatrzyły się w niego z niepokojem i strachem, ale on miał wrażenie, że schwyciły go i pociągnęły ku sobie jak tajemniczy i niebezpieczny wir.

– Ale się przestraszyłam. Myślałam, że to ona. Nie pozwala mi grać popołudniami, kiedy jest przyjęcie, bo mówi, że straszę gości zbyt głośnym bębnieniem w fortepian. Co ja plotę, niemądra! – Zerwała się z krzesła i zbliżyła do niego. – Pan przecież też jest na pewno jej gościem. Nie wyda mnie pan przed nią? Bardzo proszę!

Nie zdołał nic odpowiedzieć, bo do salonu weszły dwie kolejne osoby.

– Tutaj pan jest – odezwał się Karol, robiąc gest do towarzyszącej mu kobiety. – Pozwól, Matyldo, że ci przedstawię: pan Tytus Wilski, wnuk pani hrabiny Heleny Wilskiej. A to nasza gospodyni, pani Korsakowska.

Matylda wyciągnęła w stronę gościa swoją piękną szczupłą dłoń i spojrzała na niego z uwagą. Ani jeden mięsień nie drgnął na jej nieskazitelnej twarzy, kiedy witała go z uprzejmym, pełnym zaciekawienia uśmiechem. Nic nie zdradzało tego, że jeszcze przed momentem dosłownie rozsadzała ją złość. Gdy Karol odnalazł ją na piętrze i powiedział, jaką sprawił jej niespodziankę.

– Co ty sobie wyobrażasz? – syknęła przez zaciśnięte wargi. – Że możesz mnie zaskakiwać w ten sposób?

I bez pytania mnie o zdanie sprowadzać tu wnuka tej, tej... jędzy?

– Suki, chciałaś powiedzieć? Nie krępuj się. Och, Tilly, uważam to za paradny żarcik. To młokos, który nie zna świata i życia. Jestem pewny, że po kwadransie będzie ci jadł z ręki. Nie rozumiem, o co ta kwaśna minka. Spodziewałem się, że mi podziękujesz, a ty się boczysz.

Uderzyła dłonią w oparcie fotela, na którym siedziała.

– Za dużo sobie pozwalasz! Chyba zapominasz, że ja jestem panią tego domu! – Wpatrywała się w niego szeroko otwartymi oczami i kipiała gniewem.

Nie zamierzał tego znosić.

– Posłuchaj mnie, Tilly. Nie zrobiłem ci tego na złość, wręcz przeciwnie, abyś zaspokoiła swoją potrzebę zemsty. – Mówił to spokojnym, wysilonym głosem i widać było, ile go kosztuje, aby nie stracić nad sobą panowania. Nie chciał się teraz z nią kłócić. Odbije sobie to innym razem i z pewnością nie zapomni jej tego, jak go obrzydliwie potraktowała. Jak lokajczyka albo chłopca na posyłki, nie kogoś równego sobie. A miał przecież doskonałą pamięć i szczególnie zniewagi zachowywał w niej na całe życie.

Jego zimna krew podziałała i na nią. Potrząsnęła włosami, wstała z fotela, kilka razy nerwowo przeszła się po pokoju, a potem stanęła przed nim. Miała już zupełnie inny wyraz twarzy.

– Proszę tylko, abyś nigdy więcej nie robił mi takich niespodzianek. Nie lubię tego. I tak nie powinno być między nami. Szczególnie między nami – podkreśliła.

Wiedział, że chciała mieć ostatnie słowo, więc skinął głową, ale nie było w tym geście pokory. Zauważyła to i skrzywiła się lekko. Wyszli razem z pokoju, a ona kroczyła po schodach lekko, ale z pewną niecierpliwością, która zniknęła, gdy dostrzegła Tytusa rozmawiającego z Adelajdą. Wtedy zamieniła się w dzikiego kota skradającego się do swojej ofiary. Karol umiał dostrzec ten niebezpieczny morderczy błysk w jej ślicznych oczach, obecny również teraz, kiedy podawała gościowi rękę.

– Widzę, że poznał pan już moją pasierbicę, Adelajdę – powiedziała swoim najbardziej uwodzicielskim tonem. – Mam nadzieję, że nie zanudziła pana.

– Nie zdążyliśmy zamienić ani słowa – odezwał się niezbyt zręcznie Tytus, a Matylda wybuchnęła śmiechem.

– Tym lepiej. Nie wiem, o czym mogłaby rozmawiać taka gąska z poetą. Czytałam pańskie wiersze w „Wiadomościach Literackich", są naprawdę znakomite. Zapraszam do ogrodu. Są tam już wszyscy.

Wskazała mu kierunek ręką, a on odwrócił się, żeby spojrzeć na Adelajdę, która stała wciąż przy fortepianie.

– Pani nie idzie?

– Tak, Adelajdo, chodź z nami. – Karol niespodziewanie poparł gościa i wyciągnął ramię do dziewczyny. Matylda znowu gniewnie ściągnęła brwi. – Powinnaś więcej pokazywać się w towarzystwie, twoja edukacja tylko na tym zyska – śmiał się, mrugając do Tytusa. – Nie ma pan pojęcia, drogi przyjacielu, jak wyglądają karnawałowe bale w Berlinie – szepnął, kiedy przepuścili już panie przodem. – Nigdy nie widziałem podobnego wyuzdania i nieprzyzwoitości jak tam – zachichotał, wprawiając swego młodego kompana w zakłopotanie, i pospieszył, by coś powiedzieć kuzynce.

Tytus dołączył do Adelajdy w ogrodzie. Stanęła z boku, nie bardzo wiedząc, co ma ze sobą zrobić, bo wyraźnie peszyła ją obecność gości macochy. Tych wszystkich wschodzących sław sztuki i literatury, którymi lubiła się otaczać, a które sprowadzał tu Karol. Błyszczała w ich towarzystwie i lubiła być adorowana.

– Podobała mi się pani gra – rzucił Tytus, gdy już udało mu się przepchnąć przez tłum gromadzący się wokół gospodyni i zbliżyć do jej pasierbicy. Adelajda spojrzała na niego uważnie. Znowu poczuł się schwytany przez magnetyczny blask jej oczu i doświadczył dziwnego dreszczu. – Ten utwór, który słyszałem… To Schumann, prawda? Z *Miłości poety*? Napisał to do wierszy Heinego – mówił szybko, nie zastanawiając się, czy ma to jakikolwiek sens, tylko po to, aby ukryć zmieszanie.

Nadal patrzyła z uwagą.

– Pan jest krewnym… Pochodzi z rodziny poprzednich właścicieli Łabonarówki? – spytała pełnym napięcia tonem. Widać ta kwestia bardzo ją obchodziła.

– Owszem. Tylko że to nie ma żadnego znaczenia. Proszę mi wierzyć, nigdy nie czułem sentymentu do tego domu, a postawa życiowa mojej babki zwyczajnie mnie mierzi...

– Mierzi pana? – powtórzyła z wahaniem.

– Tak. Nie ryzykując, że przesadzam wiele, mogę powiedzieć, że jej nienawidzę. – Złowił jej zaskoczony wzrok i skinął głową. – Pani się zapewne dziwi, że mówię tak otwarcie, ale naprawdę, z moją babką niewiele mnie łączy...

– Poza więzami krwi... – dodała głucho.

– Nie mają dla mnie znaczenia. Może mi pani wierzyć lub nie, ale rozmyślałem właśnie o tym, kiedy usłyszałem, jak pani gra. Że tak naprawdę moją rodziną jest sztuka, a prawdziwą ojczyzną literatura, słowo... – Zamilkł na chwilę, jakby chciał się upewnić, czy ona go rozumie, ale Adelajda w tym momencie energicznie przytaknęła.

– Ja tak samo myślę o muzyce... To moja ucieczka i jedyny prawdziwy azyl.

– Zatem wie pani, co mam na myśli.

Wpatrzyli się w siebie, jakby właśnie w tej chwili narodziła się pomiędzy nimi niewidzialna więź, mocniejsza niż wszystko i całkowicie niezniszczalna.

– Tutaj pan jest – do uszu Tytusa dobiegł roześmiany głos Matyldy. – Chciałam pana poznać z panem Stanisławskim, naszym znakomitym satyrykiem. A pan się ukrywa!

Obrzuciła swoją pasierbicę lekceważącym spojrzeniem, a potem odprawiła ją gestem.

– Powinnaś sprawdzić, co się dzieje z twoją siostrą. Czy wszystko u niej w porządku.

– Nie odsyłaj jej do niańczenia dzieci – znowu wmieszał się do rozmowy Karol. – Musimy ją wprowadzić w świat. Moja droga – wyciągnął dłoń do Adelajdy – pozwól, że cię przedstawię towarzystwu.

Matylda odprowadziła ich gniewnym wzrokiem, ale od razu się rozpogodziła, odwracając się do Tytusa.

– Mój kuzyn... Taki ekscentryczny! Proszę mi opowiedzieć o swoich wierszach. Kiedy ukaże się tomik? Jestem bardzo ciekawa!

Ujęła go pod ramię i pociągnęła w kierunku grupki, w której prym wiódł popularny w stolicy autor tekstów do rewiowych teatrzyków, znany z ciętego pióra i języka.

– O, widzę, że złowiła pani naszą nową gwiazdę – zauważył, dostrzegając Tytusa. – Już jest o panu głośno, młody człowieku. – Dotknął wyciągniętym palcem najwyższego guzika jego kamizelki, a Wilski cofnął się urażony.

– Nie dbam o rozgłos – mruknął.

Stanisławski roześmiał się tubalnie.

– Paradne! Poeta, który nie dba o sławę. Każdy literat marzy o rozgłosie. Ale to urocza poza, taka stylowa, niech się pan jej trzyma, to panu dodaje tajemniczości. Od momentu, kiedy pańskie wiersze wydrukowały

„Wiadomości Literackie", wszystko samo zaczęło się toczyć. Już wkrótce wejdzie pan na sam szczyt, osiągnie Parnas, ja to panu mówię! A ja nigdy się nie mylę!

– I będzie pan miał własny skecz w jego kolejnym programie – dodała wesoło dama stojąca z boku, a Stanisławski pogroził jej dobrotliwie palcem, bo widać było, że uwielbia być w centrum uwagi.

– Może nie w następnym, ale doczeka się pan z pewnością. A musi pani wiedzieć, baronówno – zwrócił się do Matyldy – że ostatnio miała miejsce niebywała sytuacja w jednym z kabaretów. Minister – tu nachylił się konspiracyjnie do ucha gospodyni, by tylko jej szepnąć nazwisko dygnitarza – wtargnął do garderoby przed numerem, żeby sprawdzić, czy artysta, który go odgrywał, jest odpowiednio ucharakteryzowany. Podobno osobiście poprawiał mu wąsy. Wyobraża to sobie pani? Minister macha nożyczkami jak pomocnik golarza! W garderobie! A wszystko z powodu mojego skeczu!

– Błazen – mruknął przez zaciśnięte zęby Tytus, próbując przecisnąć się przez zwarty tłumek otaczający jego i Matyldę. Chciał pójść w tę stronę ogrodu, gdzie odeszli Karol z Adelajdą.

Matylda jednak powstrzymała go, biorąc za ramię, a potem zwróciła się do Stanisławskiego:

– Znakomita historia, panie Teodorze, po prostu bajeczna. Wiem, że jest pan znawcą i wielbicielem parapsychologii. Tak się składa, że udało mi się zaprosić znane medium, Jana Bilczego, którego przepowiednie niezawodnie się sprawdzają. Mam nadzieję, że taki ekspert jak pan, znany w stolicy z doskonałych wyników, poprowadzi nasz dzisiejszy seans po kolacji. Liczę, że da się pana namówić, to z pewnością będą niezapomniane wrażenia...

Satyryk, którego próżność połechtano w najmilszy dla niego sposób, skinął łaskawie głową i ucałował dłoń gospodyni. Wszyscy goście zebrani wokół pani domu przyjęli ten pomysł z entuzjazmem. Szczególne podniecenie wykazywały zgromadzone panie.

– Karol powinien sfotografować tę ektoplazmę, o ile się pojawi – wybuchnęła śmiechem Nena Rohocka, rozglądając się za kuzynem właścicielki.

Matylda ściągnęła brwi. Starała się unikać zapraszania kobiet efektownych, które mogłyby wywoływać zainteresowanie i odwracać uwagę od niej samej. Takich właśnie jak ognistooka Nena, pełna temperamentu brunetka, która przyjechała ze Stanisławskim. Matylda znała ją jeszcze z czasów warszawskich. Brat Neny prawie do cna zgrał się w ruletkę, niezbyt fortunnie inwestował, plotkowano też, że odurza się eterem. Ona sama związała się z pułkownikiem Dobryńskim, ale niedawno zaręczyny zerwano i to w posmaku skandalu. Jak szepnęła Matyldzie, kiedy całowała ją na przywitanie, zapewniając jednocześnie, jak bardzo się cieszy ze spotkania „z dawną przyjaciółką ze szkoły pani Łotockiej" (co było tylko do pewnego stopnia prawdą, bo baronówna Mikanowska spędziła na tej prestiżowej pensji zaledwie kilka miesięcy, póki jej ojciec dysponował niezbędnym kapitałem), że „rozgląda się za lepszą partią". Gospodyni w lot przejrzała tę kombinację – Nena będzie się „rozglądała" u niej, dlatego się wprosiła, bo poszukiwała nowych, nieznanych jeszcze terenów łowieckich, a o posiadłości Korsakowskich zrobiło się już głośno. Stawała się modna w towarzystwie i o zaproszenie trzeba się było starać albo mieć kogoś, kto wprowadzi do tego domu. I choć obecność Rohockiej – kobiety pięknej i elektryzującej – na pewno nie była Matyldzie do końca na rękę, to musiała uczciwie przyznać, że bardzo ożywiła przyjęcie. Nena miała niespożytą energię i zupełnie dzikie pomysły. Zdążyła już tego popołudnia namówić niektórych gości na przejażdżkę łódkami po stawie, mecz tenisowy i aperitif w oranżerii, gdzie jeden z młodych artystów pokazywał swoje rysunki.

– Karol! – wykrzyknęła teraz, machając do Mikanowskiego, który, wciąż trzymając Adelajdę pod rękę, dyskutował z jakimś mężczyzną. – Mamy wyborny pomysł. Powinnaś szybko wydać swoją pasierbicę za mąż – rzuciła jednocześnie szeptem do Matyldy. – A w każdym razie zaręczyć ją z kimś z towarzystwa.

– Niby czemu? Adelajda to jeszcze dzieciak – zbagatelizowała gospodyni.

– Żaden dzieciak. Młoda panna. No to wyślij ją do szkoły za granicą, zanim zacznie ci tutaj bruździć. – Nena zmrużyła swoje wielkie kocie oczy, żeby lepiej przyjrzeć się dziewczynie. – Ja bym się jej szybko pozbyła – dodała, uśmiechając się promiennie do nad-chodzącego Karola. – Mamy idealny plan dla ciebie.

– Zamieniam się w słuch.

– Zrobisz zdjęcia podczas seansu spirytystycznego pod przewodnictwem Teodora. Zgodził się. To było-by niesamowite, gdyby udało się uchwycić ektoplazmę! Mógłbyś to opublikować w jakimś piśmie.

– Naprawdę przystał na to? – Karol był pełen powąt-piewania, ale Matylda skinęła głową. Stanisławski nie wyraził sprzeciwu. Seans mógł się nie udać, a wtedy za-wisłoby nad nim widmo kompromitacji. Najwyraźniej obecność Bilczego, popularnego medium, sprawiała, że ufał swoim zdolnościom w dziedzinie parapsychologii, albo też zaślepiła go pycha i chęć zdobycia poklasku.

– Czy ja też będę mogła uczestniczyć w seansie? Tak bardzo bym chciała – odezwała się Adelajda.

– To niedorzeczne! – obruszyła się natychmiast ma-cocha, ale złowiwszy kpiące spojrzenie Neny, natych-miast zmieniła zdanie. – Owszem, możesz wziąć udział. A teraz przebierz się do kolacji i dopilnuj, żeby Bisia przyszła później z małą. Chcę ją ucałować na dobranoc.

– Dobrze. – Adelajda skinęła głową i szybkim kro-kiem odeszła w kierunku domu, najwyraźniej w obawie, aby Matylda się nie rozmyśliła. Ojca nie było i to ona decydowała o wszystkim.

– Bardzo chciałabym zobaczyć twoją małą có-reczkę – wtrąciła się Nena. – Musisz ją niesamowicie kochać.

– Och, tak. Gina to cudowne dziecko. Jak aniołek – emocjonowała się pani domu.

Karol rzucił okiem na zegarek. Do kolacji nie zostało dużo czasu, a chciał się jeszcze odświeżyć. Skinął głową reszcie zgromadzonych i pożegnał się, powoli zresztą wszyscy zaczęli się rozchodzić do swoich pokoi. Tylko Tytus Wilski zatrzymał się przy wejściu na taras i wpatrzył w okna pokoju na pierwszym piętrze, z niedużym balkonem na bocznej ścianie, gdzie w szybie mignęła mu postać Adelajdy.

ROZDZIAŁ 2

Duchy przy wirującym stoliku

Po kolacji, która upłynęła w nastroju elektryzującego oczekiwania na to, co wydarzy się później, Matylda zaprosiła gości do salonu. Nena opowiadała właśnie otaczającym ją panom o ostatnim występie Zuli Pogorzelskiej, wołając głośno do Karola, żeby nastawił płytę.

– Przywiozłem Matyldzie z Berlina nowy model gramofonu – pochwalił się kuzyn. – Urządzenie przenośne, bardzo poręczne, można je wykorzystywać w plenerze.

– Cudownie! Wypróbujemy je jutro podczas pikniku – emocjonowała się Nena. – A teraz daj już tę płytę! Chcę posłuchać nowego slow-foxa.

– Jeśli o to idzie, Adelajda może zagrać – odezwała się niespodziewanie Matylda, której bardzo było nie w smak, że Nena zaczyna przejmować ster rozmowy w jej własnym salonie. – Ma niesamowity dryg do takich melodii.

– Naprawdę? – Nena odwróciła się i wpatrzyła w Adelajdę prowokacyjnie. Dziewczyna nie zawstydziła się, a tylko rzuciła macosze pełne wdzięczności spojrzenie. W swojej pięknej zielonej sukience czuła się dzisiaj niezwykle pewna siebie.

– Tak. Augustyn przywozi jej z Warszawy całą górę nut. Mamy tu chyba też najnowsze szlagiery, prawda? – Matylda przerzuciła leżące przy fortepianie materiały, choć doskonale wiedziała, gdzie co jest. To ona kupowała nuty popularnych piosenek i namawiała pasierbicę, żeby grała popołudniami w salonie, zamiast tylko ćwiczyć nudne pasaże, które wyznacza jej panna Pernolli.

– Zagraj *Tango milonga* – rzuciła pasierbicy, podając jej nuty.

– Ach, co to za cudowna rewia, ta *Warszawa w kwiatach*! Bodo jest w niej absolutnie niewiarygodny, jak on śpiewa to tango *On nie powróci już*! Zakochałam się po prostu! – wykrzyknęła Nena. – Byłam na tym już ze cztery razy! Mój brat ma specjalne zaproszenia od Klubu Łowieckiego.

– A cóż to takiego? – zainteresowała się Matylda.

– Nie wiesz? Wynajmują cały pierwszy rząd krzeseł. To taki klub towarzyski – wyjaśniła, a Karol mrugnął do kuzynki.

– Szukający towarzystwa baletnic – szepnął jej wprost do ucha, a Matylda się obruszyła. Nie chciała, aby ktoś zarzucił jej, że zachowuje się zbyt swobodnie.

Najważniejsze było utrzymywanie pozorów. Nikt nie mógł jej posądzić, że przekracza jakieś granice.

– Przestań – syknęła więc. – Adelajda zagra teraz najmodniejszy numer z *Warszawy w kwiatach* – zapowiedziała.

– A my zaśpiewamy na dwa głosy. – Nena była wyraźnie rozemocjonowana i rozbawiona, choć do kolacji wypiła zaledwie pół kieliszka wina. Matylda zaczęła podejrzewać, że przyczyną tak euforycznego humoru Rohockiej może być jedna ze szklanych fiolek wypełnionych białym lśniącym proszkiem firmy Merck, które Karol tak chętnie przywoził z Berlina. Przygryzła wargi. Nie miała ochoty na żadne wyskoki, w każdym razie nie w tak szerokim gronie gości. Co innego w wąskim zaufanym kółku. Wówczas obowiązywały już zupełnie inne reguły i nie liczyły się konwenanse, ale jeszcze nie teraz.

– Naprawdę zamierzasz robić konkurencję pani Nowickiej? – wycedziła słodkim głosem.

– Oczywiście. Śpiewam lepiej niż ona. Graj, Adelajdo. A ty, pomóż mi, Matyldo. Jak tam idą słowa? „Żegnajcie dawne wspomnienia. Żegnajcie burze i serc uniesienia. Czas wszystko odmienia… Kochanko ma, żegnam cię, wspomnij mnie!"*

---

* *Tango milonga*, utwór J. Petersburskiego i A. Własta z 1929, wykonany po raz pierwszy w rewii *Warszawa w kwiatach* przez S. Nowicką, z towarzyszeniem E. Bodo, Rolanda i L. Sempolińskiego. Najbardziej znany z wykonania M. Fogga.

Wyśpiewywała te strofy, zmuszając Matyldę do wtórowania i patrząc jednocześnie jej w oczy z jakąś mściwą złośliwością. Gospodyni dołączyła swój nieźle brzmiący głos do duetu i trzeba było przyznać, że wypadły efektownie i całkiem przyjemnie, nie po amatorsku. Ich występ zasłużenie zebrał brawa gości, ale rozzłoszczona Matylda nie chciała więcej śpiewać. Adelajda zagrała jeszcze kilka modnych fokstrotów, budząc uznanie dla swoich umiejętności, a potem na polecenie pani domu włączono gramofon i płyty.

– Wolę, kiedy gra pani Schumanna. – Tytus znalazł się w pobliżu Adelajdy, kiedy wstała od fortepianu i stanęła przy oknie wychodzącym na taras.

– A ja lubię te melodie z rewii – oznajmiła, patrząc na niego spod oka.

– Są okropne. To znaczy nie same melodie, nie znam się na nich, ale te słowa… Banalne i płytkie. Ludzie powinni się wstydzić, że słuchają czegoś takiego, nie mówiąc już o tym, że wstyd to pisać.

– A przecież dla kabaretów tworzą znani autorzy. Czytałam o tym…

– Pod tysiącem pseudonimów. Żaden nie odważy się tego podpisać własnym nazwiskiem – wybuchnął Tytus. – Nie uważa pani chyba, że to prawdziwa poezja? Te rymy bez sensu i to błahe wzruszenie.

– Nie musiałoby takie być. Gdyby ktoś napisał to dobrze, poruszająco i mądrze…

– Sądzi pani, że ludzie chcieliby takich szlagierów?

– Ja bym chciała. Żeby pan napisał tekst do takiej piosenki. Kupiłabym płytę i nuty.

Patrzył na nią dłuższą chwilę.

– Trzymam panią za słowo.

– Ja pana również. Złożył pan obietnicę.

– I się z niej nie wycofam.

Uśmiechnęli się do siebie, jakby pieczętowali jakiś pakt.

Matylda z dumą rozglądała się po swoim salonie, gdzie jej goście bawili się wspaniale w małych kółkach. Niektórzy zasiedli do stolika brydżowego w przyległym gabineciku, ktoś przeniósł się na taras. Jedna z pań zasiadła do fortepianu i zaczęła grać szlagier Zuli Pogorzelskiej *Ta mała piła dziś i jest wstawiona*, co zgromadzeni panowie przyjęli ze śmiechem.

– Ech, przydałyby nam się tu jeszcze girlsy z Morskiego Oka, wiemy, że są wystrzałowe – zaśmiał się wesoło Karol, mrugając do Neny, która uśmiechnęła się krzywo. Wszyscy wiedzieli o słabości jej brata do urodziwych tancerek i od pewnego czasu pojawiało się na ten temat coraz więcej niewybrednych plotek. Nie chodziło już nawet o to, że Dyzio stracił głowę dla którejś z nich, to się w końcu zdarza, ale że naprzykrzał się jej w garderobie, a ostatnio posunął się do tego, że zrobił jej niesmaczną scenę i groził pistoletem. Gdyby nie koneksje ich ojca, sprawy pewnie nie dałoby się tak łatwo zatuszować.

Zirytowana Nena odwróciła się więc do lokaja, który roznosił drinki, żeby poprosić o szampana, a potem przeszła w inny kąt salonu, opowiadając o występie Lody Halamy, która w ostatniej rewii dała prawdziwy popis swych umiejętności tanecznych.

Matylda położyła Karolowi dłoń na ramieniu i przywołała go do porządku. Nie chciała żadnych zadrażnień ani niesnasek, choć była mu wdzięczna, że przytarł Nenie nosa. Nie podobało się jej, że ta kobieta tak panoszy się w jej domu. Należało jej pokazać właściwe miejsce i kuzyn uczynił to bezbłędnie, lecz nie trzeba posuwać się za daleko. Lepiej nie drażnić dzikich kotów za bardzo.

Dlatego też teraz, przemykając od jednej zaufanej osoby do drugiej, zwoływała swoich najbliższych do pokoju orientalnego, w którym miał się odbyć seans.

Stanisławski już na nich czekał razem z Bilczym, niedużym mężczyzną, który właściwie niczym szczególnym się nie wyróżniał. Poza oczywiście osobliwym i rozgorączkowanym wyglądem pałających oczu, którymi zdawał się przewiercać każdego na wylot. Gabinet orientalny, stanowiący dumę gospodyni, sąsiadował z wejściem do oranżerii i należał do osobistych pokojów Matyldy. Lubiła tutaj przebywać, stawiać pasjanse i urządzać seanse przy wirującym stoliku. Wszystko było tu utrzymane w bordowych, złotych i błękitnych barwach, a ażurowe marokańskie lampy rzucały na ściany przytłumione rozproszone światło. Na wzorzystym dywanie stał mahoniowy inkrustowany w ptaki i wyobrażenia roślin trójnogi stolik, przy którym usiedli w skupieniu.

– Boi się pani? – szepnął Tytus, kiedy Adelajda zajęła miejsce z jego prawej strony. Potrząsnęła głową na znak zaprzeczenia.

– Ciotka mówi, że duchy nie istnieją, w każdym razie nie w takim sensie, jak rozumie to macocha.

– Czyli w jakim?

– Ciotka jest bardzo religijna…

– Proszę o spokój. – Stanisławski, który siedział u szczytu stołu, zgromił ich spojrzeniem. – To nie jest zabawa. Zarówno ja, jak i pan Bilczy musimy mieć całkowitą ciszę, skupienie i wiarę. – To ostatnie słowo podkreślił, unosząc dłoń. W jego oczach było coś diabolicznego i nawiedzonego.

Matylda odchrząknęła.

– Jesteśmy gotowi, mistrzu – powiedziała cichym głosem.

– Dziękuję, siostro. Uprzedzam, każdy, kto chce zakłócić nasz seans, powinien natychmiast opuścić ten pokój. To misterium tylko dla wtajemniczonych. Dla przekonanych. Ufających.

Powiódł wzrokiem po ich twarzach, zatrzymując się kolejno na każdej z nich. Potem skinął głową.

– Dobrze. Widzę, że jesteście przygotowani. Zatem zaczynamy. Pan Karol Mikanowski spróbuje uchwycić swoim aparatem ten mistyczny moment. Wiecie, że ja nie mam nic do ukrycia, a tym bardziej nasze znakomite medium…

Matylda położyła na stoliku planszę z literami alfabetu i cyframi oraz talerzyk ze strzałką. Zebrani przysunęli się do siebie i położyli ręce na stole w taki sposób, że palce ich dłoni stykały się ze sobą. Światła zgaszono i teraz paliły się wyłącznie marokańskie latarnie, odbijając się bladym poblaskiem na skupionych i napiętych twarzach. Bilczy zamknął swoje niesamowite oczy i oddychając głęboko, zaczął wprowadzać się w trans.

Tytus zerknął dyskretnie na zgromadzone w pomieszczeniu towarzystwo. Słyszał co nieco o tych seansach jeszcze w Warszawie i nawet był ich ciekaw. Wiedział, że Matylda Korsakowska gromadzi wokół siebie wielbicieli spirytyzmu, czytania w myślach, przepowiadania przyszłości, a także osobliwej dziedziny sztuki zwanej malarstwem transowym czy też mediumicznym. Artyści, których zapraszała do siebie, tworzyli pod wpływem wizji, a często również wspomagając się peyotlem lub kokainą. Jeden z tych malarzy siedział obok Neny Rohockiej z przymkniętymi oczyma i dziwnym wyrazem twarzy. Tytusowi chciało się śmiać i odniósł niejasne wrażenie, że z powodu jego sceptycyzmu i niedowiarstwa ten seans może się nie udać.

„Tutaj potrzeba całego obłędu tego świata, na jaki mnie zwyczajnie nie stać" – pomyślał, a potem poczuł delikatne dotknięcie chłodnych palców Adelajdy i jeszcze coś. Podmuch zimnego powietrza przeleciał po pokoju, a wszyscy westchnęli.

– Zbliża się – głuchym głosem oznajmił Stanisławski zajmujący najważniejsze miejsce przy stole. – Zaraz tu będzie.

Światła na chwilę przygasły, a potem rozbłysły. Rozległo się pukanie w stolik.

– Czy jesteś z nami, duchu? – spytał Stanisławski ponownie tym dziwnym, nieswoim głosem. W odpowiedzi rozległo się potwierdzające stuknięcie, a wszyscy przy stoliku się ożywili.

– Czy odpowiesz na nasze pytanie za pomocą talerzyka i kartki z alfabetem?

Ponieważ duch tym razem nie odezwał się, zapanowała konsternacja.

– Nie chce z nami rozmawiać – szepnęła Nena.

– To proste. Ktoś tu zakłóca komunikację – rzucił mocno poirytowanym, napiętym tonem malarz transowy Gilewicz.

– Wszyscy jesteśmy wtajemniczeni. – Matylda starała się nieco ostudzić emocje. – Poczekajmy, niech medium nawiąże kontakt.

Zebrani zawiesili wzrok na Bilczym, który ponownie zaczął głęboko oddychać. Wydawało się, że zapadł w jakiś kataleptyczny stan. Jego dłoń zaczęła nagle nerwowo poruszać się po blacie stolika, jakby czegoś szukając.

– O co chodzi? – zdumiała się Nena. – Chce nam coś powiedzieć?

Stanisławski zaprzeczył, wyręczając medium.

– Może pragnie pan to napisać? – Gilewicz uniósł papier, który przygotował dla siebie, gdyby pod wpływem seansu naszła go jakaś artystyczna wizja. Teodor przytaknął. Karol zbliżył się skwapliwie do stołu i przeniósł papier i ołówek na jego drugi koniec. Bilczy natychmiast ujął narzędzie i zaczął coś szybko kreślić na papierze.

– Karolu, zrób zdjęcie! – zduszonym głosem zażądał Gilewicz, wskazując na głowę medium. Istotnie, coś dziwnego zaczęło dziać się w pokoju. Światła znowu przybladły, pojawiły się dziwne błyski, stolik zaczął drżeć, jakby chciał się unieść. Słychać było niepokojące szelesty, postukiwania, jakby kroki w pokoju. Światło gasło, robiło się coraz ciemniej.

– Nie przerywajmy kręgu. – Matylda wypowiedziała te słowa nieco histerycznym głosem. – To groźne!

Ledwie skończyła, rozległ się brzęk tłuczonej porcelany. To talerzyk spadł ze stolika i roztrzaskał się na parkiecie. Wszyscy zebrani krzyknęli jak na komendę i krąg się rozerwał. Adelajda chwyciła Tytusa za rękę i przez chwilę czuł, jak jej drobne palce drżą w jego dłoni.

– Proszę się nie denerwować – próbował ją uspokoić. Kiedy na nią spojrzał, przestraszył się. Gdy zapaliło się nagle światło, zobaczył, że była bardzo blada, a jej czoło pokryły drobne kropelki potu.

– Czy pani słabo? – zatroszczył się.

– Nie... Ja nie mam pojęcia, co mi się stało... – mówiła cichym, przerywanym głosem. – Czy panu też się wydawało, że w tym pokoju ktoś był?

– Mnie? Nie... Jestem pewny, że tutaj nikogo nie było – zapewnił, spoglądając na nią z niepokojem.

– Brednie – wtrącił się Stanisławski, który też wstał ze swego miejsca i zbliżył się do Adelajdy, wpatrując się w nią intensywnie. – Pani to trafnie wyczuła. Pani ma zdolności metempsychiczne, ja to od początku wiedziałem, otacza panią aura... Kiedy pan Karol wywoła zdjęcia z tego seansu, zobaczymy niewiarygodne rzeczy, zaręczam to państwu!

– Panie Teodorze, za pozwoleniem... Posłuchajmy, co medium ma do powiedzenia – wtrąciła Matylda omdlewającym głosem.

Zebrani zwrócili się w stronę Bilczego, który doszedł już do siebie i odwrócił właśnie kartkę, na której przed chwilą pisał w transie.

Papier pokryty był niezrozumiałymi gryzmołami, jakimiś liniami stawianymi na chybił trafił, co nieco rozczarowało uczestników sensu. Linie te jednak, początkowo nieskładne i chaotyczne, naraz zaczynały układać się w litery i słowa tworzące zdanie. Teodor chwilę przypatrywał mu się w milczeniu, a potem podał notatkę Karolowi. On wziął ją do ręki, spojrzał, a potem powiódł wzrokiem po twarzach wszystkich obecnych.

– Ktoś tutaj za niezadługo zginie – odczytał z kartki Mikanowski.

Nena krzyknęła, a Gilewicz wybuchnął dziwnym, histerycznym śmiechem.

ROZDZIAŁ 3

Migotliwy proszek i egzotyczny kwiat

– Przepyszny wieczór. – Karol wciąż poprawiał coś
przy swoim aparacie fotograficznym, kiedy przeszli już
do oranżerii.

Matylda odesłała Adelajdę na górę i była nią mocno zaniepokojona – pasierbica wyglądała na chorą, jakby
miała gorączkę. Kazała ciotce Bisi położyć ją do łóżka
i dać jej na wzmocnienie preparat magistra Klawe.

– Dziewczyna jeszcze blednicy dostanie od tych brewerii – mruczała ciotka, patrząc na swoją ulubienicę. Nie
podobało się jej, że pod nieobecność ojca macocha wciąga młodą pannę w takie zabawy. Całe to towarzystwo
Matyldy Korsakowskiej było zdaniem Bisi diabła warte.

Matylda także zaniepokoiła się trochę stanem pasierbicy. Czy nie wygada się Augustynowi? Za nic w świecie nie
chciałaby, żeby małżonek powziął jakieś fałszywe podejrzenia na temat jej *soirée*. To były wszakże tylko niewinne salonowe rozrywki, nic zdrożnego. Adelajda nie mogła jej tego

wszystkiego popsuć. Zamierzała w razie czego przedstawić dziewczynę jako małą krętaczkę i kłamczuchę. „Nena ma jednak rację" – pomyślała. „Najwyższy czas się jej pozbyć z domu". Tylko ta dziwaczna dzisiejsza przepowiednia Bilczego... Trochę go jednak poniosło. Nawet ona sama czuła się nieco wyprowadzona z równowagi.

Odwróciła się do kuzyna i podała mu kieliszek szampana.

– Nie udał się za bardzo seans – mruknęła.

– Moim zdaniem był cudowny. Zamierzam go opisać w swojej korespondencji.

– Nie zrobisz tego! Obiecaj mi.

– Nie bądź dzieckiem, Tilly. To będzie przecież anonimowo. „Wieczór u baronowej V". Czyli u ciebie, Vervein. – Dotknął przelotnie jej nagiego ramienia, a ona poczuła dobrze znany dreszcz.

– Przestań – szepnęła. – Ludzie patrzą.

– Niech sobie patrzą, na zdrowie.

W oranżerii zebrała się garstka najbardziej lubianych i zaufanych gości Matyldy. Nena wciąż nie mogła otrząsnąć się z wrażenia, jakie wywarła na niej przepowiednia medium.

– Mam tylko nadzieję, że nie miał na myśli mnie – zwierzała się Tytusowi, który przyszedł tu niechętnie, bo martwił się o Adelajdę. Nie wypadało jednak odwiedzać młodej panny w jej sypialni, a poza tym nawet gdyby jakimś cudem udało mu się przedostać na piętro, jej spokoju strzegła groźnie wyglądająca ciotka.

– Wierzy pani w te banialuki? – mruknął więc, a ona spojrzała na niego z przyganą.

– Jest pan niedowiarkiem. Sam pan widział, co się wyczyniało podczas tego seansu.

– Tak, owszem. Ktoś zapukał w stolik i lampa filowała. Takich fenomenów jest mnóstwo. Czytałem w IKC-u artykuły o demaskowaniu podobnych mistyfikacji…

– To nie była mistyfikacja. Sama wyraźnie czułam, że ktoś mnie musnął. To było zimne, wstrętne dotknięcie jakby martwej ręki – emocjonowała się Nena, przykładając sobie dłoń do szyi. – A potem to proroctwo… Nie, stanowczo dzisiaj nie zasnę…

– Nie sama… – mruknął złośliwie Karol, mrugając do kuzynki, która ścisnęła go za ramię. Nie chciała żadnych awantur.

– Pan Teodor jest godny szacunku, bo ma doskonałe wyniki w metagnomii* – rzuciła, uśmiechając się do Tytusa. – Jest znany w stolicy ze swoich umiejętności. A Bilczy to sprawdzone medium, jest rozchwytywany w towarzystwie.

– Jasnowidzenie i mediumizm – parsknął młody człowiek. – Czy nie wydaje się to państwu jałowym marnowaniem czasu?

– Niby czemu? To jest wiedza, czy się to panu podoba, czy nie. Taki inżynier Ossowiecki na przykład. Jego wyniki trudno zakwestionować, badają je instytuty naukowe. Przyjmuje go u siebie sam marszałek

---

* Metagnomia – jasnowidzenie, szerzej – zdolności paranormalne.

Piłsudski. – Stanisławski wzniósł palec, jakby to roz-
strzygało o wszystkim. Tytus wzruszył ramionami. Nadal
nie uważał spirytyzmu za naukę.

– Czy jeśli przepowiednia, którą tutaj dzisiaj wygłosił
Bilczy, spełni się, będzie pan skłonny uwierzyć? – Teodor
wycelował palec w swego adwersarza i zawiesił na nim
wzrok, a Nena znowu pisnęła.

– Chyba nie życzy pan nikomu śmierci – obruszył się
Tytus.

– Bynajmniej. To nie ja czy medium odpowiadamy
za te słowa, a duch, siła, która je wypowiedziała. Zatem
uwierzy pan?

– Czy to oznacza, że jeśli nikt nie umrze w najbliż-
szym czasie, to dokona pan morderstwa, aby ta przepowiednia się spełniła? – Ton głosu Tytusa zabrzmiał
kpiąco, a twarz Stanisławskiego pobladła.

– Arogant i błazen – rzucił oburzony.

– Pan się zapomina! – krzyknął Gilewicz i doskoczył
do młodego człowieka. Ten powstrzymał go wymownym
ruchem ręki.

– Za pozwoleniem, zanim zrobi pan coś głupiego. Jestem po prostu logiczny. Co będzie, jeśli proroctwo się
nie wypełni? Pan Stanisławski zdaje się przekonany, że
duch, który podyktował medium automatyczny przekaz,
mówił prawdę. A co w przypadku, gdy był to zwykły
dziecinny psikus tego ducha? Jak zatem utrzymać swój
zawodowy autorytet? Zamordować kogoś? Nie zawieraj-
my zakładów, które narażają nas na zbyt wielkie ryzyko.

– Właśnie. Lepiej wypijmy szampana – odezwała się Matylda. – Mieliśmy wystarczającą dawkę mocnych wrażeń na dzisiaj. Seans był niezwykle inspirujący, mistrzu.

– Być może, ale zmęczył mnie. Nawet bardziej niż niedowiarstwo pewnych osób. – Obrzucił Wilskiego pobłażliwym spojrzeniem.

– Uważam, że Bilczy to niezwykłe medium – dodał Karol. – Mam nadzieję, że dobrze to uchwyciłem na zdjęciach. Nie macie pojęcia, jak takie seanse wyglądają w Berlinie. Są o niebo bardziej demoniczne i pełne erotycznej fantazji.

– Możemy to sobie wyobrazić. Ty, Karolu, uwielbiasz takie perwersje, ciebie to w naturalny sposób przyciąga. – Gilewicz skrzywił się, udając niesmak. – À propos. Przywiozłeś nam z Berlina swoją białą wróżkę? – spytał, a Mikanowski ze śmiechem wyciągnął z kieszeni marynarki szklaną fiolkę. Było to pięćdziesięciogramowe opakowanie kokainy Mercka, które malarz porwał zachłannie. – Ach, ale ona ma zapach! Nieporównywalny z niczym innym – zachwycał się. – I niemożliwy do zapomnienia.

– Tylko żebyś ty się za bardzo nie zapomniał. – Karol zapalił papierosa i usiadł w fotelu, przyglądając się gościom Matyldy nieco kpiącym spojrzeniem. Nena, która znowu odzyskała swój szampański humor, przyniosła tu gramofon i właśnie nastawiła płytę z jakimś modnym obecnie tangiem, domagając się od Gilewicza, aby z nią zatańczył. Malarz wzbraniał się, ponieważ dzięki kokainie miał właśnie przypływ natchnienia i chciał narysować Matyldę, która przysiadła na otomanie obok Tytusa i z nieodgadnionym uśmiechem Sfinksa sączyła szampana ze swego kieliszka.

– Nudzi się pan? – zagadnęła, a on odwrócił się w jej kierunku.

– Powiedziałem coś takiego? – odparł pytaniem, a ona przekornie pokręciła głową.

– Sprawia pan takie wrażenie – uściśliła. – Przygląda nam się pan jak ciekawym okazom w zoo. Albo w muzealnej gablocie. – Odstawiła kieliszek, żeby zapalić.

– Jak sama pani zauważyła, to tylko wrażenie. Być może takie właśnie kolekcjonuję.

– Kolekcja wrażeń. Dobry tytuł na poetycki tomik. – Ziewnęła lekko. – O ile kiedykolwiek go pan napisze.

– Sądzi pani, że nie? – Tym razem udało jej się zdobyć jego zainteresowanie, bo wyglądał na poruszonego.

Pochyliła się w jego kierunku i poczuł intensywny zapach werbeny. Ręką, w której trzymała kryształową lufkę, zatoczyła koło.

– Niech pan spojrzy na nich. Myśli pan, że nie marzyli o sławie, o tym, żeby coś stworzyć? Chyba dalej o tym śnią. I to jest wyłącznie to. Sen we śnie.

– Narkotykowy sen – mruknął, spoglądając na Gilewicza, który w zapamiętaniu szkicował pastelami po papierze, nie zwracając uwagi na kręcącą się wokół Nenę.

– Karolu! – zawołała. – Ty ze mną zatańcz. Tak jak w Berlinie. W kabarecie!

– Z przyjemnością, moja kochana.

Karol zerwał się z fotela i po chwili wyginali się już w dziwacznym, wyuzdanym tańcu. Nena śmiała się, a on szeptał jej coś do ucha, co wywoływało kolejne wybuchy wesołości.

– Pan też powinien spróbować. – Matylda wyciągnęła rękę, a gdy rozprostowała dłoń, Tytus zobaczył fiolkę. Kobieta patrzyła mu oczy z uśmiechem, lekko prowokacyjnie. – Chyba się pan nie boi? – rzuciła jeszcze z przekorą.

– Niby czego?

– Bo ja wiem? Że straci pan panowanie nad sobą. Teraz jest pan taki chłodny, oszczędny. Kto wie, co zdarzy się później. Może nie chce się pan o tym przekonać i to pana powstrzymuje?

– Nużą mnie te salonowe rozrywki – oznajmił z irytacją, biorąc do ręki szklaną rurkę z lśniącym proszkiem. – Myślałem, że pani salon będzie inny, że znajdę tu coś więcej niż tylko płytką zabawę i tanie wzruszenia.

– One wcale nie są tanie. – Uśmiechnęła się. – Trzeba sobie na nie zasłużyć. Są tylko dla wtajemniczonych.

– Szczerze wątpię. Spirytystyka i kokaina. To ostatnio bardzo modne w stołecznym mondzie.

– Być może, ale ja byłam pierwsza. Jak zawsze. I niech pan nie myli zwykłej rozrywki z prawdziwymi przeżyciami. Jeśli się pan odważy, tutaj może otrzymać wszystko…

Jeszcze raz spojrzała mu prowokacyjnie w oczy, a potem wstała, lekko dotykając dłonią jego ramienia. Karol właśnie wypuścił z objęć Nenę, która dalej śmiała się jak obłąkana, a Gilewicz protestował głośno, że modelka podniosła się z otomany, psując jego rysunek.

– Jeszcze nie skończyłem, zobacz, jak dobrze mi wyszłaś, Tilly.

– Koszmarnie – rzuciła Matylda, zerkając na kompozycję. – Stanowczo powinieneś poświęcić się swoim szkicom transowym, Kociu, w tym jesteś najlepszy. Zaglądasz w kryształową kulę, nawiązujesz kontakt i *voilà* – dzieło gotowe.

– Śmiejesz się ze mnie, a moje prace pokazano nawet na wystawie w Wilnie. Przyniosły mi pewien rozgłos – oświadczył Gilewicz rozdrażnionym tonem.

– Możesz narysować mnie – zaproponowała Nena, kładąc się na fotelu i przerzucając włosy przez poręcz. – Nawet bez zaglądania w szklaną kulę.

– Przestań mnie męczyć. – Artysta był wyraźnie zirytowany. – Niech Stanisławski napisze o tobie jakiś skecz, skoro masz potrzebę zostać czyjąś muzą.

– Albo pan Tytus zadedykuje mi swój wiersz, to będzie najlepsze! – Uśmiechnęła się do Wilskiego, który wpatrywał się ponurym wzrokiem w Matyldę.

Korsakowska podała rękę kuzynowi i zaczęli tańczyć do muzyki z płyty. W oranżerii było gorąco i parno, egzotyczne kwiaty pachniały dziwnie i trochę niesamowicie. Tytus spojrzał na trzymaną w ręku fiolkę, wytrząsnął

trochę proszku na dłoń i wciągnął nosem, a potem od-
rzucił głowę do tyłu. Prawie od razu zmąciły mu się myśli, poczuł przypływ euforii, wszystko nabrało innych,
bardziej wyrazistych barw.

– Nie podobają mi się te kwiaty – usłyszał głos Stanisławskiego, który przysiadł koło niego i nalał sobie
koniaku z pękatej karafki stojącej na przesuwanym na
kółkach barku.

– Dlaczego? Są takie niezwykłe. Wyglądają pięknie
i niesamowicie pachną. – Tytusa zachwycało teraz absolutnie wszystko, jego wzrok atakowała wielobarwna mie-
szanka kolorów, której nie doświadczył nigdy w podobny
sposób.

– Są trujące. Nie zauważył pan tego wcześniej?

– Trujące? – Tytus oderwał się od ścigania wzrokiem
kolorowej mgły i spojrzał na niego z zaciekawieniem.
Satyryk skinął głową.

– Tak. To osobliwe dziwactwo naszej gospodyni.
Uprawia tutaj prawie wyłącznie trujące rośliny. To taki
poison garden, czy też *jardin vénéneux**, przerażający, ale
jednocześnie imponująco wspaniały.

– Zabójcze kwiaty – powiedział do siebie Tytus. – Nie
sądzi pan, że to może być rozwiązanie zagadki z dzisiejszego seansu spirytystycznego?

– W jakim sensie? – zdumiał się Stanisławski.

– Ktoś zginie. Niechybnie tutaj i być może dzisiaj.
Prawie na pewno w tym miejscu. Skoro tyle tu trucizny…

---

* *Poison garden* (ang.), *jardin vénéneux* (fr.) – zatruty ogród.

Wręcz podoba mi się ta myśl, jest taka pociągająca, ma posmak przygody...

Teodor wyjął mu z dłoni szklaną fiolkę, a potem uśmiechnął się wyrozumiale.

– Biała wróżka... No tak, młody człowieku, i pan uległ tej ułudzie. I jeszcze ten pomysł ze śmiercią w oranżerii...

– Z jaką śmiercią w oranżerii? – Matylda wyswobodziła się z objęć kuzyna i usiadła obok Tytusa.

– Pani młody gość snuje właśnie jakąś kokainową opowieść inspirowaną przepowiednią tego niezwykłego medium, Bilczego...

– Zamieniam się w słuch. – Założyła ręce na piersiach i wpatrzyła się w Wilskiego. On uśmiechnął się z roztargnieniem.

– Skoro tyle tutaj zabójczych kwiatów, łatwo przewidzieć, jak skończy się ten wieczór – powiedział leniwie. – Chyba to nam wywróżył pani jasnowidz?

– Nie mam pojęcia. A pan to wie?

– Teraz wydaje mi się, że wiem wszystko – oznajmił z prostotą, a ona wzięła go za rękę i zbliżyła usta do jego twarzy.

– W takim razie jest pan lepszy niż Bilczy. Ale liczę na to, że ja dzisiaj nie zginę. I nie pan...

Spojrzał jej w oczy i skinął głową.

– Też mam taką nadzieję...

– Więc proszę pamiętać o mnie.

Musnęła przelotnie wargami jego policzek, znowu poczuł zapach werbeny, tym razem zwielokrotniony, jak morska fala, bo narkotyk wciąż gwałtownie działał i w głowie mu się mąciło. Co on tutaj robi z tymi wszystkimi ludźmi, w co się wikła i co wygaduje? Naszła go ochota, żeby wziąć kolejną dawkę i jeszcze raz poczuć tę dziwną euforię, ale przypomniał sobie, że ktoś zabrał mu z dłoni szklaną fiolkę. Kto to był? Matylda? Stanisławski? Nie mógł w tej chwili odtworzyć tego wydarzenia.

Karol pojawił się niespodziewanie z nadąsaną miną i chwycił Korsakowską za ramię.

– Co ty wyprawiasz, Tilly? – warknął przez zęby. Wyswobodziła się jednym krótkim gestem i odwróciła w jego kierunku zagniewaną twarz.

– Czego ode mnie chcesz? Rozmawiamy, przeszkadzasz!

– Mieszasz mu w głowie, a i tak jest odurzony – szeptał jej do ucha kuzyn pełnym napięcia tonem. Ona śmiała się i była tym wszystkim rozbawiona.

– Tym lepiej. Niczego nie będzie pamiętał. A przecież tylko o to chodzi.

Karol odsunął się od kuzynki i spojrzał na nią z niepokojem. Czasami przerażała go ta kobieta, jej chłód i zdolność do manipulowania innymi. Odsunął się od niej, jakby się gwałtownie oparzył, i zapalił papierosa. Ona tymczasem podała Tytusowi rękę i razem wstali z otomany. Chciała mu pokazać ciekawsze okazy w swoich zbiorach.

– Kwiaty mięsożerne, widział je już pan?

– Nie wiem, czy mnie to interesuje – mruknął. – Ta metafora jest zbyt oczywista.

– Możliwe, ale czyż to jednak nie fascynujące, że roślina może pożreć owada?

– Bo role się odwracają i z ofiary można zostać napastnikiem? Banalne.

Roześmiała się.

– Trudno panu czymś zaimponować, to prawda. Ale ja lubię wyzwania. Może w takim razie zaimponuję panu sobą?

Pociągnęła go bezceremonialnie w gęstwinę kwiatów, gdzie rosły rzadkie odmiany orchidei o osobliwych kształtach i niecodziennych zapachach. Odurzył go natłok tych wszystkich zmysłowych doznań, ale jednocześnie ogarnął go podejrzliwy niepokój. O co jej właściwie chodzi? To jakiś kaprys znudzonej żony czy prowokacja damy z towarzystwa? Była jednak tak piękna i miała w sobie ten zniewalający magnetyzm, któremu trudno się było oprzeć. W dodatku wciąż działała kokaina, ta perłowo lśniąca czarodziejka, sprawiająca, że puszczają wszelkie hamulce.

Więc kiedy Matylda ponownie objęła go, zbliżając usta do jego twarzy, uległ pokusie. Miał wrażenie, że tonie i że się całkowicie zatraca. Jej pocałunki, gorące i namiętne, były spełnieniem marzeń, ale jednocześnie niosły ze sobą posmak trucizny, bo w tym momencie pomyślał o Adelajdzie. Cała ta sytuacja wydała mu się wstrętna i obca. Nawet gdyby już nigdy nie spotkał się z dziewczyną i ta znajomość nie miałaby dalszego ciągu, to nie chciał, aby to, co się wydarzyło dzisiejszego popołudnia i wieczoru, zostało w jakikolwiek sposób skażone. „To jest właśnie ta moja kolekcja" – pomyślał. „Kolekcja straconych chwil, które zbieram i chowam głęboko w sobie. Nikt mi ich nie odbierze, ale muszą pozostać takie, jakie są, nietknięte i nienaruszone przez nikogo. A już w szczególności nie przez taką kobietę jak Matylda Korsakowska – lodowatą i złą".

Odsunął ją od siebie, a potem przez chwilę patrzył w jej zdumione i pełne niedowierzania oczy.

– Przepraszam – powiedział cicho, unikając jej dłoni, którą wyciągnęła, aby go dotknąć. – Muszę już iść.

Zerknął na nią przelotnie, a potem odwrócił się i odszedł tak szybko, że nie zdążyła już zareagować.

Wciąż nie mogła zrozumieć, co się stało, i budził się w niej gniew. Wtedy odnalazł ją Karol.

– Co ty tutaj robisz? Co się stało?

– Nic. I nie męcz mnie. – Patrzyła na niego ze złością.

– Widzę, że jesteś poirytowana. Czyżby jakiś twój plan nie wypalił? Teraz już sama wiesz, jak to jest, kiedy ktoś wodzi nas za nos i obiecuje więcej, niż może nam dać…

Wziął ją delikatnie pod brodę i zbliżył jej twarz do swojej. Odsunęła się, a oczy jej pociemniały.

– Posuwasz się za daleko, kuzynie. Obyś nie przeciągnął struny – przestrzegła go, marszcząc groźnie brwi.

Uśmiechnął się lekceważąco.

– A może to ty posunęłaś się odrobinę za daleko? – szepnął. – Musisz bardziej panować nad sobą, Tilly, bo to cię kiedyś może doprowadzić do zguby. Nie zawsze można mieć to, czego się chce. A w każdym razie nie od razu i na zawołanie.

Teraz ona prychnęła wzgardliwie.

Dobre sobie! Czy on w ogóle wiedział, jakie głupstwa wygaduje? Kiedy baronówna Mikanowska okazywała komuś względy, padano do jej stóp i żebrano o łaskę, a nie odrzucano awanse. A Tytus Wilski zwyczajnie od niej uciekł, jakby się czegoś przeraził.

„Obudziły się w nim skrupuły i wyrzuty sumienia charakterystyczne dla jego świętoszkowatych krewnych" – myśli przebiegały przez jej głowę jak błyskawice. „Widocznie ma zbyt małe doświadczenie w tych sprawach i nie może się ośmielić".

Przez jej twarz przeszedł cień uśmiechu, a oczy błysnęły złowrogim blaskiem jak zwykle, gdy obmyślała jakieś szelmostwo.

Karol chwycił ją za ręce i pociągnął do siebie.

– Nie dąsaj się. Wiem, że umiesz zadawać głębokie rany w sposób niezwykle subtelny. – Zrobił bagatelizujący ruch dłonią. – Wystarczy, że się postarasz i zechcesz, a zniszczysz wolę każdego.

Uniosła dumnie czoło.

Miał rację. To była chwila słabości, ale już odzyskała równowagę. Uśmiechnęła się złośliwie, a kuzyn się odprężył. Tytus Wilski go zaniepokoił, kuzynka była nim wyraźnie zainteresowana, coś ją do niego popychało, coś dziwnego i niepokojącego, co nie zdarzało się wcześniej. Ona nie miewała takich słabości. Karol obawiał się jej kaprysów i nastrojów, bo w takich chwilach trudno mu było nad nią zapanować. Teraz jednak wszystko wróciło do normy.

– Wracajmy. Goście się bez nas nudzą – powiedział, kładąc jej dłoń na ramieniu.

– Nic mnie to nie obchodzi. Byle ta wariatka Nena nie poniszczyła moich kwiatów – mruknęła Matylda, poprawiając suknię.

Kiedy podeszli do gości, Tytusa nie było. Jak wyjaśnił Gilewicz, wymówił się złym samopoczuciem i poszedł spać.

– Ach, ci poeci. Tacy delikatni – śmiała się Nena, przerzucając koperty z płytami, żeby wybrać kolejną.

– Może się przeląkł? – skomentował Stanisławski.

– Niby czego? – zareagowała dosyć gwałtownie Matylda.

– Uważa, że ten biedny Bilczy przepowiedział mu śmierć… – Teodor dolał sobie koniaku, a Gilewicz wybuchnął śmiechem.

– Literaci i ich mania wielkości! Dobre sobie!

– Obawiam się, że jeśli obudzi się jutro we własnym łóżku, będzie srodze rozczarowany – mruknął Karol, całując dłoń Matyldy. Ona skrzywiła się wymownie i wzięła ze stolika kieliszek szampana.

– To co? Zatańczymy jeszcze? – Nena znowu była w nastroju do zabawy, co znaczyło niechybnie, że dobrała się do farmaceutyku przywiezionego przez Mikanowskiego z Berlina. – Niech Karol nam coś opowie o swoich występnych przygodach w nocnych klubach. Najlepiej takich, gdzie się rozbierają!

– Ale kto się ma rozbierać, droga Neno? Kobiety czy mężczyźni? – śmiał się Mikanowski, a Matylda położyła mu na ustach dłoń, żeby zamilkł. Rohocka nie słyszała, bo puściła się w jakiś improwizowany fokstrot z Kociem.

– Jestem znużona tym przyjęciem, trwa stanowczo za długo – rzuciła pani domu, a Karol pokiwał głową. Też miał przesyt wrażeń, a wciąż nie otrzymał od niej jasnej deklaracji, co postanowiła w sprawie Adelajdy, i męczyło go to.

Postanowił nie zwlekać i przycisnąć Matyldę następnego dnia już ostatecznie.

ROZDZIAŁ 4

Nad stawem

Goście nie zdążyli jeszcze pozbierać się rano na śniadanie, kiedy do Łabonarówki przybył Augustyn Korsakowski. Miał wspaniałe wieści, którymi chciał się podzielić z żoną.

– Mamy przełom! Spółka naftowo-gazowa zostanie powołana, a ja stanę na jej czele!

– Bardzo się cieszę, mój drogi. – Matylda ziewnęła ostentacyjnie, dając mu do zrozumienia, jak niestosowne jest wyrywanie jej ze snu o tak nieprzyzwoitej porze. Mąż, nie zwracając na to uwagi, przysiadł na skraju łóżka i zaczął jej machać przed oczyma jakimś papierem.

– To wydarzenie otwiera nową epokę rozwoju dla tej gałęzi przemysłu...

– Myślę, że o tym możesz rozprawiać na zebraniach lub w swoim gabinecie. Mnie nieszczególnie to interesuje.

– Nie interesuje cię zwrot, jaki stał się moim udziałem? Całkowicie nowa era i możliwości, jakie nadchodzą?

– Oczywiście, cieszę się, że nasz kraj będzie miał tak wspaniałe perspektywy i korzyści, ty otrzymasz zapewne order od prezydenta i być może zostaniesz jakimś ministrem albo prezesem, ale mojej sytuacji to nie zmieni, czyż nie? Wciąż będę jedynie twoją żoną.

– Czy to mało?

Wpatrzyła się w niego w taki sposób, jakby obrzucił ją jakąś obelgą. Nie, on naprawdę nie pojmował. Myślał, że jej wystarcza takie życie. Bo niczego jej nie brakuje i jest zaspokojona. Co z tego, skoro nie mogła dysponować majątkiem, a w razie jego śmierci traciła wszystko na rzecz Adelajdy i Giny, zostając z rentą, dołożoną właściwie z łaski.

Milczała.

– Sama widzisz, że dąsasz się bez powodu. Zresztą mam dla ciebie prezent. Kupiłem ci automobil.

– Automobil? Jaki?

– Najnowszy model sportowego fiata. Bardzo je polecano. Kierowca przywiózł go i stoi przed pałacem. Możesz zerknąć, jeśli chcesz.

Matylda natychmiast wyskoczyła z łóżka i szybko narzuciła na siebie peniuar. Wbiegła do saloniku, którego okna wychodziły na dziedziniec, żeby zobaczyć, czy to prawda. Rzeczywiście auto stało zaparkowane przed wejściem i prezentowało się pięknie. Nie zamierzała się więc złościć. Nie teraz. Upominkiem można się było pochwalić i pojawił się w odpowiedniej chwili – kiedy miała gości.

– Podoba ci się?

– Jest śliczny! Dziękuję.

– Wypróbujesz go po śniadaniu. Jak się udało wczorajsze przyjęcie? Wybacz, że nie mogłem przyjechać, ale obowiązki mnie zatrzymały. Rozumiesz, ta umowa w sprawie spółki naftowej…

– Nie zaprzątaj sobie tym głowy, dałam sobie radę sama. Wszystko wypadło przepysznie, byli zachwyceni, jak zwykle. Tylko Adelajda zachowywała się niemożliwie. Karol wpadł na głupi pomysł, że powinna bywać w towarzystwie, bo to już dorosła panna…

– Karol ma rację – przerwał Augustyn. – Jak rzadko, ale w tej sprawie zgadzam się z twoim kuzynem. – Nie możemy szesnastoletniej panny trzymać w pokoju dziecinnym jak małej Giny.

– Jest całkiem głupiutka. Tylko ci wstydu narobi, kochany. Naprawdę chcesz, jako ten prezes czy później minister, pokazywać w towarzystwie nieokrzesaną córkę? Przecież ona nie ma za grosz obycia ani poloru. Nieudolnie próbuje zwrócić na siebie uwagę, a gdy jej to nie wychodzi, kaprysi, histeryzuje, udaje omdlenia i wyimaginowane słabości.

– Adelajda się źle wczoraj poczuła? Co się stało? – zaniepokoił się ojciec.

– Właśnie tłumaczę ci, że nic się nie stało, to była zwykła histeria, teatrzyk, w bardzo złym guście. Musiałam się za nią wstydzić. Tę dziewczynę trzeba utemperować.

– Nie chcę ci przypominać, kochanie, ale to ty odpowiadasz za wychowanie naszych córek i to od ciebie Adelajda powinna nabyć ogłady i umiejętności towarzyskich.

Matylda przewróciła oczyma i skrzywiła się wymownie.

– Co ja mogę? Wiesz doskonale, ile jej poświęciłam czasu. Trudno ją czegokolwiek nauczyć, jest krnąbrna i ma zły charakter.

– Ona ma bardzo dobry charakter! – wybuchnął pan domu. – To ty nigdy nie starałaś się jej zrozumieć. To nasza córka i powinnaś…

– Moją córką jest Georgina, wyłącznie ona, Adelajda jest twoim dzieckiem…

Mąż zbliżył się do niej z takim wyrazem twarzy, jakby w tym momencie dowiedział się o swej żonie czegoś, czego się nie spodziewał.

– Jak możesz tak mówić! A nawet myśleć w ten sposób.

– Bo to jest prawda. Adelajda nigdy mnie nie lubiła, a ty to tolerowałeś, przymykałeś oczy na jej karygodne zachowanie wobec mnie, bo to twoja ulubienica. Wszystko w tym domu zawsze dzieje się moim kosztem. Wyłącznie moim! – podkreśliła.

– Co ty wygadujesz, Matysiu? – nie rozumiał mąż.

– Oczywiście, że tak. – Poczuła, że zyskuje przewagę. – Chciała się uczyć muzyki, więc sprowadziłeś tu tę absurdalną pannę Pernolli i urządziłeś jej pokój muzyczny. Nic nie mówiłam, bo lubiłeś spełniać jej kaprysy. Nie zgodziłeś się, żebyśmy posłali ją do jakiejś rozsądnej szkoły, bo jakoby była słabego zdrowia, dobrze, uczyła się w domu. I co osiągnęliśmy? Mamy pod dachem rozwydrzoną pannicę, która mnie nie słucha, a ciebie wodzi za nos. Do tego stopnia, że jest w stanie nastawić ciebie przeciwko mnie! Tak, nawet to się jej udaje.

Patrzył na nią w osłupieniu. Nigdy nie rozumiał Matyldy i nie zadawał sobie trudu, żeby to zmienić, zresztą nie wydawało mu się to ani potrzebne, ani sensowne. Teraz jednak żona zaczynała go poważnie niepokoić. Co się właściwie z nią działo? Z pewnością było to coś niedobrego, nad czym nie dało się zapanować w łatwy sposób. Przestawała być przewidywalna.

– Tracisz rozwagę – upomniał ją. – Nie podoba mi się.

– Mało mnie obchodzi, czy ci to się podoba, czy nie – rzuciła z pogardą. – Takie są fakty, a ty jesteś zaślepiony. Zapytaj, kogo chcesz: Karola, naszych znajomych. Nawet doktor Kalinowski to potwierdza. Widział ją ostatnio, kiedy był na wizycie, i mówił, że zachowuje się dziwnie.

Zerknęła na męża spod oka, czy to robi jakieś wrażenie. Ona sama na nic nie chorowała, była okazem zdrowia, ale wciąż potrzebowała rozmaitych lekarstw „na nerwy", jak to lubiła określać. Miała całą szufladę medykamentów, z których chętnie korzystała, a jej domowy lekarz doktor Kalinowski skwapliwie polecał różne wzmacniające nowinki. Dzięki nim miała nadzieję pozbyć się dręczącej ją nudy i chandry. Augustyn jednak – po stracie pierwszej żony – zabobonnie bał się o zdrowie swoich bliskich. Każde napomknienie o chorobie czy złym samopoczuciu wywoływało u niego troskę i wielki niepokój. Żona wiedziała, jak łatwo zagrać na tej nucie, więc lekarz domowy był stałym gościem w tym domu.

Mąż się nachmurzył.

– Bisia ma zupełnie inne zdanie o Adelajdzie niż ty.

– Bisia… – Matylda uśmiechnęła się lekceważąco. – Ona nic nie wie. Nie ma żadnych kwalifikacji. Adelajda powinna iść do szkoły. Albo wyjść za mąż.

– Wyjść za mąż? – Ta nagła wolta zdumiała Augustyna jeszcze bardziej. Jego żona skinęła głową.

– Jako kochający ojciec powinieneś zadbać o jej przyszłość, chyba się nie mylę? Należy wydać ją za kogoś z towarzystwa, kogoś na stanowisku lub z odpowiednim tytułem, trzeba zrobić rozeznanie. Im wcześniej, tym lepiej. Nie mów, że się nad tym nie zastanawiałeś?

– Matyldo, ty naprawdę dzisiaj jesteś wyjątkowo rozdrażniona, może powinnaś wziąć coś na uspokojenie, poproszę Bisię o chloral, to się lepiej poczujesz.

– Nie potrzebuję żadnego środka na nerwy, do diaska! Chcę pomówić o Adelajdzie, skoro już wywołałeś ten temat!

– Dobrze, w takim razie zrobimy to po śniadaniu, kiedy już nieco ochłoniesz. – Uczynił dłonią wymowny ruch, dając jej do zrozumienia, że powinna się przygotować, uczesać i ubrać. Matylda poprawiła peniuar i dotknęła włosów.

– Masz rację – powiedziała niespodziewanie ugodowym tonem. – Zwróć jednak uwagę na naszych drogich gości. Zaprosiłam samą śmietankę.

– Jak zwykle, moja droga. Masz znakomite wyczucie towarzyskie i gust. Nikt się nie może z tobą równać.

Przez jej twarz przebiegł uśmiech zadowolenia. W całej postaci zaszła zmiana – już nie była zła i niechętna, tylko wręcz przeciwnie – tryskała energią i humorem. Jakby w minutę wszystko poszło w niepamięć.

– Może nie bierz pod uwagę brata Neny Rohockiej, to co prawda herbowy kawaler do wzięcia, ale krążą plotki, że za dużo używa eteru i traci majątek na hazardzie…

Korsakowski się odprężył. Najwyraźniej dobrze wycelowana pochwała mogła więcej zdziałać niż prezent. Ta kobieta była naprawdę nieprzewidywalna.

Myśl, którą poddała mu żona, zaczęła jednak kiełkować. Matylda miała bowiem trochę racji. Nie będzie żył wiecznie, a świat nie jest dla Adelajdy przychylny, nawet własna rodzina – ojciec widział to wyraźnie. Na Bisię zawsze będzie mogła liczyć, ale cóż znaczy ciotka, nawet najbardziej życzliwa? Należało zawczasu rozejrzeć się za dobrym kandydatem na męża. Może rzeczywiście ją zaręczyć? Długie narzeczeństwa były dobrym rozwiązaniem, z niczym nie należało się spieszyć. Wszystko w swoim czasie. Tak, to warto przemyśleć.

Przy stole Augustyn zastał najbardziej zaufane kółko żony, bo ci mniej lubiani już wyjechali. Za większością tych ludzi nie przepadał. Drażnił go ten błazen Karol i pozostali. Nena Rohocka miała przynajmniej miłą buzię, ale taki Kocio Gilewicz był zwyczajnie odrażający. Nie mówiąc już o Stanisławskim. Augustyn przypomniał sobie wczorajszą rozmowę z wiceministrem, który dosłownie kipiał gniewem, opowiadając, jak przedstawiono go w jednym z kabaretowych skeczów tego satyryka. „Pan też będzie musiał bardzo uważać, kolego" – przestrzegał go dygnitarz, dowiedziawszy się, że Stanisławski jest częstym gościem Matyldy. „Pańska żona również może stać się ofiarą jego zatrutego pióra".

– Pozwól, szwagrze, że póki nie ma jeszcze naszej ślicznej gospodyni, to przedstawię ci kogoś, kogo nie znasz – odezwał się niespodziewanie Karol. – To pan hrabia Tytus Wilski, wnuk pani Heleny, byłej właścicielki Łabonarówki.

Augustyn z ciekawością przeniósł wzrok na młodego człowieka, który stał przed nim i się kłaniał.

– Bardzo mi miło poznać pana – odezwał się uprzejmie. – Zajmuje się pan wojskowością, jak pański ojciec?

– Nie. Literaturą. Właśnie opublikowano kilka moich wierszy.

– Zbytnia skromność. Jego poezje chwalił sam Leopold Staff. Wkrótce ukaże się tomik. – Karol poklepał go po plecach.

Augustyn rzucił Tytusowi zaciekawione spojrzenie.

– Rodzina jest z pana na pewno dumna.

Młody człowiek uśmiechnął się blado.

– Raczej zaniepokojona. Nie jest to rodzaj kariery, która wydaje się stabilna w tych czasach.

– A która jest tak naprawdę stabilna? Czasy są takie, że stracić można wszystko, w każdej branży. – Korsakowski spojrzał na niego z sympatią. – Moim zdaniem tylko prawdziwego talentu i determinacji nie można postradać. I tylko na nich uda się coś zbudować. Nawet jeśli inni uważają to za mrzonkę i zamek na piasku.

– Pięknie powiedziane. Szanuję ludzi takich jak pan, którzy wierzą w siebie.

Korsakowski skinął mu głową i zaprosił do stołu, bo właśnie pojawiła się Matylda wraz z dziewczętami.

Adelajda wyglądała bardzo ładnie w jasnej przedpołudniowej sukience, ale była chyba niewyspana i rozkojarzona. Pochwyciła spojrzenie Tytusa, który przypatrywał jej się zachłannie i się zawstydziła. Pochyliła się nad talerzem, zaplatając dłonie na stole.

– Przepiękny poranek. – Matylda uśmiechnęła się promiennie do męża. – Myślałam o pikniku, co ty na to?

– Zwłaszcza że chyba wszyscy zauważyliśmy przed frontem domu wspaniałe auto – złośliwie wtrącił Karol.

– Tak! To Augustyn zrobił mi taką cudowną niespodziankę.

– Niezwykle hojny mąż! – z zazdrością rzuciła Nena.

– Królewski prezent – wypalił Kocio, mrugając porozumiewawczo do Karola.

– W każdym razie trzeba go wypróbować – odparł kuzyn pani domu.

– Jak i twój przenośny gramofon – dodała ona. – Zatem postanowione. – W południe jedziemy. Kto się nie zmieści do auta, zabiera się do bryczki. Nie godzę się na żadne sprzeciwy i wymówki!

Goście zerknęli po sobie i zapanowało wesołe poruszenie. Wszyscy zaczęli omawiać plan wyprawy. Majątek Korsakowskich był duży, Matylda wspomniała coś o malowniczym terenie przy zagajniku nad stawem za parkiem. Karol ożywił się i zapowiedział, że weźmie ze sobą aparat fotograficzny, by uwiecznić to wydarzenie, Kocio Gilewicz postanowić zabrać pastele i przenośne sztalugi.

– Och, to będzie taka artystyczna wyprawa – zachwycała się Nena. – A pan, co ma w planach, Tytusie? Stworzy pan jakiś poemat liryczny? Sielankę piknikową?

– To już prędzej pan Stanisławski umieści nas wszystkich w jakiejś kabaretowej scence – roześmiał się młody człowiek, rozglądając się za Adelajdą, która wstała od stołu i wyszła na taras. Dogonił ją.

– Zamierza pani wybrać się na tę wycieczkę?

Odwróciła się i zobaczył jej niezwykłe oczy: raz wydawały się zielone, a raz szaroniebieskie.

– A pan?

– Sam nie wiem... Gdyby pani tam była...

Patrzyła na niego i bez słowa skinęła głową. Odważył się i lekko uścisnął jej rękę.

– Wyszła pani od razu po seansie. Źle się pani poczuła?

– Owszem. Cała ta sytuacja, ta osobliwa atmosfera... Pan też to zauważył?

Zerknął na nią zmieszany.

– Nie bardzo w to wierzę – bąknął.

– Ja również – zapewniła go. – Nie jestem taka jak moja macocha. Ona się po prostu nudzi i potrzebuje rozrywki, nie rozumie, co się naprawdę dzieje...

– Przecież nic się nie stało. To była głupia salonowa zabawa, jakich teraz jest mnóstwo. Ludzie ciągle organizują podobne wieczorki celem rozproszenia spleenu, dla dreszczyku emocji...

– Wiem o tym doskonale. Tylko ja potem spotkałam tego człowieka. To medium...

– Bilczego?

– Tak. Zeszłam na dół, bo nie dawało mi spokoju to, co powiedział, że tutaj ktoś umrze... Wie pan, stał w korytarzu i wyglądał przez okno...

– Pewnie czekał na samochód, wyjechał zaraz po seansie.

– Możliwe. Podeszłam do niego. Nie chciał rozmawiać, był bardzo poruszony tym, co się tam stało...

– To oszust! Proszę mu nie wierzyć.

Adelajda gwałtownie zaprzeczyła.

– Nie, nie, pan nie rozumie! Ja też sądziłam, że to była jakaś wielka mistyfikacja, że on nas wszystkich okłamał, właśnie dlatego chciałam z nim mówić, żeby się przekonać. Ale kiedy ujrzałam jego twarz... Był zupełnie blady, miał takie przerażone oczy... To nie mogło być udawane, on się naprawdę przestraszył...

– Proszę mi wybaczyć, ale jest pani łatwowierna. Temu człowiekowi ktoś po prostu zapłacił, a w najlepszym razie coś mu zasugerował. Tak to się właśnie robi. Tyle są warte te wszystkie media i ich jasnowidzący przewodnicy.

– O Bilczym bardzo dobrze wyrażali się wszyscy tropiciele oszukańczych mediów, ale mniejsza z tym. Chodzi mi o coś innego. Ja mu wierzę – oznajmiła to tak żarliwym tonem, że na chwilę zamilkł i wpatrzył się w nią z uwagą.

– Hm... To coś ciekawego. Można wiedzieć, skąd ta pewność? – Zmarszczył brwi.

Spojrzała na niego z napięciem.

– Tak. Bo powiedział mi, kto zginie. I jestem pewna, że miał rację. Tak się właśnie stanie.

Uśmiechnął się wyrozumiale, a ona zacisnęła wargi.

– Nic więcej panu nie powiem – rzuciła jeszcze, wyraźnie urażona, bo widocznie spodziewała się z jego strony czegoś innego.

– Ale na piknik pani pojedzie? – spytał zaniepokojony, a ona skinęła tylko głową, potem wyminęła go i wróciła do domu.

Kiedy wybiło południe i wszyscy zaczęli się szykować do wyjazdu, Augustyn w doskonałym humorze dogonił żonę u stóp schodów. Matylda miała na sobie najmodniejszy sportowy kostium z szykownym kapeluszem i skórkowe rękawiczki, które właśnie zapinała.

– Jedziesz z nami? – zdumiała się, jednocześnie rozglądając się za kuzynem, który miał jej towarzyszyć w aucie. Nie czuła się zbyt pewnie za kierownicą, potrzebowała Karola, żeby ją wspierał w razie konieczności. On był bardziej doświadczonym automobilistą.

– Nie. Zabawicie się sami doskonale. Chciałem ci tylko podziękować za cudowny pomysł, jaki mi podsunęłaś.

– O czym mówisz? – Była trochę zniecierpliwiona, bo kuzyna wciąż nie było widać, miała nadzieję, że nie bałamuci tej głupiej Neny, która również gdzieś się zapodziała.

– O idei znalezienia zawczasu dla Adelajdy dobrej partii.

Przeniosła na niego wzrok z nagłym zainteresowaniem.

– Proszę, proszę – mruknęła. – Skąd ta zmiana?

– Możesz to nazwać długofalową inwestycją. Masz rację, warto się rozejrzeć w dostępnych aktywach. Z moimi możliwościami mogę ją wydać za każdego.

Zmarszczyła nos.

– Rozumiem, że już masz kogoś na oku?

– A choćby i tego młodego Wilskiego! Co byś powiedziała na to, żeby nasza Adelajda została w przyszłości hrabiną? Weszła do takiego starego rodu. I to jeszcze tak znakomitego.

– Ty chyba nie mówisz poważnie! – Matylda wytrzeszczyła oczy. – Powiedz, że żartujesz!

– A czemu nie? Bo kupiliśmy tę posiadłość? To żadna przeszkoda. Tym lepiej. To nawet dobry wstęp do mariażu, nie uważasz? Coraz bardziej mi się podoba ten pomysł, to zupełnie sensowny młody człowiek. Pasuje do Adelajdy.

– A mnie się zupełnie nie podoba! To lekkoduch, bez grosza przy duszy.

– I co to szkodzi. Ma tytuł. Pieniądze wniesie nasza dziewczynka. To akurat w niczym nie przeszkadza, sama coś o tym chyba wiesz, moja droga.

Znowu zakipiała gniewem. Obraził ją. Po raz kolejny tego dnia. Postanowiła się jednak nie dać sprowokować i od razu się uspokoiła. Dobrze, nie pozwoli się wyprowadzić z równowagi.

– Skoro chcesz wiedzieć, próbował kokietować… – odchrząknęła, bo nie zamierzała mu niczego zdradzać – tę głupią Nenę!

Mąż roześmiał się tubalnie.

– Któż nie kokietuje Neny – zbagatelizował. – Właściwie to ona flirtuje z każdym. Moim zdaniem dla dobra naszej córki powinnaś zachęcić pana Wilskiego, aby częściej tu bywał.

Matylda uśmiechnęła się złośliwie i aż rozbłysły jej oczy.

– Jak sobie życzysz, mężu. Oczywiście, że to zrobię.

Akurat nadszedł Karol z aparatem fotograficznym przewieszonym przez ramię i z papierosem w dłoni.

– Jesteś gotowa? Zaraz wyruszamy. Upchnąłem Nenę, Tytusa, twoją pasierbicę i Stanisławskiego do bryczki, a my z Kociem pojedziemy autem.

– Autem pojadę ja z Tytusem – oznajmiła Matylda, biorąc go pod rękę i wyprowadzając do holu.

– O, to coś nowego, a dlaczego to? – zdumiał się niezadowolony Karol.

– Bo ty się musisz bardziej zająć Adelajdą. I szybciej. Jeśli zależy ci na swoim planie – szepnęła mu do ucha.

Zerknął na nią zaskoczony.

Skinęła głową w kierunku męża, który niespiesznym krokiem wspinał się po schodach do swego gabinetu.

– Ten wstrętny człowiek umyślił sobie, że zrobi z niej hrabinę Wilską.

– Niepojęte. Jak zły los próbuje rzucać kłody pod nogi tak pięknym ludziom jak my – mruknął Karol z czarującym uśmiechem.

– Panie Tytusie! – krzyknął, gdy już wyszli na podjazd. – Moja kuzynka potrzebuje pańskiej pomocy.

– Oczywiście. – Wilski odwrócił się niechętnie od Adelajdy, której pomagał wsiąść do bryczki.

– Dobrze prowadzi pan auto?

– Nie najgorzej. Mój szwagier też ma fiata.

– Znakomicie. Matylda potrzebuje delikatnego wsparcia, nie czuje się do końca pewnie jako automobilistka.

Tytus niezbyt ochoczo porzucił bryczkę i wsiadł do samochodu, obok pani domu. Korsakowska posłała mu pełne wdzięczności spojrzenie.

– Dziękuję panu bardzo. Nie chciałam się wygłupić, a to prezent, wszyscy będą patrzeć.

– Umie pani ruszyć?

– Tak. Proszę spojrzeć.

Przechyliła się lekko w jego stronę i znowu poczuł zapach werbeny, który przypomniał mu wszystko, co wydarzyło się poprzedniego wieczoru. Wzdrygnął się i odsunął od niej, bo nie chciał ponownie ulec temu czarowi. Nie zwróciła uwagi na jego zaniepokojenie, zajęta samochodem. Powoli ruszyła, ostrożnie kręcąc kierownicą, a on przyglądał się, jak sobie radziła, szło jej zupełnie dobrze i nabierała pewności. Tkwiący na tylnym siedzeniu Kocio dopingował jak na wyścigach automobilowych, co szybko rozluźniło atmosferę i Matylda zaczęła się śmiać, zupełnie już rozweselona całą sytuacją. Dzień był piękny, a ona dumna ze swego nowego nabytku. Za nimi z pałacowej bramy wytoczyła się bryczka.

Po niedługim czasie dotarli na wyznaczony teren nad stawem wśród drzew, gdzie służba przygotowała już miejsce na piknik.

Stanisławski pomógł wysiąść Nenie i Adelajdzie, Rohocka pierwsza pobiegła w kierunku stolika i wiklinowych foteli malowniczo usytuowanych wokół drewnianej przystani dla łódek.

– Och, drugie śniadanie w stylu wioślarskim – zachwycała się. – Kocio musi to koniecznie sportretować. Będzie cudowny widoczek na wystawę. Albo pocztówka. Kociu, zrób coś w stylu Zochy Stryjeńskiej! Będziemy z Adą wyglądały jak słowiańskie boginki w wiankach na głowach.

– Zwłaszcza tobie wianek bardzo pasuje, bo jesteś szczególnie cnotliwa – roześmiał się Kocio, a Nena skarciła go, uderzając rękawiczką po ramieniu.

Tytus usiadł pod drzewem i zaczął gryźć źdźbło trawy, a Adelajda zdjęła buciki i pończochy, a potem zanurzyła stopy w wodzie. Karol podszedł do niej niespodziewanie i zrobił jej zdjęcie.

– Ślicznie – pochwalił. – Usiądź jeszcze na tym kamieniu, o tam. Cudownie.

Adelajda wykonała polecenie, a on fotografował ją z zapałem.

– Piękny dzień, prawda? – Matylda przerwała Tytusowi obserwowanie Adelajdy. Nena włączyła gramofon, z którego popłynęła jakaś nostalgiczna melodia. Niestrudzona Rohocka znowu domagała się, by Kocio z nią zatańczył.

– Owszem. I malownicze miejsce – uprzejmie pochwalił młody człowiek.

– To moje ulubione w całej posiadłości. Poza oranżerią, rzecz jasna. Właściwie dla tych dwóch zakątków zdecydowałam się na zakup. Wcale nie dla samego pałacu. Mam nadzieję, że to pana nie uraża, bo wiem, że to rodzinne gniazdo, ale te okolice są dla mnie bardziej urokliwe, bo mają w sobie jakąś tajemnicę i melancholię.

– Zupełnie mnie to nie dziwi. I absolutnie nie obraża – pospieszył z wyjaśnieniem. – I chciałem panią przeprosić.

– Za co?

– Za niestosowne zachowanie wczoraj. To niewybaczalne.

– Wcale nie. – Rzuciła mu prowokacyjne spojrzenie. – Nie postąpił pan niestosownie, niewybaczalne było jedynie to, że pan uciekł. – Dotknęła go delikatnie dłonią, a on przytrzymał jej rękę.

– Proszę przyjąć przeprosiny – powiedział z naciskiem.

– Tylko wtedy, gdy naprawi pan swój błąd. Będę czekała – szepnęła, nachylając się mu do ucha. Odsunął się, ale ona patrzyła na niego z rozbawieniem, pewna, że zyskała przewagę. Nic nie stało na przeszkodzie,

236

by zrealizowała swój plan. Może wczoraj jeszcze miał skrupuły, ale dzisiaj ona już go ośmieli. I będzie miała to, czego pragnie. Jak zawsze.

– Matyldo! Musisz nas rozsądzić – odezwała się nagle Nena, która jak zwykle weszła w jakiś spór z panami.

Korsakowska niechętnie oderwała się do Tytusa i podeszła do nich. Młody człowiek rozejrzał się w miejscu, gdzie ostatnio widział Adelajdę z Karolem, który robił jej zdjęcia nad stawem, a potem gdzieś znikli. Tytus poszedł więc plażą nad brzegiem, licząc na to, że ujrzy ich po drugiej stronie przy łodziach lub gdzieś na przystani. Może wzięli łódkę i wypłynęli na staw? Nigdzie ich nie widział. W końcu dostrzegł cień sukni Adelajdy między drzewami i ruszył w tamtą stronę.

Karol fotografował Adelajdę opartą o brzozę. Jej długie, rozpuszczone włosy opadały kaskadą na biały pień drzewa, wyglądała pięknie. Mikanowski założył dziewczynie na głowę wianek z brzozowych gałązek i wszystko – długie loki, bose stopy i te liście we włosach sprawiały, że miało się wrażenie obcowania z jakimś rytuałem, pradawną mocą, czystą sztuką. Tytus przystanął, żeby nie popsuć tego momentu, nie zakłócić nastroju.

– Przymknij oczy i przechyl głowę do tyłu – poinstruował modelkę Karol, ale nie nacisnął migawki, tylko patrzył w napięciu na dziewczynę. W jego oczach czaiło się coś groźnego i nieustępliwego, niezaspokojone pragnienie i przekonanie, że może zrealizować każdy nawet najdzikszy kaprys. Mikanowski wyciągnął rękę i zbliżył ją do twarzy Adelajdy, zatrzymując palce tuż przed jej policzkiem, jakby ciesząc się tą chwilą i momentem jej całkowitej niewiedzy i bezbronności. Uśmiechnął się drapieżnie, pochylając w stronę dziewczyny, i wtedy Tytus, nie namyślając się ani przez chwilę, skoczył w tamtym kierunku.

– Zostaw ją! – Dopadł do nich w trzech długich krokach i odepchnął Karola od Adelajdy, która przerażona otwarła oczy i wpatrywała się w nich z lękiem.

– Co ty wyprawiasz? Postradałeś zmysły? Nie mieszaj się w nie swoje sprawy. – Mikanowski był wściekły i zamachnął się na młodego człowieka, ale on bez trudu uchylił się przed ciosem.

– To są moje sprawy. – Tytus powstrzymał jego rękę i spojrzał mu w oczy. – Uważaj, bo wszystko widziałem…

– Grozisz mi? Myślisz, że się ciebie boję?

– Mnie się nie boisz, ale zapewne boisz się o siebie, jak każdy pętak i tchórz. – Wilski ścisnął nadgarstek Karola z taką siłą, że ten aż skrzywił się z bólu, ale nie krzyknął. Przez chwilę mierzyli się wzrokiem, aż od strony przystani dało się usłyszeć głosy innych uczestników wycieczki.

– Dosyć już. Tym razem ci daruję. Uznajmy, że zaszkodził ci upał, przecież nic tutaj nie zaszło – powiedział nerwowym tonem Karol, a potem poprawił marynarkę i odszedł szybkim krokiem, rzucając Adelajdzie jeszcze krótkie spojrzenie przez ramię.

– Wszystko dobrze? Nic ci nie zrobił? – spytał Tytus, podając jej chusteczkę. Pokręciła głową.

– Nienawidzę go. Jest okropny! – wybuchnęła.

– Musisz na niego uważać. Widziałem, jak na ciebie patrzył. To zły człowiek, Adelajdo, bardzo zły... – Chciał powiedzieć coś więcej, ale zrozumiał, że jeszcze bardziej ją wystraszy.

Uniosła oczy i spojrzała na niego z uwagą.

– Skąd to wszystko wiesz?

– Obserwuję. Z tego składa się moje życie. Z kolekcjonowania takich chwil. Musisz powiedzieć o tym komuś. Może ojcu? Rozmawiałem z nim dzisiaj, to mądry człowiek.

– Tak, tatuś jest dobry, ale ma tyle zmartwień. No i kocha macochę, która zawsze wstawi się za swoim kuzynem.

– To może ciotka mu wytłumaczy? Chyba jest ci życzliwa?

– Ciotka Bisia to najlepsza osoba na świecie. Ale kiedy macocha się dowie, że skarży się na Karola, każe ją odprawić, a tego bym nie zniosła. Wtedy bym tutaj nie miała już nikogo życzliwego, zostałabym całkiem sama.

Patrzył na nią z namysłem.

– Ja ci we wszystkim pomogę. Zawsze możesz na mnie liczyć.

Dotknęła jego ręki.

– Naprawdę? Dlaczego?

– Jeszcze mnie pytasz? To chyba oczywiste, że nie pozwolę cię skrzywdzić. Trzymaj się jak najdalej od Karola, a gdyby coś złego się działo, wezwij mnie. – Ścisnął mocno jej dłoń, a ona uniosła głowę i spojrzała mu w oczy. W jej spojrzeniu malowała się rozpacz.

– I tak się wydarzy nieszczęście. Medium to przepowiedziało. Bilczy powiedział mi, że to ja zginę w tym domu. I że to macocha mnie zabije.

CZĘŚĆ V

Warszawa, 2019 rok

ROZDZIAŁ 1

Zapanuj nad tym!

Róża właśnie skończyła montaż wystawy przedaukcyjnej, co oznaczało, że przestała sprawdzać z poziomicą,
czy wszystkie płótna wiszą prosto, i zadręczać pomocni-
ków poprawkami, żeby wyszło perfekcyjnie.

– Daj spokój – mruknęła Bea. – I tak nie będzie widać, czy jest centymetr za wysoko.

– Zaraz przyjdzie facet, który zrobi nam zdjęcia do
wirtualnego spaceru na stronę internetową, żeby zarekla-
mować ofertę przed aukcją. – Róża zerknęła na zegarek. – Wolę, żeby jednak trzymały linię.

– Wszystko sprzeda się od ręki. Ostatnio nie narzekamy na brak powodzenia. Ludzie nauczyli się inwestować
w sztukę.

– Oby im to nie przeszło – powiedziała wspólniczka, zaglądając do elektronicznego kalendarza. Fotograf
był ostatnim punktem planu na ten dzień. Zamierzała to odfajkować i wreszcie odpocząć. Była zmęczona

sprawami galerii, a jeszcze bardziej wszystkimi przygoto-
waniami do jubileuszu matki i babci. Poza tym tę drugą
powinna odwiedzić we Wrzosowym Zakątku. Ostatnio
to zaniedbała i nie czuła się z tym dobrze. Obudziły się
w niej wyrzuty sumienia.

– Jesteś bardzo zajęta? – usłyszała nagle jakiś głos.
Odwróciła się i ze zdumieniem zobaczyła Nataszę.

– Czekam na gościa od wirtualnego spaceru. Spóź-
nia się – odparła zgodnie z prawdą. – Chciałaś obejrzeć
wystawę?

– Przy okazji chętnie rzucę okiem – przytaknęła. –
Może coś wyhaczę dla siebie. O ile mi doradzicie, po
znajomości.

– Jasne. – Róża się do niej uśmiechnęła, zachodząc
jednocześnie w głowę, co naprawdę sprowadziło tu
dziewczynę Maksa.

Przespacerowały się wzdłuż ekspozycji, ale od razu
było widać, że Natasza nie jest zupełnie zainteresowana kupnem obrazu. Patrzyła na nie nieuważnie, wyraźnie
żaden nie wywarł na niej większego wrażenia.

Na szczęście w tym momencie przyszedł fotograf
w sprawie zlecenia i przez chwilę Róża była zajęta obja-
śnianiem mu, co i jak.

– Mam to z głowy za jakieś dwie godziny – westchnęła, wracając do Nataszy. – Napijesz się kawy?

– Właściwie to chciałam pogadać. Ale nie tutaj. Możesz to zostawić i wyjść na chwilę? Widziałam tu za ro-
giem jakiś pub.

– Jasne. Tylko uprzedzę Beę. – Róża była zaintrygowana i czym prędzej powierzyła wspólniczce sprawę wirtualnego spaceru.

Przyjaciółka obrzuciła dziewczynę Maksa pytającym spojrzeniem, ale o nic nie spytała.

– Bawcie się dobrze – skomentowała tylko.

– Niezłe miejsce na galerię – oceniła Natasza, gdy usiadły już przy stoliku i zamówiły po lampce wina.

– Nie narzekamy. Okolica ma potencjał. Zadomowiłyśmy się tutaj.

– Polecasz? Myślałam o kupnie mieszkania tutaj.

– Nie zastanawiaj się. Lokale w tym miejscu będą tylko zyskiwały na wartości. Jeśli masz coś ciekawego na oku, idź w to.

– Dzięki za radę. Maks ma do ciebie duże zaufanie – zmieniła niespodziewanie temat, a Róża się zdziwiła.

– Prawie się nie znamy. Tyle, co z powodu tego przyjęcia.

– Wiem. On się niesamowicie wkręcił w tę sprawę związaną z twoją rodziną.

– Nie zauważyłam – odparła zdecydowanie, a Natasza spojrzała na nią bystro, a potem oparła się o krzesło.

– Przecież rozmawiacie na ten temat.

– Niewiele.

Patrzyła na Nataszę i zastanawiała się, czy lekarka jest w stanie rozpoznać kłamstwo. Pewnie psychiatra ma swoje metody, żeby to sprawdzić, ale to przecież w końcu nie oficer śledczy. A ona nie robiła nic złego.

– Po prostu się martwię. – Natasza wzięła do ręki kieliszek i obróciła go dwukrotnie w palcach. Róża zerknęła nieufnie. – Pewnie uznasz, że jestem przewrażliwiona, no i jeszcze z tym do ciebie przychodzę – dodała, a współwłaścicielka galerii pokręciła przecząco głową. – Maks czasami nie kontroluje tych swoich odpałów... Tak to nazywam, bo kiedy on się na czymś zafiksuje, to zaczyna przybierać to rozmiary obsesji.

– Czy ty aby trochę nie przesadzasz? – nie wytrzymała Róża. – To znaczy mogę to zrozumieć, jeśliby chodziło o wojnę, jakieś niebezpieczne akcje, coś na granicy życia i śmierci, ale fascynacja przedwojenną artystką z kabaretu? To raczej błahostka, nie uważasz? – Zawiesiła na swojej rozmówczyni wzrok, a ta wpatrywała się w nią ponuro i Jabłonowska zrozumiała, że powiedziała ciut za dużo. Przygryzła wargi. – No tak – zaczęła się tłumaczyć. – Wymieniliśmy parę razy spostrzeżenia. Coś tam mi opowiedział, ale to naprawdę nic groźnego. Zwyczajnie facet się nudzi. Ma dużo czasu, a ta historia jest ciekawa. Ada Nirska to niezły temat, mnie też to wciągnęło, zwłaszcza że babcia zawsze na wspomnienie o niej nabiera wody w usta.

– Ciebie to mogło wciągnąć, bo to dzieje twojej rodziny. Możesz chcieć to rozplątać, bo twoja babcia ma z nią najwyraźniej jakieś niezałatwione sprawy, a matka w ogóle zbudowała fałszywy obraz całej waszej familii i to rzutuje na wszystkie wasze kontakty, więc chcesz naprawić relacje. Ja to totalnie rozumiem i się nie dziwię. Ale co on ma do tego?

Róża poruszyła się niespokojnie na tę rzuconą od niechcenia diagnozę. I jakże trafną obserwację.

– Uważasz, że chcę naprawić relację? – spytała niepewnie. Teraz Natasza drgnęła na swoim krześle.

– A jak inaczej? Nie znam twojej babci, ale jeden wieczór z twoją matką wiele mi powiedział. Próbujesz to wszystko poskładać i uleczyć, to może mieć sens i być ożywcze dla was, ale dla Maksa to jest potencjalnie groźne.

Róża zmarszczyła brwi.

– W jaki niby sposób?

– On tym zaczyna żyć. Tak samo było na wojnie. Nie liczyło się nic innego, tylko reportaż. Skończyło się dramatycznie, mógł to przypłacić życiem.

– Tutaj nie przypłaci.

– Nie możesz tego wiedzieć. – Natasza zawiesiła na niej spojrzenie. – Nie jestem już jego lekarzem, tylko jego dziewczyną, więc zwyczajnie się martwię. On wciąż ma zespół stresu pourazowego. Reaguje nieadekwatnie. Wydaje mu się, że ma to za sobą, ale tak nie jest. Znowu ma koszmary, widzę, że nie może spać. Rzucił się w pracę nad tą sprawą, bo wydaje mu się, że to mu coś da, a to go tylko pogrąża. Ogólnie ten dom bardzo źle na niego działa. Budzi w nim wewnętrzne demony. Nie zachęcaj go, bardzo cię proszę… On musi przejść terapię na spokojnie, uświadomić sobie, jak bardzo jest z nim źle.

Róża skrzyżowała ręce na piersiach i wpatrzyła się w kobietę z rezerwą. Nie chciała, żeby ktoś mieszał ją do spraw, których nie uważała za swoje. Natasza pojęła to w lot.

– Przepraszam. Po prostu zależy mi na nim. Może trochę przesadziłam, mówiąc ci to wszystko, nie miej mi za złe.

– Rozumiem, że wiele przeszliście.

– Nie gniewaj się, ale guzik rozumiesz. Nie wiesz, jak było, kiedy leżał ranny w szpitalu po postrzale, i obyś nigdy nie musiała się dowiadywać, jak to jest. Umówiliśmy się na coś, a on nie dotrzymuje tej obietnicy. Tylko o to mi chodzi.

– Jasne. Ale to są sprawy między wami.

– Owszem. Liczyłam na solidarność z twojej strony.

– Jestem solidarna.

– W takim razie nie podbijaj mu bębenka. Tylko o to proszę.

Róża wzruszyła ramionami. Nie bardzo wiedziała, jak się ma ustosunkować do zarzutów dziewczyny Maksa. Chciała jej powiedzieć, że on jest dorosły, robi, co chce, i nikt nie ma na niego wpływu, a Natasza nie powinna załatwiać takich rzeczy przez pośredników.

Kiedy wróciła do galerii i streściła wszystko Bei, przyjaciółka tylko pokiwała głową ze zdumienia.

– Czy ona całkiem się odkleiła od rzeczywistości? – spytała, nie oczekując odpowiedzi. – Mówiłam ci, że ten układ jest dziwny. Jej się nie tylko zupełnie zatarła granica pomiędzy tym, co profesjonalne, a co prywatne, lecz także między relacjami czysto towarzyskimi. Jakie ona ma prawo wtrącać się do ciebie i coś ci dyktować? Mam nadzieję, że szybko ją ustawiłaś do pionu?

– O tyle, o ile – mruknęła Róża. – Nie chcę żadnych afer przed tym jubileuszem. Jak się to wszystko skończy, poślę ją do diabła.

– W sumie słusznie. Jeszcze się poskarży przyszłej teściowej i ta zmieni hortensjom światło z powrotem na trupie, a tego możemy nie znieść – zażartowała Bea, klepiąc wspólniczkę po ramieniu. – Ty masz istne utrapienie z tą fetą i towarzyszącymi jej atrakcjami, a może przede wszystkim z nimi.

– Żebyś wiedziała.

Facet od wirtualnego spaceru właśnie skończył pracę, ale do galerii niespodziewanie wpadł Taksiński, który na powrót zaczął się domagać wystawiania tu swoich dzieł. W innych galeriach mieli go już dosyć i wrócił do Róży i Bei, gdzie – jak dowodził – czuł się najlepiej. Ponieważ było spore zapotrzebowanie na jego twórczość, po krótkim namyśle zgodziły się włączyć kilka obiektów na najbliższą licytację. Nie spodziewały się jednak, że artysta będzie chciał osobiście dopilnować fotografowania swoich obrazów do wirtualnej prezentacji przedaukcyjnej.

– To oczywiste, że zamierza pan to spaprać! – wykrzykiwał teraz, wymachując fotografikowi przed nosem jakimś starym katalogiem. – Oświetlenie jest złe.

– Jeszcze pan nie widział efektu – z niezmąconym spokojem oświadczył fotograf, pakując sprzęt. – Wszystko wyjdzie wspaniale. Mają państwo moje słowo.

– Ja nie mogę wierzyć na słowo! Co to w ogóle znaczy?! Czuję się zlekceważony! I moja sztuka! – ciskał się Taksiński. – Pani Różo, niech pani interweniuje.

– Współpracujemy z tą firmą od dawna, zawsze jest okej – uspokajała Róża.

– Mam wrażenie, że zbyt lekko pani do tego podchodzi. Jeśli sam wszystkiego nie dopilnuję, nie będzie zrobione jak należy.

– Święte słowa, uważam tak samo – dał się słyszeć rozbawiony głos od drzwi.

Róża odwróciła się w tamtym kierunku i ujrzała swoją matkę. Wracała zapewne z jakiejś wieczornej sesji jogi, medytacji czy czegoś w tym rodzaju, bo wyglądała na niezwykle odprężoną i prezentowała się wspaniale. Taksiński natychmiast się nią zainteresował.

– Mamo, pozwól, to nasz najznakomitszy artysta, Konrad Taksiński, jego dzieła osiągają zawrotne ceny na aukcjach. Panie Konradzie, moja mama Dorota, autorka poczytnych dreszczowców.

Po takiej prezentacji ta para narcyzów mogła jedynie uśmiechnąć się do siebie promiennie i nastroszyć pióra, oglądając się uważnie i badając możliwości przeciwnika.

– To od pana Róża dostała to śliczne malowidło, które przez pewien czas ozdabiało mój przedpokój?

– Przedpokój? A to dobre! Jakiego rodzaju książki pani pisze? Obyczajowe dreszczowce? To istnieje taki gatunek? Człowiek jednak uczy się całe życie. Nie czytuję niczego pokroju romansu, nudzi mnie to. Tego typu banalna literatura przemawia do umysłów płytkich, o znikomej wrażliwości na sztukę.

– No cóż, pańska strata. Wolę być autorką banalnej literatury niż bohomazów, od których widoku nawet koty dostają oczopląsu.

– Mamo!

– Bynajmniej nie mówiłam o panu Konradzie. Jego dziełka są wspaniałe. Sama wspominałaś, że na aukcjach sprzedają się świetnie. Tyle osób przecież nie może się mylić. Czyż nie?

– Myślę, że na mnie już czas – mruknął Taksiński złowrogo. – Do zobaczenia po aukcji. Przyjrzę się jeszcze temu wirtualnemu katalogowi, w razie czego prześlę uwagi.

– Nie musiałaś być dla niego taka nieprzyjemna, mamo – strofowała Dorotę córka, kiedy za malarzem zamknęły się już drzwi.

– Wybacz, ale to okropny bufon. – Matka wzruszyła ramionami.

– Co cię sprowadza do galerii? Mam nadzieję, że nic się nie stało.

– Absolutnie. Chodzi o babcię. Oczywiście nic z nią złego. Tylko chyba za mało ją ostatnio odwiedzasz.

Róża zmarszczyła brwi.

– Wiem o tym. Wybiorę się tam niedługo.

– Koniecznie, moja droga. Babcia jest w dziwnym nastroju. Rozmawiałam z nią dzisiaj i się zmartwiłam.

– Znowu zapomina? – Róża wyraźnie się zaniepokoiła, więc matka gwałtownie zaprzeczyła.

– Raczej wszystko się jej miesza. Ta dyrektorka z ośrodka miała rację. Jakby przeplatała się jej współczesność z przeszłością, tworząc wspólny bieg czasu.

– Nie bardzo rozumiem – przyznała córka.

Matka poruszyła ramionami.

– Dla niej równie aktualne jest to, co wydarzyło się piętnaście minut temu i siedemdziesiąt lat wstecz. To dosyć dziwne i szczerze mówiąc, wytrąca mnie trochę z równowagi.

– Znowu mówiła o Adzie? – domyślnie rzuciła Róża.

Dorota uniosła głowę.

– Skąd wiesz?

– Tak przypuszczam, bo inaczej byś nie przyszła. Mamo, co wy obie przede mną ukrywacie? Wiem, że Adelajda była znaną postacią międzywojnia, prowadziła barwne życie. Prawdopodobnie pani Urszula Niezwińska nie myliła się – wywołała jakiś skandal w rodzinie. Ale za co wszyscy ją tak nienawidzą, że aż chcą o niej zapomnieć? Chodzi o jej wojenne losy? Naprawdę zrobiła coś niegodziwego?

Matka zacisnęła zęby.

– Ja nic nie wiem. Naprawdę – zastrzegła się. – Babcia zawsze o tym mówiła pokrętnie. To znaczy zmieniała wersje w zależności od humoru. Raz Adelajda była ukochaną siostrą, która miała nieszczęśliwe życie, a raz zdrajczynią pozbawioną elementarnych uczuć. Myślę, że sama nie wie, jaki jest jej stosunek do siostry. I teraz już do tego nie dojdziemy.

– Ale dręczy ją to, prawda?

– Bardzo. Zupełnie nie mam pomysłu, co z tym zrobić. Jest taka rozstrojona, a nasza impreza już za chwilę. Spróbujesz z nią pomówić?

– O czym?

– Uspokoić ją. Zawsze na nią dobrze działałaś. Ona się wycisza w twojej obecności. Przetłumacz jej jakoś to wszystko. Niech zrozumie, że przeszłość nie ma znaczenia.

– Mamo, nie pojmuję, po co zorganizowałaś tę fetę w Łabonarówce. Skoro nie chciałaś wyciągać tych wszystkich upiorów z szafy, to trzeba było zostać przy hotelu w mieście. Mogłaś się spodziewać, że tak się to skończy.

– Och, doskonale wiem! – zniecierpliwiła się matka. – Myślisz, że nie dotarło to do mnie? Ale teraz już za późno, żeby coś z tym zrobić! Nie sądziłam, że tak to na nią podziała, a otwarło jakąś puszkę Pandory. Spróbujmy po prostu zminimalizować straty. Ugłaskaj ją. Może trzeba będzie zastosować jakieś leki na uspokojenie? Zapytaj na wszelki wypadek tę narzeczoną Niezwińskiego, ona chyba ma na imię Natasza, prawda? Jest psychiatrą, niech nam pomoże.

– Mamo, ty nie mówisz poważnie – oburzyła się Róża.

Mina Doroty wyrażała pełną determinację.

– Oczywiście, że tak. Nie zamierzam rujnować naszej wspólnej imprezy jakimiś dziwnymi odlotami babci. Trzeba nad nią zapanować.

– Zdaje się, że wyznaczyłaś mi rolę ochroniarza: mam pilnować Maksa, żeby się dobrze sprawował i nikogo nie drażnił, a teraz jeszcze będę kontrolować babcię.

Matka rzuciła jej uważne spojrzenie.

– Komu innemu mogę zaufać w tak delikatnej sprawie? Tylko tobie, moja droga. Błagam cię, pojedź jak najszybciej do Wrzosowego Zakątka i zorientuj się, co i jak. Próbowałam rozmawiać z tą dyrektorką, ale ona uważa, że nie ma powodów do obaw. Tylko spokój i terapia zajęciowa.

– Zapewne ma rację – przytaknęła Róża, a Dorota zgromiła ją spojrzeniem.

Córka poruszyła ramionami. I tak zamierzała odwiedzić babcię.

ROZDZIAŁ 2

Piętno Łabonarówki

– Chciałabym dzisiaj wyjść wcześniej. Dasz sobie tutaj radę? – spytała Róża następnego dnia, kiedy już omówiły z Beą wszystkie najpilniejsze sprawy. Wspólniczka lekko skinęła głową.

– Jeśli tylko Taksiński nie wbije mi się tu z nowym pomysłem, to nie sądzę, żeby coś się wydarzyło. Ale nie przewiduję, twoja matka chyba go skutecznie zniechęciła do wizyt.

– Nabzdyczył się.

– Trudno się dziwić. Skrytykowała jego sztukę. Dobrze, że jej nie spoliczkował.

– Albo nie wyzwał na pojedynek.

– Raczej od najgorszych. Ale chyba by się bał. To tchórz.

Roześmiały się, a potem Róża wyjaśniła, że jedzie do babci.

– Matka cię wysyła na przeszpiegi? – domyśliła się Bea. A gdy zaskoczona Róża potwierdziła, przyznała, że dotarło do niej co nieco z ich wczorajszej rozmowy. – Musisz być bardziej asertywna – pouczyła przyjaciółkę. – Teraz jesteś ciągłym piorunochronem. Matka cię nieustannie wmanewrowuje w niewygodne sytuacje. Czy ty masz wobec niej wyrzuty sumienia? Zniszczyłaś jej w dzieciństwie futro z norek albo zgubiłaś pakiet zwyżkujących akcji?

– Wątpię, żeby moja matka miała kiedykolwiek coś takiego – mruknęła Róża. – Ale to, co mówisz, nie jest pozbawione sensu. Ona zawsze potrafi wzbudzić we mnie poczucie winy.

– Dlaczego? Za co?

– No może nie winy, ale obowiązku. Że muszę coś zrobić, bo jesteśmy rodziną.

– To, że jesteście rodziną, nie oznacza, że masz tańczyć tak, jak ona zagra – przestrzegła ją Bea. – A babcię oczywiście odwiedź, na pewno się za tobą stęskniła. Tylko odradzam podawanie jej środków uspokajających. Myślę, że babcię najbardziej denerwuje podejście twojej matki.

– Sama się jej boisz – mruknęła Róża, bo wiedziała doskonale, że w starciu z Dorotą i tak każdy prędzej czy później kapituluje.

Nieoczekiwanie, gdy miała już wychodzić, zadzwonił Maks.

– Sprawdziłem kilka rzeczy dotyczących Adelajdy w archiwum – zaczął, a ona przypomniała sobie o rozmowie z Nataszą.

– Była u mnie twoja dziewczyna – wypaliła więc bez wstępów.

– Tak? I czego chciała?

– Żebym ci wyperswadowała to śledztwo w sprawie Ady i całej historii rodu Korsakowskich, uważa, że to źle na ciebie wpływa i chyba na wasz związek.

– Nie mówisz poważnie.

– Wręcz przeciwnie.

Na chwilę zapadło milczenie, jakby Maks musiał sobie przetrawić to, co usłyszał.

– Nie spodziewałem się… – zaczął, a ona uznała za stosowne wejść mu w słowo.

– Myślę, że się o ciebie troszczy, i ja to tak traktuję. Tylko zrozum, sytuacja jest niezręczna. Czuję się z tym dosyć dziwnie, przerasta mnie to. Nie oczekuję tłumaczeń, nie chcę tego rozkminiać, ale musiałam ci powiedzieć. I uznajmy sprawę za zakończoną, okej?

– Nawet bardzo okej. Jestem ci wdzięczny.

– Za co?

– Że się od tego odcinasz.

Westchnęła wymownie. Chciałaby się w ten sposób odcinać od innych spraw, które ją uwierały, na przykład wymagań własnej matki. To od razu przypomniało jej o planowanej wizycie u babci.

– Jeśli masz coś ważnego w sprawie Adelajdy, co oczywiście nie spowoduje niesnasek z Nataszą, to powiedz mi szybko, bo muszę się zbierać do babci.

– Jedziesz odwiedzić panią Ginę?

– Tak. Dawno nie byłam, wiem, że za mną tęskni.

– Mógłbym się zabrać z tobą?

Róża była tak zaskoczona, że na chwilę zamilkła.

– Wiem, że to nietypowa prośba, ale bardzo bym ją chciał poznać.

– Będzie okazja podczas jubileuszu.

– To nie to samo, chyba rozumiesz. Mnóstwo ludzi, jakieś zdawkowe rozmowy, zero prywatności.

Róża nabrała niejasnych podejrzeń, że Maks chce wykorzystać jej babcię do swojego reportażu czy też dziennikarskiego śledztwa w sprawie rodziny Korsakowskich, jeśli takie naprawdę prowadził i przypuszczenia Nataszy były słuszne.

– Będę z tobą szczerza – rzuciła więc ostro, bo nie zamierzała bawić się w jakieś omówienia. – Nie chcę, żebyś w jakikolwiek sposób posłużył się moją babcią. Zdenerwował ją albo zaszkodził jej zdrowiu.

– Widzę, że to, co mówiła Natasza, trafiło jednak na podatny grunt – burknął niezadowolony. – Uważasz, że opanowała mnie jakaś obsesja.

– Nie. Sądzę jednak, że szukasz tematu. Być może chcesz wrócić do zawodu dziennikarskiego.

– Nie jestem dziennikarzem. Jestem, a właściwie byłem, fotoreporterem. Dokumentowałem rzeczywistość. Od opisywania jej byli inni.

– No to może chcesz napisać książkę albo to dochodzenie cię zwyczajnie bawi, bo zabijasz nim czas – wypaliła z niecierpliwością. – Co by to nie było, musisz

mieć na uwadze spokój mojej babci. Ona ma dziewięćdziesiąt pięć lat i jej dobre samopoczucie jest dla mnie
najważniejsze.

– Naprawdę niezbyt wysoko mnie cenisz – odparł
sarkastycznie.

– Bo cię nie znam. Nie wiem, kim jesteś i czego się
można po tobie spodziewać – odpowiedziała szczerze.

– Myślałem, że po tym wszystkim, co już ci powiedziałem, nie wyglądam na osobę, która nadużywa zaufania. Wciągnęła mnie ta historia, powiedzmy ze względów osobistych.

– Nie bardzo rozumiem.

– A ja nie do końca to umiem wyjaśnić. Czuję związek pomiędzy tym, co mnie się w życiu przytrafiło, a sytuacją Adelajdy. Możesz się teraz śmiać albo z polito-
waniem pokręcić głową, ale to jakaś wspólnota traumy.
Ona doświadczyła czegoś strasznego i ja to wiem, wy-
czuwam to.

– Na jakiej podstawie? – Róża nie pojmowała. – Dys-
ponujemy jedynie strzępami wiadomości i niejasnymi
relacjami Karola z gazet, które, jak sam mi dowodziłeś,
wcale nie muszą się tyczyć Łabonarówki.

– Kieruję się tutaj intuicją. Ona mi zawsze pomagała w pracy. Teraz jest tak samo. Idę za swoim nosem.
Dlatego pozwól mi poznać babcię. Obiecuję trzymać język za zębami i nie irytować jej swoim zachowaniem. Wyjdę z pokoju, gdy uznasz, że to dla niej
niekomfortowe.

Róża odetchnęła.

– Dobrze. Mogę się zgodzić na takie warunki. Skoro przyrzekasz nie robić nic głupiego. Maks, nie obraź się na mnie, bo moim zdaniem jesteś spoko gościem, ale taka wymiana zdań przy stole, jak podczas tamtejszej kolacji w Łabonarówce, mogłaby przerazić babcię. Tylko o coś takiego mi chodzi.

– Chwytam. Będę się starał być mniej sobą.

– Nie przesadzajmy. Jedynie ogranicz wyskoki.

– W porządku. Po drodze powiem ci, co znalazłem na temat Adelajdy.

Rozłączyła rozmowę, ale wciąż nie była pewna, czy dobrze robi, zabierając go do Wrzosowego Zakątka, lecz słowo się rzekło i nie mogła się teraz wycofać.

Podjechała pod adres, który jej wskazał, domyślając się, że jest to mieszkanie Nataszy, ale wolała nie pytać i nie ciągnąć tego tematu. On też milczał.

– Wyszperałeś coś o Adelajdzie? – zaczęła, żeby przerwać tę ciszę, która zaczęła się robić denerwująca i niezręczna.

Pokiwał energicznie głową.

– Nie chodziła do żadnej szkoły – rzucił, a ona zmarszczyła brwi.

– Uczyła się w domu?

– Prawdopodobnie, bo w domowych rachunkach są pozycje związane z nauczycielami, szczególnie z niejaką Pernolli, profesorką fortepianu i śpiewu.

– Domowe rachunki? – zdziwiła się. – Skąd masz coś takiego?

– Z archiwum. Przekopałem się przez różne dokumenty dotyczące pałacu i odkryłem, że po wojnie jakieś szpargały, których nie rozkradziono i nie zniszczono, miejscowy nauczyciel i miłośnik historii oddał do archiwum. Poszedłem tym tropem. Nie było to nic ciekawego, prospekty i foldery reklamowe, ale jedna rzecz intrygująca – księga rachunkowa. Do początku lat trzydziestych, czyli do plajty Korsakowskiego i upadku Łabonarówki.

– No i co tam ciekawego? Jak im szło? – Róża zjechała z głównej drogi na trasę prowadzącą do Wrzosowego Zakątka.

– W latach dwudziestych wprost oszałamiająco. Zwłaszcza w drugiej połowie tej dekady, gdy powojenny kryzys opanowano i gospodarka zaczęła się podnosić. Korsakowski miał łeb na karku i smykałkę do interesów. Był wizjonerem. Te inwestycje w gaz i ropę naftową mogły się opłacić.

– To szkoda, że mu nie wyszło.

– Otóż to. Właściwie dziwne, że to się tak skończyło. Czytałem dla rozrywki gazety z tamtych czasów. Wiesz, jakie było zainteresowanie samochodami? Każdy chciał mieć auto, w gazetach znajdowało się pełno opisów wyścigów, rajdów, pokazów samochodów i same reklamy automobilów. Benzyna była potrzebna.

– Sam wiesz, że prasa kreuje rzeczywistość, w tych samych pismach wychwalano pod niebiosa polski len i jedwab, a kto w nich chodził? Jedwab był za drogi, a len niepraktyczny. Więc nie kieruj się tym, co pisano w gazetach.

– Też prawda – westchnął. – W każdym razie, nawet pominąwszy modę na samochody, ten przemysł miał przyszłość, bo Korsakowski zbił na nim majątek. Prosperował wspaniale. Z rachunków wynika, że kupił żonie sportowego fiata w dwudziestym dziewiątym roku, a ten samochód nie był tani. Małżonkowie dużo wydawali też na urządzenie pałacu, zwłaszcza oranżeria była kosztowna, na stroje i biżuterię pani domu oraz na lekarzy.

– Ktoś chorował? – zdumiała się Róża.

– Najwyraźniej tak. Ta pozycja zaczyna się pojawiać cyklicznie w rachunkach i są to coraz wyższe sumy. To może sugerować, że Natasza miała rację. Być może Matylda cierpiała na jakąś przewlekłą chorobę?

– To śpiączkowe zapalenie mózgu? Ale czy to się nie objawia po prostu długim letargiem? Czytałam o tym. Pacjenci zapadali w taki przewlekły stan, w którym nie było z nimi kontaktu przez wiele lat. Te przypadki spotykano w szpitalach jeszcze po drugiej wojnie. Nie mogła zatem na to chorować.

– Owszem. Ale choroba mogła mieć też inny przebieg. Ostry na początku, szybko postępujący, wywołujący zaburzenia psychiczne jak u niej.

– No tak, ale jeśli choroba wystąpiła nagle, nie mogła się długo leczyć, więc to nie wyjaśnia sprawy lekarza.

– Może zatem nie o nią chodziło.

– O Adelajdę?

Oboje pomyśleli o tym samym. Młoda dziewczyna, o której wszyscy szeptali po kątach, że jest dziwna i sprawia kłopoty, nie chodziła do szkoły, ciągle przebywała w tym domu. Co się takiego wydarzyło, że nie opuszczała Łabonarówki i czemu chciała z niej uciec?

– I wreszcie najciekawszy rachunek. – Maks uruchomił komórkę, żeby dokładnie przytoczyć dane ze zdjęcia, które zrobił. – Zaliczka wpłacona na poczet czesnego w prywatnej szkole dla dziewcząt w Szwajcarii.

– Postanowili ją odesłać – domyśliła się Róża.

– Tak. Wiesz, kiedy to było?

– Nie mam pojęcia, ale zgaduję, że na krótko przed całą tą katastrofą.

– W dziesiątkę. Ojciec zdążył opłacić to wpisowe, ale nic więcej, bo wkrótce strzelił sobie w głowę, mam nadzieję, że cię nie uraziłem. A później jego żona zapadła na jakąś tajemniczą chorobę i zmarła.

– A co się stało z Adelajdą, moją babcią i tą starą ciotką, która się nimi opiekowała?

– Podejrzewam, że po licytacji majątku musiały gdzieś wyjechać. Pewnie ta ciotka je przygarnęła. Bardzo chciałbym o to zapytać twoją babkę.

– Nie. Ja to zrobię, jeśli pozwolisz.

– Oczywiście.

Zajechali pod zakład opieki i Maks z krzywym uśmiechem rozejrzał się po okolicy.

– Rozkoszny kącik – rzucił sarkastycznie. Róża zatrzymała się na progu ośrodka.

– Nie podoba ci się tutaj?

– Nie.

– Dlaczego?

– Nie mów, że nie wiesz. To luksusowy dom starców. Bezosobowa umieralnia.

– Och, daj spokój. Babci tu jest bardzo dobrze. Ma opiekę i rozrywki.

– I dlatego czuje się coraz gorzej? Twoje obawy względem mojego zachowania nie wynikają stąd, że uważasz, iż jestem chamem i pozbawionym elementarnych zasad grubianinem, tylko z tego, że babcia jest rozstrojona. Nie wiesz, jaka rzecz może ją wyprowadzić z równowagi. Ona nie czuje tu się u siebie i utraciła grunt pod nogami. Ten pensjonacik to dla niej równia pochyła, a ty masz wyrzuty sumienia, że ją na niej umieściłaś.

– Powinnam cię palnąć w ucho i zostawić na parkingu za te impertynencje. Nie wiem, po cię zabrałam, ale na pewno nie chcę tego wysłuchiwać. Nie muszę ci się tłumaczyć, ale dobrze, powiem to raz. Babcia sama wybrała to miejsce. Nie chciała dłużej mieszkać z mamą, nie odnajdywała się na trzecim piętrze, potrzebowała zmiany i lepszej opieki lekarskiej. Tutaj ma to wszystko, a my ją odwiedzamy. Dla niej nic się nie zmieniło.

Patrzył na nią ironicznie, a ona poczerwieniała. Jakim prawem ją oceniał? Może lepiej zająłby się własnymi problemami, a nie analizował jej psychikę?

Maks zdawał się rozumieć wszystkie myśli, które przeszły jej przez głowę. Uniósł dłonie w obronnym geście i spojrzał na nią pojednawczo.

– Przesadziłem. A obiecałem być mniej sobą. Sam przyznaję sobie pierwszą żółtą kartkę i przyrzekam poprawę.

Rozluźniła się.

Weszli do środka, gdzie Maks powstrzymał się już od jakichkolwiek uwag. Dzień był piękny, więc zastali Ginę na tarasie. Właśnie podano podwieczorek, jak zwykle były to herbata i ciasto.

– Jak się masz, babciu? – Róża delikatnie zwróciła na siebie uwagę.

Starsza pani spojrzała na nią, a potem przeniosła wzrok na towarzyszącego jej mężczyznę.

– To mój znajomy, Maks Niezwiński, jest fotografikiem, chciał obejrzeć ośrodek – przedstawiła, a babcia wykonała zachęcający gest.

– Piękne miejsce – odezwał się Maks.

– Co kto lubi – skomentowała Gina, dolewając sobie nieco herbaty z czajniczka. Wnuczka zauważyła, że dłoń lekko jej drży.

– Nie jesteś zadowolona, babciu? Źle się czujesz? – spytała z troską, bo poprzedni wywód Maksa wciąż siedział jej w głowie i zaprzątał myśli.

– Wręcz przeciwnie. Myślałam o panu. Raczej nie widzę pana w takich okolicznościach. Wygląda mi pan na człowieka czynu.

Róża zrozumiała, że babcia jest w znakomitej formie, i od razu się uspokoiła.

– Wypijecie ze mną herbatę? Jeśli tak, to proszę cię, kochana, idź do kuchni i poproś o dodatkowe nakrycia. Może uda się wycyganić dokładkę tego pysznego ciasta.

Wnuczka uśmiechnęła się i poszła spełnić prośbę. Maks przysunął sobie krzesło i usiadł obok starszej pani.

– Jest pan przyjacielem Róży? – zainteresowała się Gina, przyglądając mu się z ciekawością.

– Dobrym znajomym. – Chwilę zastanawiał się, jak to ująć.

– No tak. – Starsza pani parsknęła dyskretnie. – Tak się teraz wszystko tłumaczy, prawda?

– Nie łączy nas relacja romantyczna – zastrzegł się Maks, a ona pokręciła z niesmakiem głową. – Poznaliśmy się przy okazji organizacji pani przyjęcia.

– Mojego przyjęcia? – powtórzyła Gina.

– Tak. W Łabonarówce.

Babcia Róży nabrała głęboko powietrza, a potem odwróciła wzrok.

Chwilę panowało milczenie.

– Pewnie mi pan nie uwierzy, ale od razu wiedziałam, że jest pan jakoś związany z tym domem – powiedziała wreszcie, ciągle nie patrząc na niego.

Poruszył się nerwowo.

– Łabonarówka ma swoistą aurę – ciągnęła Gina. – Nie mam pojęcia, skąd się to bierze, ale jeśli ktoś przebywał tam zbyt długo albo zbyt intensywnie zżył się z tym miejscem, to zostawiło w nim swoje piętno. Dostrzegam to w Róży i również u pana.

– Mój ojciec i jego żona są obecnymi właścicielami – wyjaśnił cicho. Zerknęła z ukosa, a potem kiwnęła głową na znak, że rozumie.

– To wiele wyjaśnia. Zatem przyjechał pan się czegoś dowiedzieć. Może mi pan zdradzić czego?

Maks zawiesił na niej spojrzenie, a potem lekko się skrzywił.

– Sam nie jestem do końca pewny – rzucił z nieoczekiwaną szczerością. – Zastanawiam się, czy w ogóle są możliwe jakieś odpowiedzi.

– I czy będą zadowalające, prawda? – Uśmiechnęła się dobrotliwie. – Ale widzę, że Róży udało się oczarować panią kucharkę i mamy nie tylko świeżą herbatkę i solidną porcję ciasta, lecz nawet owoce. Jesteś niezrównana.

– Możliwe, ale musiałam wysłuchać streszczenia ostatniego odcinka serialu, który lubi oglądać ta pani.

– Jak to mówią: cel uświęca środki. – Gina była najwyraźniej bardzo zadowolona. Róża rzuciła Maksowi zaskoczone spojrzenie, a on lekko wzruszył ramionami. Babcia była w wyśmienitym humorze i można było spróbować.

– Maks interesuje się dziejami rodziny Korsakowskich. Mieszka w Łabonarówce... – powiedziała jednym tchem.

Babcia skinęła głową.

– Wspomniał o tym. Czy chciałby pan zobaczyć zdjęcie mojej matki? Różo, weź klucz i przynieś fotografię z konsolki, bardzo cię proszę.

Zaskoczona wnuczka posłusznie wstała i ruszyła do pokoju, a w tym czasie Gina nalała herbaty sobie i Maksowi.

– To była wspaniała kobieta – nawiązał Niezwiński, a ona skinęła głową.

– Niestety, prawie jej nie znałam – oznajmiła z żalem. – I nic o niej nie wiem. A właściwie nic pewnego.

Teraz on zerknął na babcię Róży z zaciekawieniem.

ROZDZIAŁ 3

Kto zginął w tym domu?

– Proszę bardzo. – Gina podsunęła Maksowi przed oczy zdjęcie w srebrnej ramce.

– Który to rok? – zainteresował się.

– Dwudziesty dziewiąty albo trzydziesty, na pewno nie wcześniej. Mam tutaj jakieś pięć albo sześć lat.

– Wspaniałe auto. To sportowy model fiata, prawda? Pani mama brała udział w wyścigach, pasjonowała się sportami automobilowymi?

– Ona nie. Ponoć ojciec startował. Lubił to.

– Naprawdę? – Róża się zdumiała. – Nigdy nie wspominałaś.

– Bo nie pytałaś. Sztuka opowiadania historii polega również na umiejętności zadawania właściwych pytań – pouczyła ją babcia, a potem dołożyła sobie ciasta.

– Proszę mi powiedzieć, pani Gino, czy pamięta pani, żeby w domu ktoś chorował?

– Chorował? Nie. Wszyscy byli bardzo zdrowi. Zresztą ja mam szczątkowe wspomnienia z wczesnego dzieciństwa, byłam zbyt mała. Możliwe, że komuś coś dolegało okresowo, jakieś przeziębienie czy bronchit, to chyba zwykłe sprawy. Czemu pan pyta?

– Przypadkowo trafiłem na rejestr domowych wydat-ków Łabonarówki. Ważną pozycję zajmowało wynagrodzenie lekarza. Stąd wniosek, że ktoś cierpiał przewlekle. Może ojciec był chory na serce, w końcu w swej pracy miał mnóstwo stresów?

Starsza pani zmarszczyła brwi.

– Nie mam pojęcia. Ciotka niczego takiego nie mówiła. A może ona? Pamiętam, że w czasie wojny bez przerwy skarżyła się na reumatyzm. To z pewnością o to chodziło!

Mina Maksa wyrażała, że jednak nie był przekonany.

– A proszę mi powiedzieć… Co się z wami stało…

– Co się z nami stało kiedy?

– Po śmierci rodziców.

Gina poruszyła ramionami.

– A co miało stać? Majątek zlicytowano, wie pan o tym. My spakowałyśmy manatki i wyjechałyśmy.

– Ale dokąd?

– Ciotka mnie zabrała do Warszawy. Ojciec miał tam kamienicę. Dzięki wynajmowaniu w niej lokali mogły-śmy żyć na znośnym poziomie.

– A Adelajda? – spytała Róża. – Pojechała z wami?

– Nie… To znaczy oczywiście tak… To znaczy nie od razu… Zresztą mówiłam ci, byłam wtedy dzieckiem, nic nie pamiętam – zniecierpliwiła się Gina, unosząc do ust filiżankę. Ręka jej drżała.

– Ale pewnie ciotka coś opowiadała. Bisia, prawda? Opiekowała się wami, kochała was… – łagodnie nawiązała Róża. – Ona ci wspomniała o tej przeprowadzce, prawda? To musiało być okropne. Pożegnałyście dom, taki piękny, z którym wiązało się tyle wspomnień, i to w takich smutnych okolicznościach. Pojechałyście autem czy koleją? Ciotka relacjonowała szczegóły tej podróży?

– Bryczką na kolej, bo samochód taty też poszedł pod młotek. Podobnie jak auto mamy – wyszeptała Gina. – Ciotka wielokrotnie to przeżywała. Że jechałyśmy bryczką, a nasze rzeczy wozem, jakąś okropną furą, na którą wrzucili nam walizki. Woźnica pomógł jej załadować je do wagonu na stacji, martwiła się, kto je wypakuje w Warszawie, na szczęście udało jej się wynająć bagażowego. Całą drogę powstrzymywała się, żeby nie płakać, ze względu na mnie, bo byłam taka przerażona. Jechałyśmy całkiem same, pociągiem, na niepewny los…

– A gdzie była wtedy Adelajda? – podrzucił Maks.

– Pewnie ciągle jeszcze w szpitalu… Co ja gadam?! – przestraszyła się Gina. – Chciałam powiedzieć: w szkole. Tata wysłał ją do szkoły za granicą i tam przebywała. Teraz to sobie przypomniałam. Tak oczywiście było. Dojechała do nas później. Który to mógł być rok? Trzydziesty drugi? Może trzydziesty trzeci? Wszystko mi się już myli, stara jestem, musicie mi wybaczyć.

Wpatrzyła się w nich z ufnością, a w jej oczach malowało się zadowolenie. Jakby udało jej się rozplątać trudne wątki i ułożyć sobie wszystko na nowo.

Maks odchrząknął i raz jeszcze wziął do ręki zdjęcie Matyldy Korsakowskiej z dziewczętami. Adelajda patrzyła prosto w obiektyw nadąsanym, niechętnym wzrokiem.

– Kto zrobił tę fotografię? Jest bardzo dobra.

– Kuzyn mojej matki. Karol Mikanowski. Był zdolny. Fotografował modę do gazet. Trochę pisał.

Róża i Maks wymienili porozumiewawcze spojrzenia.

– Był dziennikarzem? – zachęciła wnuczka.

– Chyba za wiele powiedziane. Zajmował się tym i owym. To był taki *bon vivant*, dandys i bywalec. Wszędzie go było pełno. Prawdziwy arystokrata. Ludzie go uwielbiali. Adelajda natomiast nienawidziła.

– Dlaczego? – spytał Maks.

Gina pokręciła głową.

– Nigdy tego nie mogłam zrozumieć. Nie chciała w ogóle o nim rozmawiać i uważała za śmiecia. Być może nie poznał się na jej talencie, ona zawsze była zapatrzona w siebie i nie wybaczała takich zniewag...

– Przepraszam państwa bardzo, ale pora podwieczorku dobiega końca i nasi mieszkańcy zaczynają teraz zajęcia własne. – Przy stoliku pojawiła się uśmiechnięta pracownica ośrodka. Róża zerknęła na zegarek w komórce.

– Zasiedzieliśmy się – przyznała ze skruchą. – Mam nadzieję, że nie zamęczyliśmy cię, babciu.

– Wręcz przeciwnie. Wpadajcie częściej. Było mi bardzo przyjemnie.

Wyszli w milczeniu przed ośrodek i chwilę stali jeszcze na parkingu.

– Dziwne – mruknęła Róża.

– Twoja babcia, z całym szacunkiem, kłamie jak z nut. – Maks wzruszył ramionami, a potem spytał: – Mogę zapalić? Wiem, że nie powinienem, jak ci już mówiłem, usilnie próbuję rzucić, ale inaczej nie uda mi się tego wszystkiego zebrać do kupy.

Zrobiła zapraszający ruch ręką, więc z ulgą wyciągnął paczkę i się zaciągnął.

– Czuję, że coś jest nie tak, ale może jej się po prostu to miesza? Jest stara, jak to sama uroczo ujęła. – Róża usiłowała wytłumaczyć zachowanie babci.

– Nie. To znaczy oczywiście, wiek ma tu znaczenie, ale raczej w tym sensie, że czasami jej się wymsknie coś, co rzuca światło na tę całą sprawę. Tak jak teraz.

– To o szkole i szpitalu?

– Owszem. Z rachunków domowych wiemy, że Adelajda nie wyjechała do żadnej szkoły. Została zapłacona zaliczka i nic więcej. Szkoła by na to nie poszła. Ojciec musiałby uregulować choćby pierwszy semestr. Więc szpital. A ponieważ mamy rachunki za lekarza, wiemy już, kto chorował w tym domu. Nie wiemy jednak na co.

– Może obie, Adelajda i Matylda, zapadły na tę samą chorobę? Tylko Adelajda wyzdrowiała, a Matylda umarła? Może to Ada zaraziła macochę?

– I jedna poszła do szpitala, a druga zmarła w domu? To się kupy nie trzyma. Tam się stało coś więcej. I mamy jeszcze to dziwne samobójstwo Augustyna Korsakowskiego.

– Czemu dziwne? Szalał kryzys, a on splajtował. W tamtych czasach to wystarczyło, żeby się zabić.

– Twój pradziadek strzelił do siebie, mając pełną świadomość, że zostawia bez środków do życia cztery kobiety. Nie było mu ich żal? Uważasz, że to odpowiedzialne? – obruszył się.

– Trudno powiedzieć, w jakim stanie ducha się wówczas znajdował i co myślał. Może pogrążył się w głębokiej depresji. A one miały przecież kamienicę w Warszawie, więc nie było jednak tak źle – przypomniała Róża.

– Faktycznie. Zdumiewające, że ocalił ją przed licytacją. Naprawdę podziwiam jego zapobiegliwość i tym bardziej nie mogę się nadziwić, że się tak łatwo zabił.

– Nie sądzę, żeby to było łatwe – zaprotestowała Róża. – Wypaliłeś? To jedźmy, bo nam się już przyglądają z okien.

Maks posłał jej rozbawione spojrzenie.

– Wielki Brat czuwa nawet w domu starców.

– Nie określaj Wrzosowego Zakątka w ten sposób.

– Nazywam rzeczy po imieniu.

– Babcia nie jest tu opuszczona ani nieszczęśliwa.

– To prawda, sprawdziłem to naocznie. Ale szczęśliwa również nie jest.

Róża właśnie wyjechała za bramę i dodała gazu, więc nie mogła zerknąć w jego stronę, by spiorunować go wzrokiem.

– Niby skąd ta konstatacja?

– Jest pogodzona ze swoją sytuacją. Przywykła, ale radości w niej nie ma.

– A nie bierzesz pod uwagę, że w jej wieku trudno już o zadowolenie z byle czego?

– Dobra, zostawmy to, bo się jeszcze pokłócimy – rzucił niechętnie. – A tego bym raczej sobie nie życzył.

– Co za łaskawca – mruknęła niezadowolona i przyspieszyła, wymijając rowerzystę.

– Nie gniewaj się – powiedział to tak śmiesznym i pojednawczym tonem, że od razu przeszła jej złość. Gdyby zrobił to inaczej, droczył się albo próbował ją ustawiać, z pewnością by się spięła i doszłoby do awantury.

– Okej, zapomnijmy – zgodziła się. – Zakładając, że masz rację i moja babcia z sobie znanego powodu ukrywa prawdę, to czego właściwie się dowiedzieliśmy? Bo ja uważam, że niczego. Nic się nie wyjaśniło.

– Być może. W każdym razie oczywiste jest jedno: w Łabonarówce działy się niepokojące rzeczy, a członkowie rodziny coś ukrywali. Nie wiemy co i dlaczego. To jest w tym wszystkim najbardziej frustrujące.

– Wciąż myślę o tym artykule Karola. Medium przepowiedziało, że zginie pan domu. Mikanowski pisał, że to wywołało panikę w towarzystwie i zwarzyło atmosferę. To było bardzo znane medium, sprawdziłam.

Jan Bilczy to spirytystyczna sława swoich czasów. Pozytywnie wypowiadał się o nim autorytet w dziedzinie parapsychologii tamtej epoki, niejaki Prosper Szmurło, którego notabene chętnie portretował Witkacy.

– Skąd to wszystko wiesz? – zaciekawił się Maks.

– Poszperałam w źródłach, bo wciągnął mnie ten wątek. Mam wrażenie, że to jest ważne. Ten seans spirytystyczny opisany w twoim wycinku z gazety był taki sugestywny…

– Owszem. Karol wyraźnie się przestraszył. I dlatego sądzę, że to wcale nie pan domu miał zginąć.

– Jak to?

– Ponieważ upierałaś się, że artykuł jest ważny, wziąłem to sobie do serca i też go przeanalizowałem, zdanie po zdaniu. Dalej uważam, że to, co opisał w gazecie, nie było prawdą, tylko zmyśleniem dla czytelników, zgrabnym zakończeniem historyjki. Co nie oznacza, że w tekście nie ma żadnej podpowiedzi. Jest. Medium przepowiedziało śmierć innej osoby, lecz tego autor nie chciał zdradzić swoim czytelnikom.

– Chodziło o Matyldę?

– Albo Adelajdę.

– Tylko że ona nie umarła.

– Właśnie. Ale wylądowała w szpitalu.

Róża nabrała głębiej powietrza, a potem zerknęła na niego.

– Jak myślisz, co się tam wydarzyło?

– Nie mam pojęcia. Ale kiedy się nad tym zastanawiam, to rysują mi się coraz bardziej upiorne scenariusze. Twoja babcia mówi, że ten dom naznacza ludzi, i coś w tym jest. Popatrz: ten pistolet znaleziony w oranżerii, paczka dziwnych zdjęć, księga rachunkowa, portret twojej prababki i te artykuły… To się wszystko wiąże i układa w pewną całość.

– A może… – Róża zadumała się, skręcając pod dom Nataszy, żeby zostawić tam Maksa. – A co, jeśli to, o czym mówiła twoja macocha, było jednak prawdą? Adelajda zakochała się, chciała uciec z domu, udaremniono to, a ją na przykład umieszczono w jakimś zamkniętym ośrodku?

– W celu reedukacji? Też o tym pomyślałem, szczerze mówiąc, ale nie chciałem poruszać tematu, bo twoja matka reaguje gwałtownie na takie sugestie.

– Nią się nie przejmuj, ma swoje różne wyskoki. Tylko jak to sprawdzić? Czy Karol opisywał szerzej te artystyczne zloty w Łabonarówce? Może jej wybrankiem był ktoś z gości? Choć prawdopodobnie nie odnajdziemy śladu tego romansu w egzaltowanych artykułach Mikanowskiego.

– Może w artykułach nie, choć owszem, Karol bardzo chętnie relacjonował te swoje „Charytezje". Ale w zdjęciach tak. Przeglądnę raz jeszcze fotografie z pudełka. Teraz, kiedy zobaczyłem, jak wyglądała Adelajda jako nastolatka, będę wiedział, czego szukać.

– Sorry, że ci przerywam, ale chyba twoja dziewczyna tu idzie – rzuciła niespodziewanie Róża. Natasza zbliżała się do nich przez parking, w pospiesznie narzuconym na ramiona kardiganie.

– Co się stało? Już idę do domu. – Maks wysiadł z auta.

– Nie musisz. Rozumiem, że śledztwo w sprawie Korsakowskich trwa?

– Byliśmy z Różą odwiedzić jej babcię – wyjaśnił. – I nie jest to żadne śledztwo. Zwykła zabawa w badanie rodzinnych korzeni.

– Rozmawialiśmy o tym, że przestaniesz to drążyć. Obiecałeś mi to. Ty zresztą też – zwróciła się do Róży. – Oboje jesteście nie w porządku.

– Mnie w to nie mieszaj – oznajmiła Róża. – Ja nie podlegam pod twoją grupę badawczą.

Maks prychnął śmiechem, chyba żeby rozładować sytuację, ale jego dziewczyna jeszcze bardziej się nastroszyła.

– Nie róbmy dramy – powiedział więc, a Natasza spojrzała na niego rozczarowanym wzrokiem.

– Chyba już nie mam siły – oznajmiła cicho. – Po prostu wróć, jak dorośniesz – dodała i nie czekając na jego odpowiedź, poszła do bramy.

– Porozmawiajmy. – Wyskoczył z samochodu i ruszył za nią.

Róża postanowiła nie czekać na wynik tej wymiany zdań, tylko odjechała z parkingu. Nie cierpiała takich sytuacji, czuła się w nich źle. Poza tym miała wrażenie, że Maks i Natasza wciągnęli ją w swoje problemy. A ona kompletnie nie rozumiała, o co chodzi. W jaki niby sposób całkiem niewinna historia związana z zawikłanymi, to prawda, i nieco mrocznymi dziejami rodu Korsakowskich miałaby negatywnie wpłynąć na Maksa? „To są sprawy sprzed prawie stu lat, na Boga!" Róża się skrzywiła, myśląc o tej sprawie. Nawet gdyby tam kogoś zamordowano, to co z tego? Krew dawno wsiąkła w ziemię, a kości rozpadły się pod wpływem czasu, łzy wyschły i nic się już nie wydarzy w tej materii. Nikogo się nie zbawi ani nie doprowadzi przed wymiar sprawiedliwości. Nie będzie zadośćuczynienia. Można tylko zrozumieć motywacje i rozwikłać zagadkę.

To i tak dużo.

Zabrzęczał dzwonek telefonu. To był Maks.

– Głupio mi, że tak cię angażuję. Ale trochę już późno i nie mam transportu. Możesz mi pożyczyć samochód? Zwrócę jutro. Albo podrzuć mnie do Łabonarówki. Wiem, że proszę o wiele…

– Nie ma sprawy – przerwała mu. – Zaraz po ciebie wrócę.

Stał przy ulicy i palił papierosa, którego zaraz wyrzucił, gdy zobaczył, jak podjeżdża.

– Dzięki. Nieporozumienia nie udało się wyjaśnić – skomentował, robiąc ruch ręką w kierunku domu.

– Może się jeszcze ułoży – pocieszyła, ale bez przekonania. Skrzywił się, dając do zrozumienia, że nie chce kontynuować tematu.

– Chcesz wziąć samochód, ponieważ wolisz jechać sam, czy mam cię podwieźć? Mogę to zrobić, chętnie się przejadę. Szczerze mówiąc, z przyjemnością rzuciłabym okiem na te zdjęcia, o ile sprawa dalej aktualna i nie rezygnujesz z tego…

– Żarty sobie robisz? No jasne, że nie. Byłoby świetnie. Zatem w drogę. Możesz przenocować w hotelu. Urszula się ucieszy, z pewnością ma do pokazania kilka nowych atrakcji na imprezę twojej matki.

– W takim razie muszę podjechać do domu wziąć jakieś rzeczy. To będzie kwadrans.

Zawróciła auto i skierowała się w stronę swojego mieszkania. Miała niewielkie lokum w starej części miasta, w odnowionej oficynie. Ostatnie piętro, właściwie tylko duży salon z kuchnią i sypialnia na antresoli. Matka uważała to za okropną klitkę, absolutnie niewartą swojej ceny, ale ona uwielbiała to miejsce. Okna wychodziły na śliczne zadrzewione patio, a gałęzie zaglądały do środka i ciągle miało się wrażenie przebywania w parku. Z balkonu roztaczał się przyjemny widok i wokół panowała cisza. Teraz jednak, kiedy zaparkowała i wysiadła, odczuła pewien niepokój. Coś było nie tak. Pod domem ktoś się kręcił.

– Co się stało? – spytał Maks, widząc jej minę.

– Ktoś się tam czai – przyznała niechętnie. – Może ja mam jakąś paranoję…

– Na pewno nie. Dostrzegamy takie zmiany. Skoro to wyczuwasz, na pewno tak jest. To instynkt, trzeba mu ufać.

Zbliżyli się ostrożnie do bramy i zauważyli mężczyznę, który chował się w cieniu.

– Co pan tutaj robi? Szuka pan kogoś? – spytał Maks.

– Czekam na panią Różę – odezwał się nieznajomy.

– Pan Konrad? Co pan tutaj robi? I jak pan mnie tutaj znalazł? – zdumiała się na widok Taksińskiego.

– Po prostu... Tak się złożyło... – tłumaczył się nieudolnie malarz. – Chciałem pomówić o mojej sztuce... O wystawie i aukcji... O tej wirtualnej kolekcji.

– O tym może pan rozmawiać w galerii – wtrącił się Maks. – Nachodzenie ludzi w domu jest nękaniem. To się nadaje na policję.

– No, niech mnie pan nie straszy – oburzył się Taksiński. – Ja mam swoje prawa!

– Róża także. Radzę panu wynosić się stąd szybko, zanim wezwę patrol. Potrzebuje pan afery na pół miasta? Może jeszcze z izbą wytrzeźwień w tle? – dodał, a malarz zaczął machać rękami.

– Co pan tu insynuuje? Ja nie jestem pijany!

– Nie byłbym taki pewny. Ostatni raz proszę po dobroci, żeby pan stąd znikał. Za chwilę już stracę cierpliwość.

– Nie boję się gróźb, mam prawo chodzić, gdzie chcę – ciskał się Taksiński.

Maks ujął go lekko pod ramię i skierował w stronę ulicy.

– Najlepiej w tamtym kierunku. Żegnam. I nie chcę tu pana więcej widzieć. To jest najście. Sprawdzimy monitoring i zgłosimy to firmie ochroniarskiej.

To otrzeźwiło malarza, który rzucił pełne niechęci spojrzenie Maksowi i chyba chciał szukać wsparcia w Róży, ale ona pokręciła tylko głową.

– Przestraszył mnie pan – podkreśliła. – Nigdy panu nie dawałam swojego adresu.

– Dobre sobie – mruknął Taksiński. – Prawdziwa z pani sensatka. Istna królowa dramatów. Za chwilę już po mieście nie będzie można spokojnie chodzić, bo człowieka będą podejrzewać o niestworzone rzeczy. Żegnam państwa, zanim mnie posądzicie o kradzież albo o coś jeszcze bardziej absurdalnego.

I tak gadając pod nosem, oddalił się.

– Dzięki. Naprawdę się przelękłam.

– To jakiś zaburzony typ. Lepiej z nim uważać. Mam tu poczekać i, jak to mówią w filmach kryminalnych, ubezpieczać cię?

Roześmiała się.

– Nie. Wejdź na górę. To potrwa moment, ale uprzedzam: mieszkam na poddaszu i nie ma windy.

– Żaden problem.

W odróżnieniu od Doroty Maksowi mieszkanie się podobało.

– Ciekawy styl – pochwalił. – Sam myślałem o czymś takim, ale teraz pewnie nic z tego nie wyjdzie. Zresztą mniejsza z tym. Mogę zapalić? Na balkonie, oczywiście.

– Nie krępuj się. Spakuję się migiem.

Kiedy wróciła po paru minutach, stał przy barierce i spoglądał na podwórko.

– Spokojnie tu, jak nie w mieście. Nie dziwię ci się, że lubisz tu mieszkać. To miejsce ma dobry klimat. Nie to, co Łabonarówka.

– Przesadzasz – zbagatelizowała.

– Mówię ci. To co? Zbieramy się?

– Jasne.

ROZDZIAŁ 4

Mistyfikacje

Łabonarówka przywitała ich rzęsistym oświetleniem ogrodu i przyjęciem na tarasie.

– Wesele? – Róża się uśmiechnęła, a Maks tylko skrzywił się wymownie. Nie śledził kalendarza rezerwacji swej macochy, toteż nie był zorientowany w bieżących planach.

– Diabli nadali – mruknął.

– Może wkręcimy się na przyjęcie? – podrzuciła, uśmiechając się. – Nie sądzę, żeby ktoś nas wyprosił.

– Naprawdę masz ochotę? – zdumiał się Maks, ale skinął głową.

Zostawili auto na podjeździe, wśród innych samochodów gości, i weszli do środka. Tak jak podejrzewała Róża, ludzi zjechało się mnóstwo i nikt nawet nie zauważył ich pojawienia się. Zresztą rozbawione towarzystwo było już w doskonałych nastrojach i bardzo zajęte przyjęciem.

– Szampana? – zaproponował Maks, a Róża wyraziła zgodę. Rozejrzała się po sali balowej, teraz przystrojonej z okazji wesela w białe kwiaty, a potem, gdy już przyjęła z wdzięcznością kieliszek, odezwała się z namysłem:

– Jestem ciekawa, jak wyglądały imprezy za czasów prababki Matyldy.

– Z pewnością były nudne jak flaki z olejem – skrzywił się.

– Skąd ta pewność? Biorąc pod uwagę opis seansu spirytystycznego, musieli nieźle tutaj szaleć.

– Natomiast z relacji na temat tego zjazdu artystów wnoszę, że było sztywno i bez ekscytacji. Każdy się popisywał swoją wyjątkowością, a to na dłuższą metę jest męczące. Teatralne sceny pozbawione intelektualnego kontekstu, tak bym to ujął.

Róża poruszyła kieliszkiem, aż złocisty płyn lekko zawirował.

– Być może nie umiałeś czytać między wierszami – mruknęła. – Moim zdaniem Karol Mikanowski nie wszystko chciał ujawnić swoim czytelnikom. A już na pewno nie to, co działo się tutaj naprawdę.

– To z pewnością. Ale nie podczas tych przyjęć. Uwierz mi, były nieudane. Taka akademia ku czci, tylko właściwie nie wiadomo czyjej.

Wzruszyła ramionami i rozejrzała się za kolejnym kieliszkiem szampana. Był bardzo dobry.

– Pani jest znajomą Kariny? – odezwał się jakiś mężczyzna, który ją obserwował od jakiegoś czasu i teraz zdecydował się podejść.

Pokręciła głową.

– W ogóle jej nie znam – wypaliła, mrugając jednocześnie do Maksa.

– Ach, w takim razie kimś z bliskich Grzegorza? – nie ustawał w indagacji mężczyzna.

Róża ponownie zaprzeczyła.

– Wkręciliśmy się na to przyjęcie bez zaproszenia – konfidencjonalnie powiedział Maks. – Mamy takie hobby. Wyszukujemy eleganckie imprezy i przyjeżdżamy się zabawić.

– Nie wierzę. – Gość wyglądał na zaskoczonego. – Gdyby tak było, nie przyznalibyście się od razu. Ściemniacie. A może jesteście z mediów? To mi pasuje do Kariny, ona prowadzi tego swojego bloga o modzie. Przyznaj się, jesteś blogerką, opisujesz takie wydarzenia? – Wycelował palec w stronę Róży, a ona się uśmiechnęła.

– Trafiłeś. Piszę recenzje, a on robi zdjęcia. – Wskazała na Maksa.

Ich rozmówca się roześmiał.

– Byłem pewny. Tu się roi od takich ludzi, celebrytów wszelkiej maści. Przy okazji, Marek jestem, miło mi.

– Róża, a to Maks – przedstawiła. – Ty też z tej branży? Media, moda i styl życia? – wymieniła przekornie, bo zupełnie na to nie wyglądał. Raczej na zmęczonego życiem korpoludka.

Mężczyzna zaprzeczył gwałtownie.

– No coś ty. Pracowałem z Grześkiem w poprzedniej firmie. Zatańczysz? – spytał bezpośrednio, a Maks odchrząknął.

– Mamy robotę, stary. Musimy podglądać. Plotki się same nie zbiorą.

– Okej. Spotkamy się potem? – rzucił jeszcze, a Róża zrobiła nieokreślony ruch ręką.

– Szukaj nas gdzieś w okolicy – powiedziała.

– Jasne – odparł, a oni wyszli na taras, a potem przepchnęli się przez tłumek rozbawionych gości weselnych i zeszli do ogrodu.

– Co za palant – mruknął Maks.

– Daj spokój. To tylko dowodzi mojej teorii, że nikt się nie zorientuje, jeśli jesteś wystarczająco pewny siebie.

– Na przyjęciu Matyldy Korsakowskiej nie było przypadkowych gości.

– Skąd możesz to wiedzieć? Mnie od dawna intryguje jeden z jej gości, który ciągle się przewija. Tytus Wilski.

– Ten poeta? – Maks zmarszczył brwi. – On, zdaje się, bywał na tych zjazdach artystycznych.

– Z pewnością był na seansie z Janem Bilczym.

Maks spojrzał na nią pełnym zaskoczenia wzrokiem.

– Przecież nie można tego wnioskować z jego dosyć enigmatycznego artykułu.

– Mówiłam ci już, że nie potrafisz czytać między wierszami. To, co Karol opisał, daje do myślenia, a ja postarałam się dopasować osoby do przedstawionych tam postaci. Od razu rozpoznałam Matyldę i jej kuzyna. Zaintrygował mnie też młody literat, wielbiciel pani domu, oraz malarz, twórca wizyjnych obrazów malowanych pod wpływem wrażeń doznanych na seansie.

– Myślisz, że mowa o Wilskim? I o kimś jeszcze, kogo można zidentyfikować, odwołując się do listy gości artystycznych przyjęć Łabonarówki i zdjęć? – Maks zmarszczył brwi.

– Tak sądzę. I uważam, że w tym się coś kryje. Tam się działo coś więcej, czego Karol nie opisał w tekście. Te zabawy miały swoje dalsze ciągi. Może właśnie w tej oranżerii, wśród trujących kwiatów, kto to wie…

– Ogród sekretów – mruknął. – Ciekawe, czy nam zechce któryś ujawnić.

Przeszli przez prywatny korytarz i od razu natknęli się na Urszulę, która rozmawiała z obsługą.

– Maks! – zdumiała się. – I pani Róża? Coś się stało? – dodała zaniepokojona.

– Absolutnie. Gościłem na wernisażu u Róży i była tak uprzejma, że przywiozła mnie tutaj.

– Jak miło. Może pani zostanie? Mamy co prawda przyjęcie weselne, ale pokój zawsze się znajdzie – zaproponowała właścicielka.

– Nie chcę robić kłopotu. Moja matka już się pani dostatecznie dała we znaki ze swoim przyjęciem.

– W żadnym razie. Wszystko mamy uzgodnione. Jestem bardzo zadowolona, panie, mam nadzieję, też będą. Zapowiada się niezwykła uroczystość, już się nie mogę doczekać, obecność potwierdziły różne media. To będzie świetna reklama dla Łabonarówki.

– Cieszę się. Bo już miałam wyrzuty sumienia – westchnęła Róża, a Maks się roześmiał.

– Daj spokój. Urszula widziała nie takich gości. Ma talent i doświadczenie.

Macocha spojrzała na niego z pewnym zdziwieniem.

– Och, dziękuję ci bardzo! – odrzekła swobodnie. – Przyjemnie, że doceniasz moją pracę. Polecę przygotować dla pani pokój. Niestety, ze względu na liczbę gości mogę zaoferować tylko drugie piętro, ale tam jest równie wygodnie.

– Jestem zobowiązana. Na pewno będzie świetnie.

Urszula skinęła głową i odeszła do swoich zajęć. Wyszli po schodach i skierowali się do apartamentu Maksa.

– Wiesz, że to dawny pokój Adelajdy? Tak powiedziała Urszuli ta krewna zatrudnionej tu pokojówki. Dobrze znała rozkład pomieszczeń.

– Teraz już rozumiem, czemu się nią tak interesujesz. – Róża rozejrzała się po pomieszczeniu.

– Chyba jednak nie – westchnął.

Milczała, ale wzrokiem zachęciła go, żeby mówił dalej. Poruszył ramionami.

– Wojna – powiedział krótko. – Mam poczucie, że to, co ona przeszła, i to, co mnie się przytrafiło, ma jakiś element wspólny.

– W głębszej warstwie? – Zmarszczyła brwi. Jaki bowiem mogły mieć związek przeżycia tych dwojga, których dzieliło stulecie, różnica doświadczeń oraz stylu życia.

– Tak. W tym, co tam gdzieś tkwi u podstawy. Jej się przydarzyło coś, co zmieniło ją na zawsze. Każdy z nas ma takie doświadczenie, tylko nie każdego ono naznacza tak dokumentnie i ostatecznie. Adelajda stała się inną osobą. Zmieniła nawet nazwisko.

– To był pseudonim sceniczny.

– Nie, to była całkiem nowa tożsamość. Ona porzuciła Adelajdę Korsakowską i stała się Adą Nirską. Nie wiem, jak mógłbym ci to lepiej wytłumaczyć... Przeistoczyła się. Musiała. Być może dlatego, że w dwudziestym dziewiątym roku Jan Bilczy przepowiedział jej, że umrze w tym domu, a jej jakimś cudem udało się tej śmierci uniknąć, kto to wie? – Maks przerwał szperanie w swoim wielkim biurku, które ktoś – zapewne Urszula – starannie dobrał do wystroju wnętrza, i spojrzał na Różę. Ona zaprzeczyła gestem głowy.

– Nie. To wszystko stało się dlatego, że naprawdę zginął tu ktoś inny. Możliwe, że wcale nie śmiercią naturalną. A co, jeśli był to mój pradziadek, a samobójstwo upozorowano? – Róża odsunęła firankę i spojrzała z okna na taras pokoju, w którym kiedyś mieszkała z Beą. Dziwnie oglądało się go z tej perspektywy, jakby przyglądała się samej sobie tylko od drugiej strony.

Na przykład oczami Maksa. Uśmiechnęła się do tych niedorzecznych myśli.

– Z pewnością kryje się za tym jakaś intryga. Oby te zdjęcia nam coś podpowiedziały, pomogły zrozumieć, kto tu odgrywał jaką rolę. – Maks wyjął pakiet, a potem plik artykułów Karola Mikanowskiego.

– Proszę – powiedział. – To fotografie z pudełka w oranżerii. Cały pakiet. Nie wszystkie ci pokazałem wówczas w galerii, nie wydawały mi się tak charakterystyczne.

Róża sięgnęła po nie i przejrzała ciekawie. Kilka już widziała. Z uwagą analizowała ujęcia z berlińskich kabaretów, ale nie rozpoznawała nikogo. To z pewnością były fotki sytuacyjne, które Karol wykonał przypadkowym osobom.

– To jest zdjęcie ze zlotu artystów. – Maks podsunął Róży gazetowy artykuł. – Gdzieś tu była podobna odbitka, skojarzyłem to ostatnio, przedtem nie uznałem je za ważne. Ot, jakieś towarzystwo w ogrodzie. Proszę.

Róża się wpatrzyła.

– Czy to Adelajda? – Musnęła zdjęcie palcem. Niezbyt wyraźne, ale z boku fotografii dostrzegła dziewczynę przypominającą siostrę babci Giny, obok której stał wysoki młodzieniec. Jego było widać lepiej, miał przystojną twarz o nachmurzonym spojrzeniu.

– Kto to może być? – Podsunęła fotkę Maksowi.

– Na pierwszym planie kilka zapoznanych sław tamtej epoki – wyjaśnił. – Teodor Stanisławski, obecnie już zapomniany prozaik, pisał do kabaretów, strasznie zazdrościł Tuwimowi, a w każdym razie Dołędze-Mostowiczowi, który był chyba najlepiej sprzedającym się autorem tamtych czasów. Ten tu to malarz, niejaki Gilewicz...

– Czekaj. Czy to nie ten, o którym ci niedawno wspominałam? Ten od malowania duchów i zjaw? – Róża gorączkowo przerzuciła publikacje i znalazła właściwą. – Tak! Miałam rację. Konstanty Gilewicz, jego płótna pełne symboliki, parapsychologicznych odniesień i duchowości pokazywano na wystawach spirytystów. W takim razie...

Urwała, a potem znowu zaczęła przeglądać artykuły i porównywać gazetowe zdjęcia.

– Popatrz. – Podsunęła mu w końcu jeden z wycinków.

– Co znalazłaś?

– Ten młody człowiek, który stoi obok Adelajdy. To musi być Tytus Wilski, ten poeta.

– Pokaż.

Wyjął jej zdjęcie z dłoni, a potem przyjrzał się uważnie.

– To prawdopodobne. Zdjęcie z gazety jest niewyraźne, a innych jego fotografii nie znalazłem, ale podobieństwo jest.

– Nie ma innych zdjęć? Dlaczego?

Poruszył ramionami.

– Ślad po nim urywa się, kiedy wyjechał z Polski. Wiem, że pod koniec lat dwudziestych bywał często w Łabonarówce. Plotkowano o jego romansie z Matyldą Korsakowską. Nic konkretnego, ale coś musiało być na rzeczy, bo to się przewija w różnych relacjach z tego czasu, głównie aluzyjnie.

Maks podszedł do biurka i znowu zaczął przekładać notatki.

– Był niezwykle uzdolniony, widziano w nim kogoś na miarę skamandrytów, miał przed sobą karierę, drukował liczne wiersze w prasie. Nagle zamilkł i zniknął. Wyjechał do Paryża, skąd rodzina otrzymała od niego bardzo skąpe wieści. Szukał go, zdaje się, szwagier i nie odnalazł. W czasie wojny Wilski ostatecznie rozpłynął się we mgle, być może zginął.

– Ciekawe… Nie intryguje cię, dlaczego tak potoczyły się losy szalenie utalentowanego kochanka Matyldy Korsakowskiej?

– Domniemanego kochanka – podkreślił Maks. – Karol Mikanowski z pewnością go nie lubił. Opisywał bardzo złośliwie jako przewrażliwionego na swoim punkcie młodzieńca, który potrafi myśleć tylko o swojej sztuce. Wydelikaconego snoba.

– I kto to mówił – parsknęła Róża. – Karol także najbardziej kochał samego siebie.

– Może właśnie stąd niechęć. – Maks się uśmiechnął.

Róża wzięła raz jeszcze do ręki zdjęcie i wpatrzyła się w Tytusa i Adelajdę.

– Dużo bym dała, żeby dowiedzieć się, o czym rozmawiali tego dnia. A ty?

– Pewnie naśmiewali się z napuszonego towarzystwa, które do Łabonarówki ściągnął Karol. Musiało być okropne.

– Czemu? Przecież to była intelektualna śmietanka tej epoki. Tytusowi powinno się to podobać.

– Nie sądzę. Z tego, co się dogrzebałem na jego temat, wynika, że nie bardzo identyfikował się ze swoimi kolegami po fachu.

– Ponoć czołowi poeci wypowiadali się o nim bardzo dobrze.

– Tak, ale on rozczarował się środowiskiem literackim w ogóle. Głównie ze względów politycznych, ale też nieszczególnie odpowiadał mu kierunek artystyczny. Chyba odrzucało go to powszechne zadowolenie z siebie. Myślał o emigracji, w Polsce mu było za ciasno.

– No i wyjechał...

– Zniknął. W jednym ze wspomnień z epoki kogoś z jego dalszej rodziny natrafiłem na wzmiankę, że przysłał zaledwie jeden dziwny list, w którym wyjaśniał swój nagły wyjazd. Dla całej rodziny było to zaskoczenie, ale tłumaczyli to ekscentryzmem poety. Potem nie odezwał się do nich już więcej i nie wiedzieli, co się z nim dzieje, bo niczego nie publikował ani nie zaistniał w inny sposób.

– Może miał ich wszystkich dosyć i przerzucił się na coś innego? Bo ja wiem? Został bankierem albo przemysłowcem... Bywały już takie przypadki, choćby

Arthur Rimbaud, który przestał pisać wiersze i zajął się handlowaniem bronią w Afryce.

– Szczerze wątpię. Nie z jego poglądami na życie i sztukę. Może doznał zawodu i postanowił zamilknąć? Tam też nie powiodło mu się tak, jak chciał, stracił szansę, na którą liczył, rozczarował się... A może...

– Co? – spytała zaintrygowana.

Maks wyjął z kieszeni płaszcza butelkę szampana.

– Chcesz? Udało mi się podwędzić z przyjęcia.

Roześmiała się wesoło i skinęła przyzwalająco głową. Odkorkował butelkę, a potem wyjął dwa kieliszki z szafki. Płyn zapienił się, zawirował złocisto z delikatnym poszumem.

– Nasze zdrowie – powiedział, a ona spełniła toast.

– No to co jeszcze mogło się z nim stać? ˙

Maks wzruszył ramionami.

– Nie wiem, czy nie posuwam się za daleko, ale myślę o tych wszystkich artykułach Karola. O niedopowiedzeniach i półsłówkach, oszczędnych relacjach rodziny... Może Tytus Wilski nigdy nie dotarł do Paryża?

– Przecież dostali list.

– Tylko jeden i nie ma gwarancji, że przez niego napisany. Ten krewny określił go słowem „dziwny". Nie wiadomo, czy z powodu treści, czy też sposobu pisania, na przykład niepodobnego do Tytusa. Pamiętaj, że od czasu tego listu nie dał więcej znaku życia i przyjęło się uważać, że stracił życie podczas wojny.

– W takim razie co się z nim stało?

Maks wychylił kieliszek.

– Może to on tutaj zginął? Augustyn Korsakowski musiał być zazdrosny.

– I chciał się pozbyć młodego rywala. – Róża zmarszczyła brwi.

– Pomyśl. Gdyby na przykład zabił kochanka żony, a potem nękany wyrzutami sumienia albo, co bardziej prawdopodobne, w obawie przed skandalem, popełnił samobójstwo? Nie powiesz, że to niemożliwe.

Róża obróciła w dłoniach kieliszek.

– To całkiem prawdopodobne – przyznała po chwili. – Ale w takim razie to by oznaczało, że tutaj zdarzyło się dużo więcej, niż przypuszczaliśmy na początku.

– Tak. Podejrzewałem to od razu. – Maks otworzył na oścież okno balkonowe i do pokoju dobiegły odgłosy zabawy z ogrodu. – O to właśnie pokłóciłem się z Nataszą, gdy nas podsłuchiwałaś tamtego wieczoru.

– Nie podsłuchiwałam was – zaprzeczyła gwałtownie. – Ta kolacja była taka… niesamowita. Potrzebowałam przestrzeni i wyciszenia. Wyszłam na taras…

– Rozumiem. Ale słyszałaś kłótnię i zinterpretowałaś to po swojemu, prawda?

– Wiesz, że mnie to nie interesuje. Nie uważam, że to, co robisz, jest złe lub trąci obsesją. A jeśli tak, to i ja ją mam. Chcę dowiedzieć się, co się tutaj naprawdę stało. Gdzie podział się Tytus Wilski i czy powodem samobójstwa mojego pradziadka było bankructwo spowodowane kryzysem. No i czy w ogóle je popełnił, bo może mu ktoś w tym pomógł.

– I czemu Matylda Korsakowska zwariowała – dodał Maks, unosząc swój kieliszek.

Skinęła głową.

– To również. Ale najbardziej ciekawi mnie, jaką rolę odegrał w tym wszystkim jej kuzyn. Bo że jakąś miał, tego jestem więcej niż pewna.

Wyszli na taras i przez chwilę przyglądali się fajerwerkom, które właśnie uświetniały toast dla państwa młodych.

– Dziękuję ci – powiedział niespodziewanie Maks.

– Niby za co? – nie rozumiała.

– Że prowadzisz ze mną to osobliwe dochodzenie.

– Daj spokój. Może jest osobliwe, ale to żadne dochodzenie. – Poruszyła ramionami. – Być może do niczego nie dojdziemy. To właściwie bardziej niż pewne, bo opieramy się na mglistych poszlakach: kilku zdjęciach sprzed prawie stu lat i egzaltowanych artykułach Karola.

– Twoja babcia zapewne mogłaby coś więcej zdradzić, gdyby chciała – mruknął.

– Tylko że nie chce.

– Poradzimy sobie. Nawet nie wiesz, jakie to dla mnie ważne.

– Przez wojnę? – spytała cicho, popatrując na niego z boku. Znowu fajerwerk wzbił się w powietrze i rozerwał w pióropusz barwnych iskier, co sprawiło, że Maks się wzdrygnął.

– Nie lubię sztucznych ogni – wyjaśnił poirytowanym tonem. – Przypominają mi wybuchy, robię się nerwowy.

– Możemy wejść do środka – zaproponowała, wskazując ręką. Zaprzeczył.

– Nie trzeba. Podobno powinienem mierzyć się ze swoimi ograniczeniami – rzucił sarkastycznie. – Ale powiem ci szczerze, że gdy leżałem w szpitalu, byłem pewny, że nie wrócę już nigdy do zawodu, nie będę odkrywał prawdy, szperał, poszukiwał odpowiedzi. To chyba najbardziej mnie załamało: że nigdy już nie zrobię tego, co umiem najlepiej – nie dotrę do źródła problemu, nie pokażę prawdy, zwłaszcza takiej, którą ktoś chciał ukryć.

– Ale czemu? Przecież dziennikarstwo, fotoreportaż to nie tylko wojna. Są inne tajemnice warte wyświetlenia. – Pokręciła głową, spoglądając na niego z pewnym zaskoczeniem.

Skrzywił się.

– Dla mnie prawdziwa była tylko wojna. Konflikt ostateczny i graniczny. Jej okropności i zbrodnie. Jej ekstrema i to, co potrafi z nas wydobyć. Całe to okrucieństwo i podłość. Wojna jest dziką prawdą o nas samych.

Zapadło milczenie, w którym słychać było tylko wiwaty i radosne okrzyki gości weselnych, którzy właśnie pożegnali ostatnie fajerwerki i teraz znowu skandowali życzenia na cześć państwa młodych.

– Masz rację – stwierdziła Róża. – Wojna z pewnością obnaża wszystko, co najgorsze. I dlatego jest taka realna w swoim świadectwie. Tylko że wciąż uważam, iż są tajemnice równie groźne i odsłaniające ukryte intencje.

– Teraz już to wiem – mruknął. – Wtedy w to nie wierzyłem. Nie sądziłem, że cokolwiek jest mnie w stanie wciągnąć z równą intensywnością. To właściwie pierwszy raz, kiedy czuję, że znowu żyję. I właśnie to niepokoi Nataszę.

– Przecież miała świadomość, z kim się wiąże i co jest twoją pasją, a może i racją twojego życia.

– Ona uważa, że ja zawsze posuwam się za daleko. Nie wiem, może przeraził ją ten pistolet, który znalazłem, ten walther PP. Boi się, że wpadnę na pomysł, by samemu z niego skorzystać? Los czasami podpowiada takie rozwiązania.

Tym razem ona się skrzywiła.

– Bredzisz. Po prostu musisz złapać balans. Pomiędzy tym, co chcesz osiągnąć, a tym, co możesz rzeczywiście zdziałać. Nawet jeśli nie rozwikłamy tej zagadki, już samo śledztwo jest pasjonujące. Bo ostatecznie cel nie jest aż tak ważny, jak droga, która do niego wiedzie.

Spojrzał na nią z zaskoczeniem, a potem niespodziewanie się uśmiechnął.

– Wypiję za to. – Zauważył, że ma pusty kieliszek. – Chcesz jeszcze? W razie czego mogę skoczyć po kolejną butelkę. Nie sądzę, żeby ktoś się zorientował.

– Daj spokój. W końcu cię aresztują we własnym domu – roześmiała się.

Spoważniał.

– To nie jest mój dom – oznajmił. – I nigdy nim nie był. Chyba wszystko, co mi się przytrafia najgorszego, bierze się stąd, że nie mam swojego miejsca.

CZĘŚĆ VI

Łabonarówka, 1930 rok

ROZDZIAŁ 1

Impertynencje i nieposkromione apetyty

– Po prostu mi się nie chce. – Matylda pokręciła głową i równocześnie uśmiechnęła się czarująco.

– Mogłabyś zrobić ten jeden wysiłek. Ja się dla ciebie tak staram. – Jej kuzyn wydawał się zniecierpliwiony.

– Starasz się? Dla mnie? – Przewróciła oczami i przez chwilę skupiała uwagę na Ginie, która dokazywała dookoła klombu. – Bisiu droga, czy ona nie jest zbyt rozgrzana? – spytała jeszcze, a ciotka zaczęła zapewniać, że mała czuje się świetnie i z pewnością ciepło jej nie zaszkodziło.

Gina odwróciła się i spojrzała na matkę radośnie. Miała wielkie niebieskie oczy i lekko wijące się jasne włosy – piękne dziecko, z którego Matylda była wyłącznie dumna. Teraz też odwzajemniła uśmiech i pomachała do córeczki. Potem odwróciła się do Karola.

– Ci goście, których zapraszasz tutaj do mnie... – zaczęła, a on natychmiast wszedł jej w słowo.

– Którzy uświetniają twoje przyjęcia, Tilly.

– Uświetniają, dobre sobie – mruknęła pod nosem, opadła na fotel i przysłoniła ramiona szalem. Było gorąco i słonecznie, nie zamierzała dostać piegów. – Raczej przyjeżdżają tutaj, aby się popisywać przed sobą i jednocześnie podsycać twoją próżność.

– Naprawdę! Teraz to już wymyślasz niestworzone rzeczy. – Skrzywił się. – Co w takim razie powiesz o sobie? Nie mów mi, że nie schlebiają ci te wszystkie hołdy, zainteresowanie, wynoszenie cię na piedestał, to mile łechce twoją miłość własną, więc nie zarzucaj mi egoizmu.

– Nudzą mnie. – Ziewnęła, odwracając wzrok w kierunku ogrodu. Jej pasierbica skończyła swoją lekcję muzyki i wyszła przez taras na zewnątrz. Podeszła do ciotki i przyrodniej siostry, żeby pobawić się z małą, która zaczęła klaskać. Adelajda wzięła do ręki serso i zainicjowała grę w chwytanie kółka na kijek. Gina była jeszcze niezbyt zgrabna, ale co zadziwiające, wychodziło jej to zupełnie dobrze. Miała wdzięk i grację. Matylda uśmiechnęła się z zadowoleniem.

Planowane przez Karola zjazdy artystów, które on w bombastyczny sposób zwykł nazywać „Charytezjami", szybko przekształciły się w wystawne przyjęcia i całonocne bankiety z winem. Matyldę drażnili niektórzy uczestnicy. Chętnie witała u siebie osoby z towarzystwa, nawet takie jak poznane niegdyś u hrabiny Wilskiej panie Jełowicką i Sternowską, znanych twórców czy popularne gwiazdy stołecznej sceny, ale ci wszyscy inni… Miała wrażenie, że kuzyn lubi otaczać się miernotami, które podziwiają jego talent mniej lub bardziej szczerze. Imponowało mu to i z pewnością dobrze wpływało na nastrój. Ciągnął za sobą stadko wielbicieli, zachwyconych jego zdjęciami dla berlińskich magazynów mody i felietonami w krajowych pismach, niczym dumna matka kwoka swoje pisklęta. Powodziło mu się. Jego artykuły w gazetach cieszyły się wzięciem i ostatnio otrzymał nawet propozycję relacjonowania krajowych wydarzeń towarzyskich. Zaczynał stawać się postacią rozpoznawaną w środowisku, a Matylda miała wrażenie, że uczynił to jej kosztem. Ona gościła tych ludzi, zabawiała ich rozmową i swoją obecnością, znosiła ich przechwałki i śmieszne przyzwyczajenia i co z tego miała? To jej kuzyn brylował i robił towarzyską karierę.

– Tytus Wilski przyjedzie? – spytała niespodziewanie Tunia, jej daleka kuzynka, która także stała się częstą bywalczynią w Łabonarówce. Teraz właśnie wyszła na taras z dużą brzoskwinią w ręku i przyglądała się owocowi, jakby zastanawiając się, czy warto go zjeść.

– Zapewne tak – odpowiedział Karol. – Wspominał, że się pojawi.

– To na jesieni mają wydać jego tomik? W „Wiadomościach Literackich" zapowiadali. Podobno to ma być wydarzenie – ciągnęła Tunia.

– Odkąd ty się tak interesujesz poezją? – mruknęła Matylda, naciągając ponownie szal na ramiona.

– Ona interesuje się Tytusem Wilskim, nie poezją – roześmiał się Karol, a Tunia rzuciła mu karcące spojrzenie.

– Nie ma się czego wstydzić – ciągnął Mikanowski. – Nie jesteś jedyna. Tutaj wszyscy interesują się Tytusem.

– Och, czyli mam rozumieć, że ty też? – wypaliła, krzywiąc się zabawnie.

Kuzyn Matyldy wybuchnął śmiechem i pokręcił głową.

– On mnie obchodzi ze względów, powiedzmy, naukowych.

– Masz zamiar napisać rozprawę na temat jego poezji? Czy to nie ponad twoje możliwości, Lolu? – odgryzła się natychmiast Tunia i pomachała do Adelajdy, wciąż bawiącej się z Giną.

– Zagramy w tenisa? – Karol postanowił zignorować Tunię i zwrócił się do kuzynki.

Matylda poruszyła ramionami.

– Może po obiedzie, teraz jest za gorąco.

– Kiedy wszyscy zaczną się zjeżdżać? – spytała Tunia, wbijając zęby w brzoskwinię. Delikatny sok wypłynął z owocu i poplamił jej brodę. Karol uznał to za nieprzyzwoite i wyzywające.

– Wieczorem – znudzonym głosem oznajmiła gospodyni. – Po gości poślemy bryczki na kolej, potem kolacja, popisy artystyczne, a jutro bal.

– Cudownie! – rozpromieniła się Tunia. – Ponoć ma przyjechać major Rostworowski, zaprosiłaś go?

Matylda skinęła głową. Major Rostworowski był szarą eminencją w Ministerstwie Spraw Wojskowych.

Nie rzucał się w oczy, jak niektórzy bardzo znani oficerowie, nie ogniskował zainteresowania, ale wtajemniczeni wiedzieli, że jego wpływy są wielkie, a możliwości jeszcze znaczniejsze. Dlatego właśnie pani domu zabiegała o jego wizytę. Lubiła takie niejednoznaczne, tajemnicze osoby. Uważała, że to ożywia i uatrakcyjnia towarzystwo.

– Słyszałam, że ma otrzymać jakąś ważną funkcję. – Tunia była jak zawsze dobrze poinformowana i kuzynka zachodziła w głowę, kiedy ta młoda kobieta ma czas spać i jeść, skoro całymi dniami goni za nowymi plotkami. – Może w ministerstwie, a może w Sztabie Głównym, tego nikt nie wie. Ponoć jest w znakomitych stosunkach z samym Piłsudskim i bywa u niego – dodała konfidencjonalnie.

Karol prychnął wyniośle, żeby dać do zrozumienia, że fakt pozostawania w przyjacielskich stosunkach nawet i z premierem nie jest tutaj żadną sensacją.

– Znakomicie – rzucił więc nonszalancko. – Może nam opowie o przyjaźni marszałka z Ossowieckim. Podobno nawiązali kontakt telepatyczny.

– Tak! – Tunia była pełna entuzjazmu. – Słyszałam o tym w Ziemiańskiej. Kto mi to opowiadał? Chyba Nena Rohocka, ona zna tych wszystkich wojskowych, więc się świetnie orientuje, sami wiecie…

– Tak, wybiera na kochanków wyłącznie wyższych oficerów. – Karol ziewnął. – Może podobają jej się te nowe oficerskie płaszcze.

– Z pewnością – ucięła wymianę zdań Matylda. – Nena też będzie, możesz się zapytać.

– Nie omieszkam.

Uwagę pani domu ponownie przyciągnęły córka i towarzysząca jej pasierbica. Wezwała do siebie Ginę wysokim, melodyjnym głosem, żeby ją uściskać i ucałować, bo taka była śliczna, a potem poleciła ciotce zaprowadzić ją na górę.

– Niech trochę odpocznie przed obiadem – zarządziła, choć rozweselona mała zaczęła protestować, że chce się jeszcze bawić.

Matka patrzyła na dziecko z dumą i zadowoleniem. Nie mogła sobie wymarzyć grzeczniejszej i bardziej udanej pociechy. Nie to, co wiecznie naburmuszona i zła Adelajda. Matylda miała wrażenie, że zachowanie pasierbicy gwałtownie się zmieniło na przestrzeni ostatnich kilku tygodni. Dziewczyna stała się zamknięta w sobie, milcząca, jeszcze bardziej ponura. Niedbale zajmowała się lekcjami ogólnymi, przykładając się jedynie do muzyki. Zdaniem macochy ta sytuacja nie mogła dłużej trwać. Należało wyekspediować Adelajdę jak najszybciej do szkoły.

– Spędzi tam pół roku lub rok, trochę się utemperuje, złagodnieje, zobaczy, że świat nie kręci się wokół niej, i wtedy zamążpójście nie wyda jej się złym pomysłem, tylko szczęśliwym zrządzeniem losu – wyłożyła swój plan Karolowi.

Kuzyn z niesmakiem pokręcił głową.

– Myślisz, że szkoła do tego stopnia ją obłaskawi, że wykona każde polecenie? Nie sądzę.

– Mylisz się. Zrozumie, że jest kompletnie osamotniona i nie ma na kogo liczyć, a szkoła ugruntuje to przekonanie. Zasięgnęłam opinii i znalazłam bardzo dobrą placówkę. Z surową dyscypliną. – Matylda uśmiechnęła się drapieżnie. – Już ją zarekomendowałam Augustynowi, ale nie sama, tylko przez żonę radcy ministerialnego. Wiesz, jakie on ma nabożeństwo do połowic tych urzędników, chyba uważa, że spływa na nie jakaś państwowa mądrość i splendor.

– Mąż zapewne zachwycony. – Kuzyn powiedział to ironicznym, nieprzyjemnym tonem, a ona po prostu skinęła głową.

Była zadowolona, że tak zgrabnie udało jej się to rozegrać. Augustyn właściwie zaakceptował pomysł bez zbędnych dyskusji, zupełnie jakby nagle los starszej córki przestał go obchodzić. Pochłaniały go teraz wyłącznie interesy i sprawy związane z zarządzaniem spółką naftową. Był nachmurzony, ponury i czas spędzał głównie w swoim gabinecie na piętrze albo w Warszawie. Jeśli się odzywał, to tylko po to, by wspomnieć o złej koniunkturze gospodarczej. Na samo brzmienie tych słów Matyldę przechodziły ciarki. Kryzys! Nie chciała o tym słuchać. Napatrzyła się na biedę podczas wojny i teraz nie zamierzała z niczego rezygnować. Wierzyła głęboko, że ani jej, ani rodziny nie dotknie recesja, a już z pewnością nie doświadczą biedy. Nie po to wychodziła za mąż za milionera, żeby teraz sobie czegoś odmawiać. Choć ze świata dochodziły coraz bardziej niepokojące informacje na temat sytuacji gospodarczej, ona starała się nie zwracać na to uwagi. Okresy złej passy już się zdarzały, a młode państwo jakoś wychodziło z nich obronną ręką. Zresztą Augustyn miał zmysł do interesów i nie wyobrażała sobie, że mógłby zbankrutować. Ba! On był raczej z tych ludzi, którzy na kryzysie się dorobią, niż stracą cokolwiek. Postanowiła zatem nie zaprzątać sobie głowy dziwnymi nastrojami męża – być może jest zajęty przygotowywaniem nowej wspaniałej strategii, która przyniesie mu kolejne miliony? Co jej zresztą do tego? Wciąż tkwiło w niej jak zadra jego postanowienie o podziale majątku między dwie córki. Nie mogła pogodzić się z tą niesprawiedliwością i świadomość, że została wyzuta ze wszystkiego, co jej się słusznie należy, paliła jak świeża rana.

Jednocześnie ogromnie pocieszało ją to, że małymi co prawda kroczkami, ale wprowadza w życie swój plan – usunie Adelajdę z domu, a potem pokieruje jej losem w taki sposób, aby się to jak najbardziej opłaciło. Jej samej i Karolowi. Jeśli będzie miała akurat taki kaprys. Była pewna jednego – nie pozwoli mężowi decydować, za kogo wyda córkę. Jeśli Adelajda jest walutą w tej małżeńskiej transakcji, to Matylda postara się, żeby to jej samej przyniosło największe zyski.

– Chyba dzwonią na obiad. – Z tych rozmyślań wyrwał ją głos Tuni, która przed chwilą z ogromnym zaangażowaniem dyskutowała z Karolem o nowo otwartej artystycznej kawiarni w Warszawie, która powstała w Instytucie Propagandy Sztuki. Mikanowski przymierzał się do napisania artykułu na jej temat, a Tunia deklarowała, że z chęcią będzie mu towarzyszyć podczas zbierania materiałów.

– Chodźmy zatem. – Matylda podniosła się od stołu i zerknęła do ogrodu. Bisia zdążyła już odprowadzić Ginę do pokoju dziecinnego, a Adelajda znowu gdzieś przepadła. Ostatnio bez przerwy tak znikała. Unikała towarzystwa zarówno macochy, jak i Karola, wymyślając tysiące niedorzecznych wymówek, albo tak jak teraz, ulatniając się bez słowa. Choć Matylda nie cierpiała pasierbicy, jej arogancja działała jej na nerwy. To był zwyczajny brak szacunku, i choćby tylko za to należało przykrócić tę krnąbrną dziewczynę.

Weszli przez taras do salonu, a z niego do jadalni. Augustyn właśnie zszedł na dół i rozmawiał z Bisią i Adelajdą. Widząc nadchodzącą żonę, zwrócił się do niej z dziwnie napiętym wyrazem twarzy.

– Muszę wyjechać, moja droga.

– Ale mamy przecież dzisiaj nasze *soirèe*. A jutro bal. Mam nadzieję, że wrócisz? – zareagowała zniecierpliwieniem. Mąż pokręcił przecząco głową.

– Niestety. Wierzę, że sobie doskonale poradzisz. Czeka mnie ważna narada, może się przeciągnąć.

– Znowu szwagier ratuje polską gospodarkę? – spytał przekornie Karol, zajmując miejsce przy stole.

Tunia uśmiechnęła się lekko, niby uprzejmie, a jednak ze znudzeniem. Wszystkie rozmowy o interesach śmiertelnie ją męczyły. Wolała zajmować się sztuką i rzeczami bardziej wzniosłymi. Pieniądze w końcu miał jej ojciec i podobnie jak Matylda uważała, że nie ma powodu martwić się czymś, o co dbają inni.

– Tylko ludzie nierozsądni kpią z zapaści, jaka staje się naszym udziałem – mruknął gospodarz. – To najbardziej dotkliwy kryzys od czasu wojny.

– Ale przecież były już takie okresy stagnacji i wychodziliśmy z nich bez szwanku. Choćby w dwudziestym szóstym roku – rzucił Karol z miną znawcy. – Szybko odbiliśmy się od dna.

– Tym razem tak nie będzie. Spada produkcja, przemysł ciężki ledwo zipie. Nie mówiąc o tym, co dzieje się na wsi. Bieda i bezrobocie, to nas czeka w najbliższej przyszłości. Jeśli rząd nie wkroczy ze zdecydowaną pomocą, nie zastąpi wycofującego się prywatnego kapitału… – Augustyn zapalił się do własnych słów i zaczął gestykulować z zaczerwienioną twarzą.

– Proszę cię, daj spokój. Nie chcę tego słuchać. Kryzys, nędza, ograniczenia. Mam dosyć takiego czarnowidztwa! – Matylda podniosła głos.

– Takie są fakty, czy chcesz je dostrzegać, czy nie. Krótkowzroczność to niestety nasza narodowa przywara. I niechęć do przyjmowania oczywistych sygnałów i wychwytywania ostrzeżeń o nadchodzącej burzy. A one były widoczne już dawniej.

– Po okresie koniunktury zawsze zdarza się kryzys. Chyba takimi zasadami rządzi się ekonomia – wtrącił Karol z mądrą miną. Pan domu się skrzywił.

– To taka sama prawda jak oczywistość, że każdy, kto się urodził, musi umrzeć – burknął. – Osobiście uważam, że ta sytuacja potrwa przez kilka najbliższych lat, może trzy, a może więcej. I będziemy sukcesywnie ubożeć. Plajtować.

– No, tobie to chyba nie grozi – roześmiał się Karol.

– W czasach takiej dekoniunktury żaden majątek nie jest pewny, a każda inwestycja rodzi ryzyko – odparł Augustyn, zabierając się do zupy.

– A ja nie widzę żadnych sygnałów czy tam symptomów – zaszczebiotała Tunia. – Ludziom żyje się wspaniale. Czy wiecie, że w Ziemiańskiej zainstalowali telefony? Są na każdym stoliku. To krzyk mody. Ja dzwonię do wszystkich znajomych, pijąc swoją małą czarną...

Pan domu skrzywił się z niechęcią, ale Matylda od razu zarzuciła kuzynkę pytaniami. Kto ostatnio pojawił się w modnej kawiarni przy Mazowieckiej 12 i czy żona wicepremiera Becka jest taka elegancka, jak czyta się w pismach.

Karol patrzył na obie panie z uśmiechem, a potem przeniósł wzrok na Adelajdę. Jak zwykle jadła pospiesznie i nie rozglądała się, jakby chciała ukryć się przed rozmową, a nawet ciekawymi spojrzeniami bliskich. Wyraźnie nie czuła się swobodnie w ich towarzystwie.

– Mam nadzieję, że Adelajda zagra dla gości wieczorem – zwrócił się do Matyldy, która zakończyła już omawianie plotek o modnych damach z warszawskiego towarzystwa.

– Będzie Giga Antyka – rzuciła kuzynka. – Mam nadzieję, że uda się ją namówić na pokaz tańca.

– Och, Giga to prawdziwa artystka. Mówcie, co chcecie, ale ja stawiam ją na równi z Halamkami – wtrąciła się Tunia. – Ma nie tylko obycie na scenie, znakomitą technikę, lecz także potrafi wyrazić tańcem uczucia.

– Trudno, żeby było inaczej. Kształciła się w Berlinie – dorzucił Karol.

– A moim zdaniem niczego dobrego nie należy się spodziewać z tamtej strony – zareagował Augustyn. – Ta ciągnąca się wojna celna z Niemcami nas wykończy!

– Wszystko się zmieni po wyborach – mruknął Karol. – Jestem pewien, że partia narodowosocjalistyczna zdobędzie przewagę w parlamencie.

– Banialuki! – wybuchnął pan domu. – To absolutnie niemożliwe! Hindenburg nigdy do tego nie dopuści.

– Chyba nie rozumiesz polityki, drogi szwagrze, ale to nie dziwi, skoro ciągle siedzisz na prowincji – wycedził Mikanowski. – Ja natomiast spodziewam się ich błyskawicznej i bardzo spektakularnej kariery.

– Możliwe, że berlińska perspektywa jest inna, co nie znaczy, że mądrzejsza – burknął, wyprowadzony z równowagi Augustyn. – Zgodzę się z jednym: czasy kryzysu sprzyjają niestety wypływaniu podobnie upiornych szumowin jak narodowi socjaliści.

– Możemy pomówić o czymś innym? Polityka jest taka prozaiczna. Wolę wrócić do rozmowy o naszych artystach. Masz dla nas jeszcze jakąś niespodziankę? – Tunia pokręciła się nerwowo na swoim miejscu, a potem zwróciła się do Matyldy.

Ta uśmiechnęła się lekko.

– Chciałam poprosić Tytusa Wilskiego, żeby przeczytał nam kilka swoich nowych wierszy z tego planowanego tomiku. On jest strasznie tajemniczy, jeśli chodzi o swoją sztukę, ale może da się namówić.

– Nie lubi niczego ujawniać przedwcześnie – odezwała się niespodziewanie Adelajda, a ciotka Bisia rzuciła jej pytające spojrzenie.

– Och, ci literaci – z emfazą dorzuciła Tunia. – Niby nie chcą, tak się ociągają, ale kiedy przychodzi co do czego, trudno im się powstrzymać przed zaprezentowaniem swojego dzieła.

– Tytus taki nie jest. – Adelajda odłożyła widelec i wpatrzyła się w nią z niechęcią.

– Zapewniam cię, że każdy taki jest. W odróżnieniu od ciebie znam trochę tych naszych artystów słowa. Nie mogą się doczekać, kiedy pokażą światu owoce swej pracy. – Tunia uśmiechnęła się do siebie, formułując tę metaforę. – Zależy im na sławie i poklasku, to racja ich istnienia.

– Wcale nie.

– Przestań w tej chwili – zareagowała ostro Matylda. – Nie będę tolerowała takich wyskoków przy stole. Jesteś niegrzeczna, przeproś w tej chwili Tunię.

– Nie zamierzam. – Adelajda zacięła wagi i spoglądała na macochę wyzywająco. W Matyldzie coś się od razu zagotowało, zapałała do tej dziewczyny czystą nienawiścią. Miała ochotę sięgnąć po jakiś element stołowego garnituru i cisnąć w nią z całej siły.

– Natychmiast przeproś Tunię – wycedziła więc, wpatrując się w pasierbicę lodowatym spojrzeniem. – Nie mogę uwierzyć, że cała ta scysja powstała z powodu jakiejś twojej niemądrej fascynacji Tytusem Wilskim. To jest nie tylko nieodpowiednie, ale wręcz niesmaczne.

Adelajda zbladła i cisnęła widelec na stół. Potem zerwała się i wybiegła bez słowa, a po chwili, w ciszy, jaka powstała, jej kroki ucichły w holu. Najwyraźniej wyszła z domu.

– No proszę, proszę, co za temperament. Ognisty – skomentował Karol. Tunia pokręciła głową ze wzgardą.

– Dziwię ci się, Matyldo, że pozwalasz na takie sceny.

– Ta dziewczyna jest nieokrzesana – mruknęła pani domu, popatrując na męża, ale Augustyn jakby w ogóle nie zauważył tego, co się stało. Kiedy przestali rozmawiać o polityce i gospodarce, zamyślił się i popadł w jeden z tych swoich denerwujących ostatnio stanów.

– Ona jest delikatna. Wszystko bardzo przeżywa – próbowała tłumaczyć ciotka, która zaniepokojonym wzrokiem oglądała się na drzwi. Chętnie poszłaby za podopieczną, żeby jej wysłuchać, pocieszyć ją, ale obawiała się gniewu Matyldy.

– Nie potrafi panować nad emocjami – oceniła Tunia, odsuwając talerz. – Może powinniście zasięgnąć opinii lekarskiej? Jest teraz wielu znakomitych specjalistów, którzy leczą choroby nerwowe, choćby taki doktor Wielgand, wspominała mi ostatnio Lala Jełowicka... Zresztą ona będzie u ciebie, możesz spytać.

Matylda wymieniła spojrzenia z kuzynem.

– Może rzeczywiście potrzeba nam porady... Oczywiście dla jej dobra – zastrzegła z tym swoim dziwnym drapieżnym uśmieszkiem.

Bisia uniosła głowę i wpatrzyła się w nią z przerażeniem.

– Odpocznijmy z godzinę po obiedzie i potem zagrajmy w tenisa – zaproponowała lekko pani domu, zmieniając temat. Tunia była za, Karol także się zgodził.

– Trzeba będzie odszukać Adelajdę – rzucił wesoło. – Oby minęły jej już te muchy w nosie i zdecydowała się przeprosić, bo zabraknie nam osoby do debla.

– O to się nie martw – oznajmiła kuzynka chłodnym tonem. – Pomówię z nią sama. Dobrze wiecie, że nie puszczam płazem takiego zachowania.

Augustyn Korsakowski nadal się nie odzywał, pogrążony we własnych myślach.

ROZDZIAŁ 2

„Miłość poety"

Adelajda ochłonęła, dopiero gdy dotarła do sadzawki w parku. Usiadła na kamiennym obramieniu i objęła dłońmi głowę. W skroniach jej pulsowało, w ustach czuła dziwny metaliczny smak. Upokorzenie, którego przed chwilą doznała, sprawiło, że nieświadomie przygryzła sobie do krwi wargę.

Matylda potrafiła jej dopiec jednym słowem, jednym spojrzeniem, jakby zadawała precyzyjnie wymierzone ciosy nożem.

„Niemądra fascynacja Tytusem Wilskim". Gdy przywołała te słowa macochy, znowu zalała ją fala wstydu i poczuła się poniżona. Jak ona mogła? Jak w ogóle śmiała? I to jeszcze przy tych wszystkich ludziach? Ojcu, ciotce, tej głupiej Tuni i wstrętnym Karolu.

Złożyła dłonie na kolanach i zauważyła, że palce jej drżą. Nie wróci tam. Za żadne skarby i z pewnością nie przeprosi Tuni. Wolałaby umrzeć, niż zrobić coś takiego.

Tytus Wilski pisał do niej bardzo często. Każdy jego list był promieniem światła w tym niegościnnym miejscu, jakim stał się dom w Łabonarówce, wcześniej tak przez nią kochany. Ojciec zmienił się, macocha rządziła tu niepodzielnie, zaprowadzając wszędzie swoje porządki. Na szczęście Karol pojawiał się rzadko, tylko z okazji przyjęć. Całe zdarzenie z pikniku poszło niejako w zapomnienie – wuj celowo unikał kontaktu z nią, co Adelajdzie bardzo odpowiadało. Nie wspomniała o tym, co zaszło, nikomu – ani ojcu, ani ciotce. Nie sądziła zresztą, że znajdzie zrozumienie. W czym mogła pomóc jej Bisia, zależna od Augustyna i obawiająca się niechęci jego żony? A ojciec? Odkąd zaczął się czas złej koniunktury w przemyśle, rodzina zupełnie przestała się dla niego liczyć. Córka miała wrażenie, że nawet jeśli poświęca jej chwilę rozmowy, to i tak nie słucha uważnie tego, co dziewczyna ma do powiedzenia. Był momentami tak obcy i nieprzystępny, że samą ją to przerażało.

Może dlatego Tytus Wilski zrobił się dla niej tak ważny? Nie, nie tylko dlatego. Od pierwszego spotkania z nim wiedziała, że jest w tym coś więcej. Coś głębszego i silniejszego niż wszystko, czego do tej pory doświadczała. Chyba tylko muzykę traktowała w podobny sposób, oddawała jej się z całym zapamiętaniem. Czy to była miłość? Nie miała pojęcia i nie przyznawała się do tego przed sobą. Z jego listów wynikała szczera troska i zainteresowanie jej sprawami, ale on był poetą, miał swoje marzenia, plany i oczekiwania, a ona nie wiedziała, czy w nich jest miejsce dla kogoś takiego jak Adelajda Korsakowska. Pochodził zresztą z szanowanej rodziny, a jego krewni gardzili Matyldą. No i sprawa Łabonarówki – niemiły cierń we wzajemnych stosunkach tych dwóch familii. Nie pozwalała sobie zatem, aby myśleć o Tytusie w inny sposób niż tylko jak o dobrym, wypróbowanym przyjacielu. Kimś, kto stara się ochronić i wesprzeć, ale nie w głowie mu żadne romantyczne uniesienia. Z jego listów zresztą nic podobnego nie wynikało. Pisał wiele o swojej artystycznej pracy, dzielił się niepokojami i wątpliwościami. Czasami wysłał jakiś wiersz. Nie był pewny, czy dobrze robi, publikując tomik. Chciał jak najdłużej zatrzymać swe utwory dla siebie, nie pokazywać ich światu, zwłaszcza tych pisanych z głębi serca. „Gdyby ten tytuł nie został już wykorzystany, nazwałbym go *Miłość poety*. Tylko co ja mogę wiedzieć o miłości, zapytasz, i pewnie będziesz miała rację" – przeczytała w jednym listów i lodowaty powiew przeszył jej serce. Tytus nie kochał jej, to pewne. Bez wątpienia jej współczuł, martwił się o nią, otoczył opieką, bo tak mu dyktował honor, gdy zobaczył zachowanie Karola, ale nic więcej.

A jednak, pomimo tego, co sobie uświadamiała i czego była pewna, cieszyła się, że znowu go zobaczy. Być może jedynie łudziła się i oszukiwała samą siebie, ale nie mogła zabić w sobie tego stanu radosnego wyczekiwania i podniecenia. Pomówić z nim, spojrzeć mu w oczy – tak, to wynagradzało wszystko i musiało wystarczyć.

– Adusiu, dziecko, co ty tutaj robisz? – usłyszała zdyszany głos ciotki Bisi. Wyglądała na zmartwioną i zaniepokojoną.

– Po prostu… Siedzę sobie – odparła z pewnym wahaniem, jakby bojąc się powiedzieć cokolwiek innego.

– Zasmuciłaś mnie – wyznała ciotka, stając nad nią i przypatrując się jej z troską. – Ten wybuch… Był naprawdę niepotrzebny.

– Ty też stoisz po ich stronie? Nie widzisz, jak mnie traktują? – Adelajda znowu zacisnęła dłonie, aż pobielały jej kostki. Ciotka kiwnęła głową.

– Matylda ma trudny charakter – przyznała. – Brakuje jej cierpliwości do wszystkich, poza samą sobą. Ale spróbuj jej nie prowokować.

– Bo coś mi zrobi? – zaśmiała się nerwowo Adelajda, która nadal miała w pamięci przepowiednię medium. Choć od tamtego czasu nic niepokojącego w domu nie zaszło, ona wciąż zachowywała czujność. Wierzyła Bilczemu i uważała, że to własna ostrożność chroni ją przed nieszczęściem. Musiała być uważna. A skoro tak, to ciotka miała rację. Drażnienie Matyldy może sprowadzić kłopoty. Opanowała się błyskawicznie.

– Nie mów takich rzeczy – przestrzegła ją tymczasem Albina. – Matylda nie jest okrutna ani zła. Ona po prostu nie umie kochać. Ludzie ją irytują. Nie należy jej wchodzić w drogę.

– Dobrze o tym wiem – ponuro przyświadczyła Adelajda i spuściła głowę.

– Skoro tak, bądź mądrzejsza i ustąp jej – doradziła dobrotliwie ciotka, a dziewczyna pokręciła głową. Nie potrafiła się na to zdobyć.

– Kochanie, nie zamartwiaj się. Zrób, o co proszę, przeproś tę jej kuzynkę. W końcu nie byłaś dla niej zbyt grzeczna. Panowanie Matyldy w tym domu skończy się niebawem. Twój ojciec… – zamilkła, bo nagle przestraszyła się tego, co chciała powiedzieć.

– Co ojciec? – podchwyciła dziewczyna. – Poznał się na niej? Nie wierzę. Choć ostatnio wydaje się inny, smutny i zgaszony. Może już wie, co to za żmija i jak go oplątała.

– Adelajdo! – Ciotka była zgorszona. – Bóg to widzi i twoja matka też. Nie należy składać fałszywego świadectwa przeciw bliźniemu swemu.

– To nie jest fałszywe świadectwo i ty myślisz tak samo.

Zapadło milczenie, a po chwili Bisia westchnęła ciężko.

– Aduniu, proszę cię. Jeśli nie dla siebie, zrób to dla mnie. Nie rozsierdzaj macochy, bądź miła dla jej gości.

– Pokajaj się przed tą bezmyślną Tunią, niech cię upokarzają do woli, otrzymasz za to nagrodę w niebie – zakpiła Adelajda, a ciotka aż pobladła.

– Nigdy, przenigdy nie mów w ten sposób – szepnęła, chwytając się za serce. – Jestem w stanie wybaczyć ci, że nie potrafisz okazać jej wyrozumiałości, na swój sposób to pojmuję. Ale naigrywanie się ze spraw wyższych… To dla mnie straszny cios, bo nie tak cię wychowałam…

Adelajda spojrzała na ciotkę z troską i przerażeniem. Uraziła ją, to pewne, ale co, jeśli również zaszkodziła jej zdrowiu? Bisia ostatnio gorzej się czuła, nie należało jej zbytnio denerwować. Teraz też oddychała gwałtownie i płytko.

– Dobrze, zrobię, czego sobie życzysz – szybko odpowiedziała dziewczyna, żeby nie zasmucać ciotki. – Poproszę Tunię o wybaczenie i nie będę już gniewała macochy.

Bisia położyła jej dłoń na głowie.

– Dobre z ciebie dziecko. Wierzę, że zawsze będziesz szła właściwą ścieżką. Nawet gdy mnie już zabraknie.

– Ciociu – zaczęła Adelajda, a Bisia machnęła ręką.

– Nic już nie mów, ja wszystko wiem i zawsze jestem po twojej stronie, ale teraz jest to najlepsze, co możesz zrobić. Chodźmy. Macocha na pewno cię szuka i jest rozdrażniona.

Spotkały Matyldę na tarasie.

– Muszę z tobą pomówić. W tej chwili – rzuciła pani domu, a pasierbica spuściła głowę.

– Przyszłam przeprosić Tunię. Źle postąpiłam, wstyd mi.

Matylda spojrzała triumfalnie.

– A więc poszłaś po rozum do głowy. Bardzo dobrze. Wiedz jedno, takie skandaliczne zachowania nie mogą się powtarzać. Żadnych wyskoków więcej. Ostrzegam cię.

Adelajda milczała. Przez jej twarz przeszedł cień, ale przygryzła wargi.

– Tunia jest w małym saloniku. Idź do niej, a potem przebierz się i chcę cię widzieć na korcie. Dosyć kaprysów. Czekamy.

Sama była już ubrana w żółtą długą spódnicę z *crêpe de chine* i jedwabną białą bluzkę. Wyglądała bardzo szykownie.

– Bisiu, zajmij się teraz Giną – zarządziła pani domu. – Niepokoję się o małą. Podczas obiadu wydawała się trochę blada, może jest niezdrowa?

– Zaraz sprawdzę. Niania na pewno ma na nią baczenie – uspokoiła ciotka. Matylda skinęła głową i poszła w kierunku kortu.

Karol już tam był i machał rakietą.

– Cudowny dzień – ocenił. – Jak to przeczytałem w jednym piśmie: „Tenis i flirt kojarzą się doskonale".

Wzruszyła ramionami. Wzięła rakietę i zaczęła odbijać piłkę. Kuzyn towarzyszył jej w rozgrzewce przez jakiś kwadrans.

Od strony domu nadchodziły Tunia z Adelajdą. Obie miały na sobie białe sukienki, młodsza z płótna z czerwonym bolerkiem, a starsza z jedwabiu z fantazyjnymi niebieskimi guzikami.

– Widzę, że burza przeszła bokiem – uznał Karol, uśmiechając się do kuzynki.

– Tak. Utemperowałam ją – rzuciła Matylda. – Te wybuchy muszą się skończyć. Dopóki mieszka pod moim dachem, ma być posłuszna.

– Miejmy nadzieję, że tak się stanie. – Karol skrzywił się zabawnie.

– To jak gramy? – spytała Tunia. – Może ja z Karolem, a Adelajda z Matyldą?

– Och, tym razem ja zagram z Adelajdą. Wy i tak będziecie miały fory.

I już nie pytając nikogo o zgodę, zajął miejsce. Adelajda rzuciła mu ostrzegawcze spojrzenie, ale nawet się do niej nie zbliżył.

Matylda podrzuciła piłkę i uderzyła dosyć mocno. Była wytrawną tenisistką, sporo trenowała, na jej życzenie Augustyn przyjął nawet instruktora, który dawał jej lekcje. Miała dużo siły i sprytu, by przewidzieć sytuację na korcie, toteż razem z Tunią zaczęły zdobywać przewagę w tej mieszanej rozgrywce. Karol jednak nie zamierzał się poddawać, wstąpił w niego duch walki i gra przestała być popołudniową rozrywką, a stała się rywalizacją. Piłka krążyła po korcie, a Matylda i Karol wykrzykiwali zmieniającą się punktację.

– Nie jesteśmy na zawodach – wydyszała Tunia, którą Mikanowski zmusił do kolejnego biegu wzdłuż końcowej linii.

Oni oboje roześmiali się tylko lekceważąco. Matylda przyjęła wyzwanie i nie zamierzała odpuścić kuzynowi. To nie leżało w jej naturze.

Adelajda dotrzymywała tempa wujowi i macosze. Była zwinna i przemyślna. Kilka razy skłoniła Matyldę do popełnienia błędu. Gra toczyła się w zacięty sposób i nawet pasierbicę pani domu wciągnęła ta rywalizacja. Miała wreszcie szansę odpłacić Matyldzie za nieprzyjemne słowa i złe traktowanie. Choć w taki sposób. Zdwoiła więc wysiłki i przyłożyła się do serwisu tak bardzo, że zaczęli z Karolem zyskiwać przewagę.

– Piłka meczowa! – krzyknął on wreszcie i zaserwował. Wymiana była zawzięta, ale w końcu Adelajda posłała kluczową piłkę.

– Brawo! – zawołał Mikanowski i skłonił się kuzynce, która ze złości rzuciła rakietę na ziemię.

– Wspaniały mecz – dobiegł ich głos z boku. Stał tam Tytus Wilski w towarzystwie Neny Rohockiej.

Adelajda obejrzała się i wpatrzyła w nich szeroko otwartymi oczami. Tytus zrobił uspokajający gest dłonią i się uśmiechnął.

– Już jesteście? – zdumiała się Matylda, podchodząc bliżej.

– Tak. Przyjechaliśmy samochodem z majorem Rostworowskim. Fenomenalny człowiek. Zna takie anegdoty, których nie powstydziłby się pułkownik Wieniawa – szczebiotała Nena.

– Pan major gościł u mojej matki – wyjaśnił Tytus, zwracając się do Adelajdy. – Był dawnym towarzyszem broni ojca. I kiedy napomknąłem, że wybieram się do państwa...

– A do mnie zadzwonił osobiście – przerwała Nena. – Okazało się, że jest w znakomitych stosunkach z Dyziem, moim bratem.

– Myślałem, że twoim byłym narzeczonym, pułkownikiem Dobryńskim – rzucił Karol prowokacyjnie. Tunia posłała mu złośliwy uśmieszek, a Nena się rozgniewała.

– Nie musisz wciąż wracać do tego tematu, zostałam skrzywdzona, wszyscy to wiedzą...

– Karol jest jak zwykle w ironicznym nastroju, co dziwi, bo wygrał mecz tenisowy – rozjemczym tonem dodała Matylda. Nie chciała, aby wieczór zaczynał się od spięcia.

– Tak, on bywa wstrętny. – Nena była jeszcze naburmuszona, ale już się rozpogadzała, zwłaszcza że Mikanowski na zgodę pocałował ją w rękę.

– Śliczna suknia, Neno – pojednawczo wtrąciła Tunia. Rohocka ubrana była w strojną toaletę z niebieskiego jedwabiu, doskonałą na popołudnie.

Nena uśmiechnęła się wyniośle. Jej ubiór był ostatnim krzykiem mody, takie modele dopiero zaczynały pojawiać się w żurnalach, a ona już go miała na sobie.

– Kończymy zatem grę – odezwała się Matylda. – Muszę się przygotować na powitanie gości. Gdzie jest major Rostworowski?

– Chyba rozmawia z twoim mężem – wyjaśniła Rohocka, co mocno zaskoczyło panią domu.

– Z Augustynem? Miał wyjechać po obiedzie. Ale dobrze, że bawi gości. Wracajmy. Muszę wszystkiego dopilnować, bo wiecie, że tutaj każda rzecz jest na mojej głowie – narzekała, uśmiechając się do swoich gości promiennie.

Tytus zbliżył się do Adelajdy.

– Jak się masz? Wszystko w porządku? Martwiłem się o ciebie. Chciałem przyjechać wcześniej, ale sytuacja nie była sprzyjająca...

Dziewczyna lekko ścisnęła jego dłoń. Rozumiała więcej, niż mógł wyrazić. Tyle chciała mu powiedzieć. Tyle wyjaśnić. Ale zdążyła tylko zapewnić, że czuje się dobrze, a w domu nie wydarzyło się nic nadzwyczajnego, kiedy dołączyła do nich Tunia.

– Byłam ostatnio ze swoimi znajomymi w Bristolu. Wszyscy rozmawiali o pańskich wierszach – zaczęła.

– Bardzo mi miło, ale nie sądzę, żeby towarzystwo z Bristolu zaprzątało sobie głowy takimi sprawami.

– Jest pan niesprawiedliwy. To osoby, które naprawdę interesują się sztuką. I mają wielkie wpływy.

– Nie potrzebuję protekcji. Jeśli moja poezja jest tak słaba, że musiałaby jej wymagać, to chyba lepiej, żebym przestał pisać – rzucił twardo.

Pokręciła głową.

– Jaki pan nieustępliwy. To imponujące.

Weszli do pałacu, gdzie właśnie Augustyn Korsakowski żegnał się z gośćmi.

– Obowiązki wzywają do Warszawy – wytłumaczył, a wszyscy życzyli mu szczęśliwej podróży.

Adelajda od razu dostrzegła majora Rostworowskiego, który uprzejmie rozmawiał z Matyldą. To człowiek, który pozornie nie wyróżniał się niczym z otoczenia – był przeciętnego wzrostu i urody, o twarzy trudnej do zapamiętania, a jednocześnie otaczała go szczególna aura. Był skupiony i przypatrywał się każdemu uważnie, jakby chciał od razu przejrzeć, z kim ma do czynienia.

– Moja pasierbica Adelajda – przedstawiła Matylda, a major skierował na dziewczynę badawczy wzrok.

– Miło poznać panienkę – powiedział, kiedy już otaksował ją uważnie. – Słyszałem, że jest pani bardzo uzdolniona muzycznie.

– Gra po domowemu – ucięła macocha. – Proszę jej nie zachęcać, bo zamęczy nas swymi popisami.

– Czemu? Chętnie bym posłuchał.

Adelajda się zawstydziła.

– Może będzie okazja po kolacji. Teraz służba zaprowadzi państwa do pokojów, trzeba odpocząć po podróży. Przed kolacją zapraszam na aperitif – oznajmiła Matylda uprzejmie, lecz stanowczo.

Skinęli głowami i rozeszli się po pokojach. Tylko major Rostworowski patrzył ze zmarszczonym czołem na Adelajdę i jej macochę wspinające się po schodach, jakby chciał przeniknąć naturę ich wzajemnej rezerwy i widocznej – przynajmniej dla niego – antypatii.

ROZDZIAŁ 3

Milczy i słucha

Goście zaczęli się na dobre zjeżdżać po południu i tym razem Matylda nie mogła narzekać na towarzystwo. Było naprawdę doborowe, a ona czuła się dumna, że tak wspaniale wszystko zorganizowała. Po kolacji wszyscy przeszli do salonu, gdzie Giga Antyka dała wspaniały popis tańca, który wzbudził entuzjazm gości. Zgromadzeni podzielali opinię Tuni, że Giga co najmniej dorównuje Lodzie Halamie, a być może nawet ją przewyższa.

– Niesamowite wyczucie rytmu – komentowała Lala Jełowicka, która do Łabonarówki dotarła koleją z całą grupą gości.

– I ta giętkość, ma w sobie coś z pantery – zachwycał się jej tańcem Stanisławski.

Sama Giga okazała się osobą niezwykle przystępną i jak z rękawa sypiącą anegdotami o życiu w kabarecie.

– Obserwuje pan ludzi? – Tytus zwrócił się do majora Rostworowskiego, który z nieodgadnioną miną stał z boku i sączył szampana. Tylko skinął potwierdzająco głową.

– Zna pan dobrze tę rodzinę? – spytał po chwili.

Młody człowiek poruszył ramionami.

– Tak sobie.

– Ale przyjeżdża pan tutaj, mimo iż kupili majątek pańskiej babci?

– To nie ma nic do rzeczy, te sprawy nie bardzo mnie obchodzą.

– Dziwiłem się, że przyjmuje pan zaproszenia. Rodzina chyba nie jest zbyt zadowolona? – drążył wojskowy z dziwną nieustępliwością.

– Nie kieruję się ich zdaniem. Mam własne. Lubię się tu pokazywać. Od czasu do czasu. – Wilski wiedział, że krążą plotki na temat jego obecności w tym domu. Dziwiono się, że bywa u Matyldy Korsakowskiej, którą jawnie krytykowała jego babka Helena, ktoś puścił nawet pogłoskę, że młody poeta kocha się w pięknej żonie naftowego potentata.

– Pamiętam ten dom z przeszłości, teraz nie ma już w sobie tamtego ducha. Stał się pospolity – zauważył major.

Tytus się uśmiechnął.

– Może to dobrze? Ta rezydencja była zaplanowana jako pełna przepychu i kosztowna. Zbiednienie mojej rodziny nie wychodziło jej na zdrowie. Ten powolny upadek był przygnębiający. Nie ma nic gorszego od wiatru hulającego po niegdyś reprezentacyjnych wnętrzach i wspomnieniach dawnej świetności czających się ponuro w kącie.

– Jest pan cyniczny. To zakrawa prawie na nihilizm – obruszył się Rostworowski. Ostatnie słowo podchwycił przechodzący Karol.

– Nihilizm? Rozmawiają panowie o tym? Nietzsche przewidział, że w naszym społeczeństwie takie tendencje będą się pogłębiały. Najważniejsze wartości przestają nimi być.

– I jakie na to lekarstwo? – zainteresował się major.

– Pewnie narodowy socjalizm – prychnął Tytus, a Karol natychmiast się ożywił.

– Jestem pewny, że zdobędzie poparcie w Niemczech. W zbliżających się wyborach mogą zaskoczyć…

– Naprawdę chciałby pan, żeby ktoś taki jak ten ich przywódca Hitler przejął władzę? – Rostworowski zmarszczył brwi.

– Co ja o tym sądzę, nie ma nic do rzeczy. Widzę jednak, co dzieje się w Berlinie, w całych Niemczech. Hitler daje tym ludziom poczucie dumy, nadzieję na odrodzenie trwałych wartości, kultury, prawdziwej sztuki.

– Androny – uciął major. – To doktryner o mentalności wariata. Każdemu mówi to, co chce usłyszeć. Im szybciej ludzie przejrzą na oczy, tym lepiej. Dla nas wszystkich.

– Mówi pan jak mój szwagier. – Karol wydął wargi. – Obaj panowie nie dostrzegacie pewnych dziejowych mechanizmów. Potrzeby, która staje się motorem zmian.

– Zapewniam pana, że je dostrzegam – zaprotestował major. – Tylko że taka zmiana będzie katastrofalna.

– Nie przesadzajmy. Niemcy nigdy nie zdecydują się na kolejną wojnę. Zresztą nie mogą.

– Chyba że wypowiedzą ustalenia traktatu wersalskiego, za czym Hitler usilnie optuje – dodał Tytus.

– Moim zdaniem znacznie poważniejszym zagrożeniem są Sowieci niż Niemcy pod wodzą partii narodowosocjalistycznej – mruknął Karol. – Nauczka, jaką dostali w dwudziestym roku, już dawno została zapomniana.

– I tutaj się z panem zgodzę – przytaknął Rostworowski. – Rosja sowiecka to nasz niebezpieczny przeciwnik. Wciąż powinniśmy się mieć na baczności…

– A panowie nadal o polityce? Czy to nie nudne? – wtrąciła się Nena, która właśnie podeszła i przystanęła z boku. – Matylda mówiła, że wygłosi pan kilka ze swoich wierszy – zwróciła się do Tytusa. On obruszył się lekko.

– Nie bardzo się przygotowałem na taki zaszczyt.

– Adelajda zagra na fortepianie, będzie pan miał urocze tło. – Uśmiechnęła się zachęcająco.

– Chętnie posłucham – odezwał się Rostworowski. – Nie znam się na literaturze tak, jak by to wypadało, ale zawsze jestem ciekawy nowości. Panna Korsakowska jest ponoć bardzo utalentowana?

– Gra cudownie. Będzie prawdziwą ozdobą salonu swego męża – rzuciła Nena zaczepnie. Tytus się skrzywił.

Matylda pojawiła się nagle i ujęła poetę pod rękę.

– Wystąpi pan? Będzie mi ogromnie miło.

– Skoro pani sobie tego życzy...

– Musi pan. Nie odwiedzał mnie pan ostatnio w ogóle, mimo iż zapraszałam. – Lekko ścisnęła jego ramię. – Wybaczę to, jeśli się pan zrehabilituje – szepnęła uwodzicielsko.

Drgnął pod dotykiem jej palców, nie mogąc uwierzyć, że ta kobieta wciąż robi na nim takie wrażenie. Odsunął się niezręcznie, ale skinął głową. Jeśli to takie dla niej ważne, spełni jej żądanie.

– Szanowni państwo. – Gospodyni podniosła głos, żeby zwrócić na siebie uwagę gości. – Pan Wilski przeczyta swoje wiersze, a oprawę muzyczną zapewni moja pasierbica. Mam nadzieję, że przez wzgląd na mnie wybaczycie jej pewne niedostatki warsztatu... Bardzo się stara.

Po salonie przeszedł pochlebny pomruk i goście zaczęli przechodzić do saloniku muzycznego, gdzie stał fortepian.

Adelajda siedziała już przy nim i nerwowo przerzucała nuty.

– Co mam zagrać? – spytała, dostrzegając Tytusa. Poeta posłał jej uspokajający uśmiech.

– Schumanna. *Miłość poety*.

– Dobrze. Jakie wiersze wybrałeś?

– Nie o miłości. Pouczająca rozmowa z twoim wujem skłoniła mnie, żeby wygłosić kilka politycznych tekstów – roześmiał się.

Rzuciła mu pytające spojrzenie, a potem zaczęła grać. Jak kiedyś Tytusa, tak teraz jej sztuka oczarowała całą salę. Gdy przerwała, a poeta zaczął wygłaszać swój wiersz – zaangażowany i pełen żaru – wszyscy się ocknęli, jakby z rozmarzenia.

– Wspaniały występ – pochwalił z kąśliwym uśmiechem Karol, kiedy Tytus już skończył, Adelajda odegrała jeszcze jeden utwór, a goście przestali klaskać. – Widzę, że toczy pan ze mną jakąś ideową batalię.

– Po prostu daję do myślenia – z prostotą oznajmił Wilski. – Pokazuję szerszy kontekst.

– Biedy i upodlenia jest wszędzie pełno.

– Owszem, ale zbyt wiele osób przymyka na nią oczy w imię wyższej konieczności i wydumanych idei.

– To było niezwykle inspirujące – zaszczebiotała Tunia, która pojawiła się przy nich z Lalą. – A Adelajda grała cudownie, prawda, panie majorze?

– Jestem pod wrażeniem. Pani powinna się kształcić na akademii. A może już to pani robi?

Młoda panna zaprzeczyła.

– Adelajda ma taki kaprys, że uczy się w domu – wyjaśniła Matylda. – Mój mąż na to pozwala, ale ja uważam, że współczesne dziewczęta powinny chodzić do szkoły. Zwłaszcza takie z wyższych sfer. To dobrze robi dla nabrania ogłady i stosunków w świecie.

– Może i pracować? – kpiąco dopowiedział Karol.

– Moja siostra pracuje – wtrąciła Lala. – W Ministerstwie Spraw Wojskowych przy ulicy 6 Sierpnia. Bardzo sobie to chwali.

– Ja też mogłabym znaleźć zajęcie, na przykład w dyplomacji – zapaliła się Tunia.

– Chyba jako żona ambasadora. – Karol nie mógł się powstrzymać od złośliwości.

– A czemu nie? Sądzisz, że się nie nadaję?

– Przy twojej skłonności do plotek byłoby to raczej trudne...

– Panie majorze! Niech mnie pan ratuje! Karol potrafi być taki dokuczliwy. – Tunia zwróciła się do wojskowego, który od razu zaoferował jej kieliszek szampana.

– Nastawimy płytę, a potem obejrzymy nowe szkice Kocia – zarządziła tymczasem Matylda, która dbała o przebieg całego spotkania, a Gilewicz nie mógł się już doczekać, kiedy pokaże towarzystwu swoje prace.

– Wspaniałe wiersze, bardzo mnie poruszyły – powiedziała Adelajda do Tytusa, gdy goście zaczęli wracać do głównego salonu i rozchodzić się po tarasie i ogrodzie.

– Nie miały cię zasmucić – zastrzegł.

– Nie jestem smutna – odpowiedziała szybko.

– Przecież widzę. Twoje listy także ostatnio nie były zbyt wesołe.

– Macocha chce mnie wysłać do szkoły za granicą – wyznała, a on spojrzał na nią z przestrachem.

– Na jak długo?

– Być może na zawsze. Ona szuka jakiegoś pretekstu, żeby się mnie pozbyć. Słyszałam, jak namawiała ojca na tę szkołę. On chyba przyznał jej rację, że powinnam wyjechać. Może też ma mnie już dosyć...

– Nie mów tak. Nie mogą cię tak po prostu odesłać. Jesteś prawie dorosła.

Wzruszyła ramionami. „Co z tego, że niedługo będzie dorosła?" – mówiła jej mina. Na razie nie rozporządzała sobą.

– To intryga Matyldy – dodała z wysiłkiem. – Tak jak mówił Bilczy, to medium. Chce, żebym zniknęła jej z oczu. Jak najprędzej…

– Masz ojca. On nie pozwoli ci wyrządzić krzywdy.

– Póki sam żyje – mruknęła Adelajda, a on spojrzał na nią z przestrachem. Kiwnęła głową.

– Nie myśl, że zwariowałam. Ona jest zdolna do wszystkiego.

– Jestem pewien. Tylko nie sądzę, żeby na coś takiego się odważyła.

Adelajda zaśmiała się głucho.

– Zabijać można na różne sposoby. Ja o tym wiem najlepiej. Ona codziennie stara się umniejszyć i zdusić mój talent. Wszystkim opowiada, jak niedoskonała jest moja gra, ile się jeszcze muszę uczyć.

– Zauważyłem – mruknął. – To jest niesprawiedliwe, bo grasz wybitnie i masz ogromny talent.

Uniosła głowę.

– W tej szkole nie pozwolą mi go kształcić – dodała ze smutkiem. – Słyszałam, jak macocha rozmawiała z panią, która jej poleciła to miejsce. Ponoć jest tam bardzo surowy regulamin, którego celem jest okiełznanie wszystkich niepokornych. Tak się wyraziła.

– O, czyli to jakiś zakład wychowawczy – roześmiał się gorzko. – Nie trafisz tam, bądź spokojna.

– Oby tak się stało – westchnęła. – Naprawdę nie rozumiem, za co Matylda mnie tak nie znosi. Nic jej przecież nie zrobiłam…

Tytus spojrzał na panią domu, która królowała pośród swoich gości, zbierając hołdy. Pochwyciła jego wzrok i uśmiechnęła się lekko, z zadowoleniem. Być może uznała, że przypatrywał jej się z zachwytem, ciekawością lub żeby zwrócić na siebie uwagę?

– Wszystko będzie dobrze – powiedział z przekonaniem do Adelajdy i wziął ją delikatnie za rękę. Jej dłoń lekko zadrżała. – Nie pozwolę, żeby ktoś wyrządził ci przykrość. Nigdy.

Uniosła głowę i chwilę patrzyli sobie w oczy. Oboje wiedzieli, jaka jest prawda.

Adelajda westchnęła, a w tym momencie podeszła do nich Tunia.

– Zagrasz coś jeszcze? Te płyty są takie nudne. Nena chce zaśpiewać, wyobraź sobie.

– Tak, ona się nadaje do wodewilu – ocenił złośliwie Karol, który także wyrósł niespodziewanie obok nich.

– Nena, zaśpiewaj *Nasza jest noc*, Adelajda zagra to na fortepianie – zaproponowała Tunia, puszczając tę uwagę mimo uszu.

– *Chciałabym, a boję się* – podsunął Gilewicz, który przysłuchiwał się rozmowie. Nena uderzyła go lekko dłonią w ramię.

– Słyszałam to, łobuzie! Zaśpiewam chętnie, a może Giga zatańczy tego fokstrota? To przecież jeden z jej popisowych numerów.

Wrócili do saloniku, gdzie Adelajda zaczęła grać z pamięci melodie modnych rewiowych piosenek. Robiła to brawurowo, z dużym kunsztem, a Nena śpiewała swoim niezłym głosem. Goście rozbawieni szampanem i winem zgromadzili się wokół nich, a Giga Antyka zachęcona aplauzem wykonała solo jeden ze swoich improwizowanych tańców. Nena zaczęła głośno szeptać, że Giga jest polską następczynią niemieckiej tancerki Anity Berber, znanej ze swoich szalonych tańców orientalnych, a także odurzania się chloroformem i morfiną.

– Giga też to robi – dowodziła grupce słuchaczy, którzy zgromadzili się koło niej. – I tańczy jak Anita, kiedy oczywiście jest w humorze.

– Czyli nader skąpo odziana i spożywa wówczas płatki róż nasączone eterem – dopowiedział Gilewicz z błyskiem w oczach. – Mam nadzieję, że zobaczymy taki występ… Później… W oranżerii.

– Psyt! Ciszej! – Nena rozejrzała się spłoszona, obawiając się, czy ktoś niepowołany tego nie słyszy.

Atmosfera wystawnej kolacji, która jeszcze jakiś czas temu miała poważny, artystyczny ton, gdy Tytus deklamował swoje wiersze, a Stanisławski dzielił się fragmentami najnowszej sztuki teatralnej, jaką pisał, teraz rozluźniła się i stała bardzo swobodna. Proszono Adelajdę, by grała kolejne modne melodie, rozmowy toczyły się głośno i z wybuchami śmiechu. Nastrój był wspaniały. Matylda potraktowała to jako najlepszy dowód, że wieczór udał się nadspodziewanie, więc będzie tematem do wielu plotek i opowieści. Nie zależało jej na niczym innym.

– Mógłbyś to opisać w którejś ze swoich korespondencji – rzuciła do kuzyna.

– Zamierzasz zdobyć popularność również w Berlinie? – Uśmiechnął się. – Kiedy przedstawiłem seans spirytystyczny, byłaś zła.

Cień przebiegł przez jej twarz.

– Zdradziłeś tam zbyt wiele.

– Bo napisałem, że medium przepowiedziało śmierć pana domu? Przecież skłamałem.

– I co z tego? A jeśli on naprawdę umrze, ludzie zaczną się zastanawiać, czy czegoś w tym wszystkim nie było. Takie rzeczy budzą plotki.

– Przesadzasz. Jeśli twój mąż umrze, w co nie wierzę, bo cieszy się znakomitym zdrowiem i zapewne nas przeżyje, to tylko doda ci popularności. Przepowiednia, która się spełniła. Medium, co wieszczyło trafnie przyszłe wypadki.

– Mów ciszej! Taka sława jest potrzebna tylko tobie, na pewno nie mnie. Może mi wyłącznie zaszkodzić.

– Nie sądzę. Chyba że planujesz coś niecnego. – Mrugnął do niej, a kuzynka rozzłościła się nie na żarty.

– Jak śmiesz! Lekceważysz wszystko, co powiem. Nie wiem, jak mogę ci w tej sytuacji ufać. Jesteś niepoważny.

– Nie ulegaj emocjom, Tilly. To są wyłącznie niewinne żarty. Rozumiem, że nie chcesz w ten sposób zwracać na siebie uwagi – dodał ugodowo, widząc zbliżającą się burzę. Uspokoiła się.

– Właśnie tak. Dlatego napisz coś eleganckiego. Niech wszyscy mi zazdroszczą.

– Już tak jest. Zazdroszczą ci majątku, urody, powodzenia i towarzystwa, które u ciebie bawi.

– Zatem niech zazdroszczą bardziej. Nic mnie tak nie cieszy, jak ludzka zawiść. Im jest jej więcej, tym lepiej ja się czuję.

– Jesteś bezwstydna – śmiał się cicho kuzyn, rozglądając się bacznie wokół siebie. Nikt ich nie podsłuchiwał, goście byli zajęci występem Gigi albo własną rozmową, tylko z pewnego oddalenia obserwował ich Rostworowski, z tą swoją badawczą, a jednocześnie trudną do rozszyfrowania miną. Był jednak na tyle daleko, że nie mógł pochwycić rozmowy.

– Zrobię, co zechcesz, ale liczę na gwarancję z twojej strony. – Karol ścisnął lekko dłoń Matyldy.

– Mówisz znowu o Adelajdzie? Mam nadzieję, że nie próbowałeś zniechęcić jej do siebie?

– Skoro mam być jej mężem, muszę chyba nawiązywać kontakty ze swoją wybranką.

– Na pewno nie w sposób, który najbardziej lubisz. Możesz wszystko popsuć, tłumaczyłam ci.

– A ja nie zamierzam czekać bez końca. Ten pomysł wysłania jej do szkoły z internatem... Czy to rozsądne?

Nie lepiej, żebym ja ją przekonał do siebie? Jeśli się we mnie zakocha, to wszystko stanie się prostsze, nie sądzisz? Wtedy twój mąż będzie musiał się zgodzić na ślub i sprawa sama się rozwiąże.

Pokręciła głową.

– Augustyn jest tak pochłonięty swoimi sprawami, że przeprowadzimy co trzeba w szybkim czasie. Na razie trzeba mu ją usunąć sprzed oczu. Tylko jęczy, rozczula się nad sobą i stara się obudzić jego współczucie. Jeśli wyjedzie, a jej szkolni opiekunowie zaczną słać listy z uwagami na temat jej zachowania, to i on zmieni o niej zdanie. I wtedy z łatwością owiniesz ją sobie wokół palca. Zrozum, ten mariaż ma być dla dziewczyny jak szczęśliwy los z monopolu loteryjnego.

– Nie podoba mi się, że tak to przeciągasz – rzucił obrażonym tonem. – Zupełnie jakbyś knuła coś przeciwko mnie. Tak jest?

Obruszyła się.

– To niegodziwość z twojej strony – wypaliła mu prosto w twarz. – Nie podejrzewałam cię o coś takiego.

Znowu ujął jej dłoń.

– Musiałem się upewnić. Czy jesteś mi wciąż życzliwa…

– Nie wątp w to – odparła. – Sam wiesz, ile nas łączy…

– A ile jeszcze będzie łączyło – dodał z szelmowskim uśmiechem. – Już niedługo zamieszkamy razem. Czy to nie cudowna perspektywa?

Skrzywiła się lekko.

– To wszystko jest bardziej skomplikowane, niż myślisz. Ale uda się, moja w tym głowa.

– Matyldo! Zaniedbujesz nas – odezwał się Stanisławski, który właśnie skończył popisywanie się przed Lalą Jełowicką i jej przyjaciółką i potrzebował nowej widowni.

Gospodyni podeszła do niego z uśmiechem, rzucając jednocześnie kuzynowi ostrzegawcze spojrzenie. Nie chciała, żeby za bardzo zbliżał się do Adelajdy. Dziewczyna wyraźnie go unikała i miała zapewne swoje powody – o tym Matylda była przekonana. Karol potrafił być grubiański, a nawet wulgarny, mogła się przestraszyć jego awansami. Kuzynka nie miała wątpliwości, że Mikanowski z pewnością próbował pomóc szczęściu i jakoś ośmielić dziewczynę. Mógł to zrobić tak dalece bez wyczucia, że popsułby całą misterną intrygę.

Należało zatem usunąć Adelajdę z pola widzenia zarówno ojca, jak i przyszłego męża. W konserwatywnych i pełnych dyscypliny warunkach szkoły z internatem, gdzie nie będzie miejsca na brzdąkanie na instrumencie i kaprysy, z pewnością zastanowi się nad sobą. Matylda miała nadzieję, że placówka okaże jej tyle bezwzględności, ile będzie w stanie dać. Najchętniej zamknęłaby ją w klasztorze albo pod innym czujnym nadzorem, ale to byłoby nie do przeforsowania z Augustynem. Zatem szkoła – tradycyjna i pełna zasad, z karami za przewinienia i znakomitą opinią o poziomie naukowym. Nie będzie miała czasu na głupstwa zajęta nadrabianiem braków, które nawarstwiły się podczas niezbyt porządniej domowej edukacji. A jeśli się to nie uda, będzie odstawała, gnębiona przez inteligentniejsze koleżanki, to tym lepiej. Szybciej uzna, że małżeństwo z Karolem to niewielka cena za wolność i prawo decydowania o swoim losie.

Matylda niezachwianie wierzyła w dobroczynne działanie takich intuicji na krnąbrne charaktery. Czego nie udało się wyprostować, po prostu tam łamano. Z przyzwoleniem i głęboką aprobatą stroskanej nieposłuszeństwem rodziny. Tak się właśnie poskramiało te rogate dusze.

Znowu uśmiechnęła się do siebie drapieżnie i odwróciła w kierunku Adelajdy.

– Dosyć już tych popisów. Nastawmy nowe płyty. Dopiero co sprowadziłam je z Warszawy. Znakomita jakość.

Tunia podeszła do Tytusa.

– Nie bawi się pan? Ma pan taką nieprzychylną minę, jakby się panu nie podobało.

– Wręcz przeciwnie, to przyjęcie jest urocze.

– Kłamie pan! Jeśli chce pan udowodnić, że naprawdę jest zadowolony, musi ze mną zatańczyć.

– Skoro to ma wystarczyć – mruknął Tytus, oglądając się na Adelajdę, która właśnie wstała od fortepianu i poszła przynieść płyty.

– Proszę mi nie sprawiać zawodu. – Tunia uśmiechnęła się do poety i ujęła go pod ramię.

Matylda nastawiła gramofon i rozbrzmiała muzyka z płyty.

– Prawie jak w Savoyu, tylko nie ma zespołu na żywo – roześmiała się Tunia. – Bywa pan tam? Ja przychodzę często.

– Nie. Dansingi mnie nie interesują – mruknął.

– Ależ pan jest zabawny. Taki poważny. – Tunia śmiała się, starając się, aby wszyscy zauważyli, że porwała do tańca poetę.

Wieczór zrobił się jeszcze mniej formalny i już całkiem odszedł od reguł obowiązujących w takich razach.

– Podoba mi się, że Matylda jest taka nowoczesna – szczebiotała Tunia. – Wystawna kolacja, a potem zabawa do muzyki z płyt. To przyjemne. Strasznie nie lubię tych napuszonych rautów, gdzie się tylko siedzi i robi mądre miny. Był pan już na jej ekskluzywnych przyjęciach w oranżerii?

Tytus wzdrygnął się na samo wspomnienie tego wydarzenia, ale kuzynka pani domu zinterpretowała to inaczej.

– Są wspaniałe, prawda? Trochę nieprzyzwoite, ale każdy lubi odrobinę pikanterii.

– Tuniu, teraz ja z tobą zatańczę. – Kocio wyciągnął rękę i kuzynka Matyldy, chcąc nie chcąc, zmieniła partnera. Malarz przyciągnął ją do siebie dosyć bezceremonialnie, młoda kobieta zaśmiała się perliście.

Tytus postanowił wykorzystać okazję i zniknąć jej z oczu. Szukał Adelajdy, która tak nagle zniknęła.

Może poszła do ogrodu? Pospieszył w tamtą stronę. Kiedy mijał hol, zauważył majora Rostworowskiego, który skinął na niego dłonią.

– Chciałbym z panem chwilę pomówić – zaczął wojskowy, a młody poeta obejrzał się na drzwi wychodzące na trawnik. Nie było tam Adelajdy, może odeszła gdzieś dalej albo wróciła do pokoju. – To ważne – z naciskiem powiedział major. Tytus spojrzał na niego zaintrygowany, ale poszedł za nim.

ROZDZIAŁ 4

Ostrzeżenie i rozczarowanie

Tytus i Rostworowski wyszli bocznymi drzwiami w kierunku oranżerii, gdzie major przystanął, aby wyciągnąć papierośnicę. Zapalił i chwilę delektował się dymem i smakiem papierosa Nil.

– Pan wie, że darzyłem sympatią pańskiego ojca – oznajmił wreszcie, wydmuchując wysoko dym.

– Byli panowie razem w wojsku – z pewnym zniecierpliwieniem odpowiedział poeta. Chciał odnaleźć Adelajdę, a nie wikłać się we wspomnienia frontowe dawnego kolegi swego zmarłego rodzica.

Rostworowski skinął głową.

– Owszem, i Władek kiedyś ocalił mi życie. Takie rzeczy są nie do przecenienia i nie do zapomnienia, a ja, tak się składa, pamiętam o wszystkim.

Tytus zerknął na niego zaintrygowany.

– Ojciec poległ dziesięć lat temu – szepnął. – Łapię się na tym, że coraz słabiej pamiętam jego twarz.

Rozmywa się w moich wspomnieniach, gdzieś ula-
tuje.

Major przytaknął i ponownie zaciągnął się papierosem.

– Mówię o tym, bo chcę, aby pan wiedział, że mam
dla was – mam na myśli pana, pańską matkę i siostrę –
wiele życzliwości. Dlatego chciałbym pana przed czymś
ostrzec.

Wojskowy powiedział to takim tonem, że Tytusa obleciał strach.

– Coś mi zagraża? – spytał szybko, a Rostworowski
skrzywił się lekko.

– Tego nie wiem. Jestem jednak przekonany, że
w tym domu – wskazał dłonią, w której trzymał papierosa na pałac za ich plecami – dzieje się coś dziwnego.
Niepokojącego – uściślił.

– Jakiego rodzaju? Czy chodzi o Adelajdę Korsakowską, starszą córkę właściciela? – spytał bez tchu młody
człowiek.

Teraz wojskowy przyjrzał mu się uważnie.

– Zatem zauważył to pan. Zastrzegam, że moje podejrzenia mogą być bezpodstawne, ale intuicja i ta odrobina praktyki, którą posiadłem, podpowiada mi, że trzeba się mieć na baczności.

– Adelajda uważa, że zginie w tym domu – wypalił
poeta, a Rostworowski kiwnął głową, jakby doszedł do
podobnych wniosków.

– To niewykluczone – mruknął, znowu z powagą
wydmuchując dym.

– I pan to mówi tak spokojnie? Trzeba coś zrobić! Przecież jej ktoś zagraża!

– Zauważyłem, że bardzo panu zależy na jej szczęściu – oględnie rzucił Rostworowski. – Dlatego musi pan podjąć pewne kroki... I to szybko.

– Ojciec nakłoniony przez macochę, która nie toleruje Adelajdy, chce ją wysłać za granicę do szkoły z internatem, gdzie panuje ostra dyscyplina. Dryl wojskowy.

– Macocha chce ją wydać za mąż za swojego... – Tu major chwilę się namyślał, jakiego słowa najlepiej użyć, ale w końcu zrezygnował z demaskowania tej relacji, której domyślił się w spojrzeniach, jakie sobie rzucali, i dyskretnych uściskach rąk. – Za swojego kuzyna – dokończył.

– Za Karola Mikanowskiego? – Młody człowiek był zdumiony.

– Tak. Przypadkiem usłyszałem ich rozmowę. Nie wiem, skąd taki plan, ale podejrzewam, że idzie o sprawy majątkowe. Być może chcą przejąć część należną tej młodej pannie? Tylko się domyślam, ale zazwyczaj kwestie finansowe grają najważniejszą rolę w takich intrygach.

– To niepojęte! Jej ojciec powinien się o tym dowiedzieć! Jeżeli żona spiskuje przeciwko jego córce, to i jemu może stać się coś niedobrego!

Major powstrzymał go ruchem dłoni.

– To tylko moje spekulacje oparte na tym, że umiem obserwować ludzi i czytać w nich. – Skrzywił się cierpko. – Nie mamy żadnych dowodów, że tak jest. Ojciec panny zapewne będzie oburzony takim postawieniem sprawy, a macocha i jej kuzyn wszystkiego się wyprą.

– Co zatem mogę zrobić? – Tytus spojrzał na niego z rozpaczą.

– Zdobył pan potężny oręż: wie pan, co szykują. Musi pan udaremnić ich zamiary. A jeśli jest tak, jak sądzę, i panna Adelajda jest panu bliska, wpadnie pan na dobre rozwiązanie.

– Tylko nie mam pojęcia, jakim cudem… – zaczął Wilski, ale natychmiast zamilkł. To, że major Rostworowski tak błyskawicznie domyślił się tego spisku, tylko na podstawie obserwacji, było z pewnością zagadkowe, ale przecież możliwe. Był on żołnierzem, człowiekiem obeznanym w intrygach wroga. Szokujący pomysł Matyldy nie okazywał się też tak nieprawdopodobny, kiedy bardziej się nad wszystkim zastanowić. Chciała pozbyć się pasierbicy z domu. A skoro udałoby się przy okazji położyć rękę na jej majątku i przejąć go dla swojej rodziny… To czemu nie?

Tytus nie rozumiał tak naprawdę jednego. W jaki sposób Matylda i jej okropny kuzyn zamierzają skłonić Adelajdę, aby przyjęła te zaręczyny. Przecież ona nienawidziła Karola i bała się go. Trudno uwierzyć, żeby dobrowolnie przystała na to, żeby zostać jego żoną. Nie w dzisiejszych czasach, kiedy panny miały znacznie więcej do powiedzenia o własnym losie niż przed wojną.

Siłą? Będą ją chcieli przymusić szantażem lub przemocą? Tytus przypomniał sobie scenę nad stawem, kiedy Karol pożądliwie wpatrywał się w Adelajdę i chciał jej dotknąć. Dziewczyna może zostać podstępnie schwytana w pułapkę, a kuzyn pani domu z pewnością nie zawaha się, aby ją wziąć gwałtem. Bo tego, że nie uda mu się jej omamić i oczarować swym urokiem, był pewny.

Nagle błysnęła mu inna myśl, która go przeraziła. Przecież Adelajda nawet nie zdaje sobie sprawy z uczuć, jakie Tytus wobec niej żywi. Może więc czuć się osamotniona i zdesperowana, może ulec namowom, dać się zwieść w poczuciu desperacji i opuszczenia.

Poeta nie wiedział, czy dziewczyna odwzajemnia jego miłość, właściwie sam w tym momencie zdał sobie sprawę z własnych uczuć. Pragnął tylko jednego – żeby nikt nie był w stanie wyrządzić jej krzywdy. Musiał ją chronić, i to było dla niego najważniejsze. Nawet jeśli ona darzy go wyłącznie sympatią i przywiązaniem.

– Hm, młody człowieku – mruknął major Rostworowski, gasząc papierosa. – Widzę, że zaszedł w panu jakiś przełom. Mam nadzieję, że decyzje również będą przełomowe.

– Dziękuję panu, majorze. Nigdy tego nie zapomnę.

Wojskowy poklepał go po plecach.

– Bez zbędnego patosu. I niech pan działa.

Wyrzucił niedopałek, a potem, nie oglądając się za siebie, wrócił do wnętrza domu. Tytus zadarł głowę i wpatrzył się w okno pokoju Adelajdy. Paliło się w nim światło i dziewczyna była zapewne w środku. Musiał z nią pomówić jak najszybciej. Jeśli przemknie korytarzem i szybko zniknie na schodach, nikt nie zauważy, że znalazł się w części pałacu wykorzystywanej przez domowników. Może i ta surowa ciotka go nie dostrzeże. Warto było zaryzykować.

– Co tu robisz? – usłyszał nagle koło siebie głos. Odwrócił się ze zdumieniem. Przed nim stała Adelajda.

– Szukałem cię – przyznał. – Miałem zamiar iść do twojego pokoju. Pali się tam światło. – Wskazał ręką.

Uniosła głowę, a potem przytaknęła.

– To pewnie ciotka. Czeka na mnie.

– Nie idź. Musimy porozmawiać. – Rozejrzał się wokół siebie.

– Tutaj? Może lepiej w oranżerii? Teraz tam nikogo nie ma – odpowiedziała.

Tytus rzucił okiem w stronę cieplarni. Światła były wygaszone, drzwi zewnętrzne lekko otwarte. Z pewnością ktoś tu niedawno zaglądał, ale chyba już poszedł. Skinął przyzwalająco głową i weszli do środka. Adelajda zdjęła z półki lampę naftową i zapaliła knot. Przytłumione dyskretne światło padło na jej twarz i oświetliło najbliższe rośliny. Teraz wnętrze wyglądało zupełnie inaczej, niż je zapamiętał z dziwnego kokainowego bankietu. Bardziej tajemniczo, a powietrze było ciepłe i aż gęste od rozmaitych zapachów.

– To te kwiaty. – Adelajda jakby odczytała jego myśli. – Zaczęły kwitnąć purpurowe kalie, są najpiękniejsze. Dlatego tak tu niesamowicie, jak w dżungli.

– Ponoć to same trujące rośliny. Ktoś mi mówił – wtrącił poeta. Przytaknęła.

– Chyba takie najlepiej do niej pasują – westchnęła.

– Piękno, które kryje w sobie śmiercionośną moc? Być może. Tylko że twoja macocha nie jest piękna. Nie można być pięknym, kiedy wewnątrz są tylko pustka, zgnilizna i fałsz. To zawsze przebije przez nawet najbardziej uroczą powłokę. Jedno ją z pewnością łączy z tymi kwiatami. Jest groźna.

Adelajda spuściła głowę.

– Czuję się jak w potrzasku – wyznała. – Nie chcę wyjeżdżać, ale z drugiej strony wiem, że jeśli ubłagam ojca i zostanę, ona zamieni mi życie w piekło. Ciotka mi mówiła, że radziła się już lekarza domowego, czy nie powinien ocenić mojego zdrowia psychicznego.

– Twojego zdrowia? – powtórzył Tytus.

Kiwnęła głową.

– Ciotka się przestraszyła, że będą chcieli mnie leczyć albo gdzieś zamknąć. Ty pewnie myślisz, że ja to wymyślam, że takie rzeczy się nie zdarzają… naprawdę nie wiem, czemu ona to wszystko robi.

– Może zależy jej na twoim majątku.

– Przecież ja nie mam żadnego – zdziwiła się.

– Ale kiedyś będzie inaczej.

– Ona też jest bogata. Ojciec spełnia każdy jej kaprys, ma ten dom…

– Niektórym nie wystarcza to, co posiadają, wciąż chcą więcej i więcej. Nigdy się nie nasycą.

– Ja taka nie jestem. I ty chyba też nie – szepnęła.

Przyświadczył gestem.

– Poezja to nie jest droga do dorobienia się. Ale ku wolności z pewnością tak.

– Zazdroszczę ci. Chciałabym umieć tak się przeciwstawić, walczyć o swoje marzenia. Kiedy pomyślę sobie, że może nigdy nie będę już grała… Że Matylda zmusi mnie do porzucenia tego, co kocham najbardziej. Zabierze mi moją muzykę…

– Nie musi się tak stać. Posłuchaj, Adelajdo, bo to, co powiem, może ci się wydać niepojęte…

Podniosła głowę i wpatrzyła się w niego z wyczekiwaniem. Jej oczy wyrażały strach i zagubienie. Szarpnęło nim nagłe i niespodziewane uczucie – to była z jednej strony czułość i zachwyt nad jej delikatnością, a z drugiej strony gniew na niecnych ludzi, którzy ją osaczali.

– Powiedziałaś, że nie uwierzę w pomysły twojej macochy z lekarzami, być może ze szpitalem… Jest coś, o czym się dowiedziałem od osoby godnej zaufania…

– Kogo? Ciotka rozmawiała z tobą? – zaniepokoiła się.

– Nie, ktoś zupełnie inny. Major Rostworowski.

Była zaskoczona.

– Ten oficer? – spytała niepewnie. – Jest u nas pierwszy raz, to jakiś znajomy Neny Rohockiej. Co on może o nas wiedzieć?

– Podsłuchał rozmowę twojej macochy z kuzynem.

Zbliżył się do dziewczyny i ujął ją za rękę.

– Oni oboje planują wydanie cię za mąż za Karola.

– Mam zostać żoną jej kuzyna? – nie rozumiała Adelajda. – To usłyszał pan major?

– Wiem, że to brzmi niewiarygodnie, ale Matylda mu to obiecała. Że wyjedziesz do szkoły za granicą, gdzie tak cię udręczą dyscypliną i nauką, że takie rozwiązanie uznasz za dobre wyjście z sytuacji.

Patrzyła na niego w taki sposób, jakby ta wiadomość w ogóle do niej nie docierała. Potem roześmiała się nerwowo i potarła czoło zmęczonym gestem.

– To przecież niemożliwe… Ja go nie kocham, nie chcę być jego żoną… Boże drogi, czy ty mówisz to poważnie?

– Zdaję sobie sprawę, jakie to dla ciebie niezrozumiałe. Musisz być silna!

– Przecież ojciec nigdy się na to nie zgodzi. – Dziewczynie udało się zebrać myśli. – Nie znosi Karola, uważa go za głupca. Skoro ja nie będę chciała tego związku, to oni nie mogą do tego doprowadzić, prawda?

– Są przebiegli. Zapewne myśleli, że skłonią cię do tego po dobroci, wywierając odpowiedni nacisk. Może on miał przed tobą odgrywać rolę zbawcy, który wyzwoli cię z opresji? Nielubianej szkoły lub jakiegoś zakładu leczniczego? Nie wiem, co zamierzali, i nie będę tego rozważał. Ważne, że jesteśmy przygotowani i znamy ich plan. Możemy go udaremnić.

– W jaki sposób? Chcesz z nimi pomówić? Uświadomić im, że przejrzałeś ich podstępy?

Pokręcił przecząco głową.

– Twoja macocha jest sprytna. Zaprzeczy wszystkiemu i będzie działać ostrożnie…

– Mój Boże! – Adelajda ukryła twarz w dłoniach. – Co ja mam teraz zrobić? Wolę już jechać do tej szkoły i tam zostać. W perspektywie wydaje mi się to lepsze niż małżeństwo z Karolem… Jak to strasznie brzmi! Nienawidzę go. Jest okropny.

– Posłuchaj mnie, Adelajdo. Jest pewne rozwiązanie…

– Jakie? – Uniosła oczy i wpatrzyła się w niego z nadzieją.

Poruszył się niespokojnie.

– Mogłabyś… Moglibyśmy – odchrząknął, nie wiedząc, jak ma powiedzieć to, co nagle przyszło mu do głowy. Jak ona to odbierze? Może też odrzuci z niechęcią? Zawiesiła na nim pytający wzrok, więc musiał dokończyć. – Zrozumiem, jeśli to nie będzie ci w smak. Nie myśl, że knuję coś niecnego, bo mam na uwadze wyłącznie twoje dobro… Choć wiem, jak to wszystko może wyglądać. Jestem szczery.

– Mam ją podać do sądu? – spytała drżącym głosem. – Tylko na jakiej podstawie? Czy cokolwiek tym zdziałam?

– Nie chodziło mi o to. Pomyślałem, że moglibyśmy się zaręczyć. To do niczego nie zobowiązuje, nie musisz za mnie wychodzić za mąż – zapewnił, widząc jej wzrok. – To ma cię uchronić, przynajmniej na pewien czas. Przemyśl to, proszę, jeśli się zgodzisz, pomówię z twoim ojcem, może to rozwiąże tę sytuację…

– Chcesz, żebym została twoją narzeczoną? – spytała cichym głosem. – Bo litujesz się nade mną i jest ci mnie żal? – W jej tonie pobrzmiewały zawód i zniecierpliwienie.

Przestraszył się.

– To nie tak… Spróbuję ci to wyjaśnić…

– Nie potrzebuję łaski – powiedziała twardo. – Może nie zauważyłeś, ale ta propozycja… Ona mnie poniża bardziej niż intrygi macochy i jej kuzyna.

Tytus przygryzł wargi i zbliżył się do niej. Potem położył jej dłonie na ramionach i zajrzał w oczy.

– Ty naprawdę nie pojmujesz? Zależy mi na tobie. Jesteś jedyną osobą, której mogę powierzyć każdy sekret, każdą tajemnicę. Przecież musisz wiedzieć, jak wiele dla mnie znaczysz. Nigdy nikt nie był mi tak bliski jak ty.

– I dlatego chcesz mnie prosić o rękę? – spytała cicho.

– Nie tylko dlatego – zapewnił ją i chciał jeszcze coś wyjaśniać, ale kiedy zobaczył jej wzrok, zamilkł.

– To nie jest wielkoduszność ani współczucie. Nigdy w tym nic takiego nie było. Próbuję ci powiedzieć, że ja…

– Dajmy temu spokój – przerwała mu twardo. – Nie przyjmę litości od nikogo, a zwłaszcza od ciebie.

– Wiem, że to źle zabrzmiało i żadne tłumaczenie tego nie naprawi – odezwał się ze smutkiem i rezygnacją. – Chcę tylko, żebyś pamiętała, że zawsze jestem blisko. Możesz się do mnie zwrócić po pomoc. Nie pozwolę cię skrzywdzić. Nigdy. Choćbym miał za to zapłacić jakąś niewyobrażalną cenę.

Patrzyła przez chwilę na niego, a potem odwróciła wzrok, co zraniło go jeszcze bardziej niż słowa, które wypowiedziała. Bo właśnie to najbardziej odebrało mu nadzieję.

– Muszę już iść. Ciotka na pewno mnie szuka i się niepokoi.

– Poczekaj. – Zatrzymał ją gestem. – Nie chcę, żebyśmy rozstawali się w ten sposób. Musisz mi obiecać, że jeśli zacznie się dziać coś niepokojącego, zawiadomisz mnie. To telefon do domu i do mego szwagra, do którego mam wielkie zaufanie. On pracuje w Ministerstwie Spraw Zagranicznych, przekaże mi każdą wiadomość od ciebie. Zjawię się tu natychmiast, żeby ci pomóc. – Wyjął notes i zapisał jej dwa numery. Wzięła kartkę i skinęła głową.

– To ci mogę przyrzec. Wiem, że jesteś moim przyjacielem – dodała głucho, jakby dziwiąc się brzmieniu tego ostatniego słowa.

– Tak – przyświadczył. – Jestem nim i nigdy w to nie wątp. Będę dalej do ciebie pisał, spróbuje też zadzwonić.

Zgodziła się gestem, a potem ścisnęła jego dłoń.

– Dziękuję – powiedziała cicho.

– Nie myśl o mnie źle – wypalił z rozpaczą.

Od strony pałacu zbliżały się jakieś głosy, więc Adelajda czmychnęła w kierunku drzwi.

Tytus nie wyszedł z oranżerii. Opadł na ulubiony fotel Matyldy i pogrążył się w myślach. Wiedział, że stało się tutaj coś złego, co trudno będzie naprawić.

CZĘŚĆ VII

Warszawa, 2019 rok

ROZDZIAŁ 1

Meandry pamięci

Im bardziej zbliżała się urodzinowa impreza babci i matki, tym Róża czuła większe zaniepokojenie. Przygotowania dobiegały końca, wszystko dopięto na ostatni guzik, właściwie nie było możliwości, aby coś poszło nie tak. I właśnie to martwiło dziewczynę najbardziej – że w obliczu tak wielkich starań wysypie się coś drobnego, co całkowicie zrujnuje całość.

– Czy ty aby nie przesadzasz? – zgłosiła swoją obiekcję Bea, kiedy Róża powiedziała jej ze szczegółami o swoich obawach. – Gdyby to dotyczyło kogoś innego, doradziłabym wizytę u specjalisty – dodała przyjaciółka. – Ale ponieważ idzie o ciebie, a ja znam twoją matkę, to ponownie ci mówię: wrzuć na luz. Twoje nerwy nic nie dadzą, a zniszczą ci wątrobę. Nie uprzedzisz szeregu nieprzewidywalnych sytuacji i nie zapobiegniesz każdej katastrofie. Musiałabyś każdemu z gości dać środek na uspokojenie albo zapiąć go w kaftan, bo nie jesteś w stanie nawet wyobrazić sobie, co dziwnego może zrobić i jak się zachować. À propos kaftana, jak tam uroczy Maks? Zdaje się, że matka zleciła ci, aby go pilnować na przyjęciu?

Róża zmarszczyła brwi. Maks ostatnio się do niej nie odzywał, prawdopodobnie postanowił naprawić stosunki z Nataszą i jednocześnie nie dawać swojej dziewczynie powodów do złości. Być może nawet porzucił sprawę rodziny z Łabonarówki albo zwyczajnie stracił do niej serce? Już nie od dzisiaj Maks zachowywał się impulsywnie i niezrozumiale. Jednego dnia nastawiony entuzjastycznie i niecofający się przed niczym, a kolejnego tracący zainteresowanie i obojętny.

Tak się stało, gdy zadzwoniła do niego z wiadomościami, które zebrała na temat Tytusa Wilskiego. Wysłuchał jej spokojnie, nie zadał ani jednego pytania, jakby to, co ustaliła w Bibliotece Narodowej, było mu doskonale znane, a potem bąknął coś, że jest zajęty, musi się spotkać z Nataszą, i rozłączył się właściwie w pół słowa.

Zirytowało ją to i zdezorientowało. Nie wiedziała kompletnie, na co może liczyć z jego strony. Zajmował się tą sprawą wyraźnie z doskoku i być może to, co kiedyś zaczęła podejrzewać – że szukał dobrego tematu, aby wrócić na dziennikarski rynek, i chciał zwyczajnie wykorzystać ją i jej babcię – jest prawdą. Kiedy jednak sprawy nie poszły w spodziewanym przez niego kierunku, zniechęcił się i zaniechał wszelkich działań.

„I dobrze" – pomyślała. „To jest nasza sprawa. Rodzina Korsakowskich to moja historia i nie powinien w ogóle się do tego zbliżać".

Teraz więc, kiedy Bea o nim wspomniała, poruszyła tylko ramionami.

– On ma swoje problemy – zbagatelizowała. – Nie sądzę, żeby zainteresował się naszą imprezą. Zdaje się, ratuje relację ze swoją dziewczyną.

– Och, to ma roboty po uszy! – Przyjaciółka skrzywiła się wymownie. – Już ona mu starannie zajmie czas. Nie będzie miał kiedy psuć waszego bankietu.

– Przecież i tak nie będzie obecny.

Bea pokręciła głową.

– Nie znasz ostatniego pomysłu swej matki. Doszła do wniosku, że zaprosi Niezwińskich. Całą rodzinę. Bo tak wspaniale zorganizowali jubileusz.

– O nie! – mruknęła Róża, a przyjaciółka zamachała rękami.

– To nie jest jeszcze takie straszne.

– A co jest? – spytała Jabłonowska z niepokojem.

– Dorota postanowiła zaprosić również Taksińskiego. Przed chwilą dzwoniła z prośbą o jego adres, żeby mu wysłać zaproszenie.

– Czy ona oszalała? Co to za kretyński pomysł? – Róża nie mogła wyjść z osłupienia. Oczywiście matka nie raczyła się jej poradzić w tej sprawie. Gdyby coś powiedziała, mogłaby jej wspomnieć, jak to artysta czaił się pod jej domem i porządnie ją wystraszył.

– Poczytała o nim i uznała, że taki gość ubarwi imprezę.

– To z pewnością! Zwłaszcza jak wpadnie w szał, bo ktoś go urazi. Mam nadzieję, że mama nie wyobraża sobie, że również jego będę pilnować?

– Trudno powiedzieć, ale doradzam, żebyś zamówiła więcej kaftanów bezpieczeństwa, ewentualnie dogadała się z tą Nataszą w sprawie jakichś środków farmakologicznych.

– Cudownie się zaczyna ta zabawa. Będę biegać po terenie ze strzykawką i unieszkodliwiać uciążliwych gości.

– Sugeruję gumowy młotek. Pukniesz delikwenta w czaszkę i załatwiony. Trwałej szkody nie odniesie, a zostanie ogłuszony.

Róża uśmiechnęła się, ale była rozdrażniona. Matka jak zwykle stawiała ją w trudnej sytuacji i kompletnie nie liczyła się z jej zdaniem. Owszem, była to impreza Doroty, ale powinna choć porozmawiać z córką na ten temat. Jeśli Róża myślała, że cokolwiek zmieniło się w jej zachowaniu, myliła się. Rodzicielka wciąż była taka sama.

Westchnęła, a Bea poklepała ją po ramieniu.

– Nie upadaj na duchu, ułoży się. A w każdym razie niedługo będziesz miała to z głowy, a to też jest jakaś pociecha.

Róża nie takiej rady potrzebowała. Szczerze mówiąc, czuła wyłącznie napięcie i złość, nie czekała na ten jubileusz z ciekawością i nadzieją. Jak na obowiązek, nie przyjemność. I było jej z tego powodu przykro, ze względu na babcię.

Odwiedziła Ginę znowu niedawno, żeby przekazać ostatnie wieści na temat urodzin. Babcia słuchała jej nieuważnie, tym razem była jakaś obca, nieobecna i momentami niedostępna. Jakby zupełnie nie dbała o to, co ma się wydarzyć w najbliższej przyszłości. Wnuczka mówiła więc przez pewien czas, a właściwie monologowała, bo Gina nie zadała ani jednego pytania, nie wtrąciła żadnej uwagi, a potem zamilkła.

– Dobrze się czujesz, babciu? – spytała po chwili, a starsza pani, która do tej pory wyglądała melancholijnie przez okno, zwróciła wzrok w jej stronę.

– Wspaniale, moje dziecko. – Wysiliła się na uśmiech. – Po prostu mam wrażenie, że czas mnie znienacka dogonił. Nigdy nie odczuwałam tego tak wyraźnie. Wszystko się dla mnie kończy i w sumie nie mam o to żalu. Miałam dobre życie.

– Na pewno miałaś wspaniałe życie, ale przecież ono trwa i tak jeszcze będzie długo. – Róża nie wiedziała właściwie, jak zareagować, więc do głowy przyszedł jej taki banał.

Babcia poklepała ją uspokajająco po ręku.

– Nie martw się. Tak jakoś mnie naszło, gdy opowiadałaś o tym przyjęciu.

– Nie masz ochoty? – zaniepokoiła się wnuczka.

Gina zaprzeczyła gestem.

– Nawet jestem trochę ciekawa – przyznała. – Ale jednocześnie boję się tam wrócić.

– Rozumiem. Wspomnienia. Nie zawsze przyjemne.

– Nie o to chodzi. Po prostu Łabonarówka urosła dla mnie przez te lata do rangi miejsca prawie mitycznego. Wciąż myślałam, jak tam było, i ten dom zaczął mi się wydawać jakimś niesamowitym, wręcz bajkowym zakątkiem. Takim, za którym się tęskni, nawet jeśli trochę się go boi, ale który jest nieosiągalny. Pozostanie tylko w snach i marzeniach. I może tak właśnie powinno być?

Zamilkła, a Róża nie wiedziała, jak skomentować te słowa. Po chwili babcia ocknęła się z zamyślenia i zerknęła na zdjęcie przedstawiające Matyldę i dwie córki Korsakowskiego przy samochodzie.

– A co tam słychać u tego młodego człowieka, z którym tu przyjechałaś? Przyznam, że mi się spodobał: inteligentny, przystojny i z klasą. To chyba miła znajomość, prawda?

Wnuczka wydęła wargi. „Miła znajomość" na określenie ich wzajemnych relacji to nie było dobre określenie. Raczej „pokręcona" albo „pełna sprzecznych sygnałów". Nie chciała jednak wciągać Giny w te rozważania.

– Jak słusznie zauważyłaś, to tylko znajomość. Maks ma dziewczynę, lekarkę, i teraz głównie nią się zajmuje.

– Szkoda. – Babcia poruszyła się na fotelu, ale nie wyglądała, jakby szczególnie ją to zmartwiło. – Sympatycznie mi się z nim rozmawiało, miałam nadzieję, że jeszcze mnie odwiedzi.

– Być może spotkasz go na jubileuszu. Pamiętasz, jest synem obecnych właścicieli Łabonarówki, a z tego, co wiem, mama ich również zaprosiła.

– Syn właścicieli – powtórzyła Gina i znowu się zamyśliła. – Nie wiesz może, o czym ostatnio rozmawialiśmy? Jakoś mi to umknęło.

Róża spojrzała na nią z troską. Dyrektorka Wrzosowego Zakątka najwyraźniej się nie myliła – te problemy z pamięcią narastały u babci skokowo. Po okresie względnie dobrej formy następowało widoczne pogorszenie. Martwiło ją to.

– Mówiliście ogólnie o rodzinie Korsakowskich – zaczęła więc ostrożnie. – Maksa ciekawiła przeszłość pałacu.

– Ach, o tym – mruknęła starsza pani. – Prawie nic nie pamiętam z tamtych czasów. Myślę, że na moje własne wspomnienia nałożyły się opowieści Bisi...

– I Adelajdy – podsunęła wnuczka.

Babcia machnęła ręką.

– Wiesz, że moja siostra nie lubiła poruszać tego tematu? Zupełnie jakby Łabonarówka była dla niej jakimś nienawistnym miejscem.

– Może tak właśnie było? – zadumała się Róża. – Chyba nie czuła się tam zbyt szczęśliwa. Trafiła do szpitala... – Zerknęła na babcię, żeby zobaczyć, jakie te słowa wywrą na niej wrażenie. Starsza pani skrzywiła się teatralnie, a potem uniosła wzrok.

– Każdy jest kowalem swego losu – powiedziała sentencjonalnie. – I Adelajda doskonale wiedziała, co robi i jakie mogą być konsekwencje.

– Wysłano ją do szpitala, bo się zakochała? – podsunęła Róża, a Gina zerknęła na nią ze zdumieniem.

– Kto ci takich bzdur naopowiadał? Zakochała się, dobre sobie! I jeszcze w kim? Może w Tytusie Wilskim? Cała ta historia, jeśli chcesz znać moje zdanie, była grubymi nićmi szyta. Adelajda po prostu kaprysiła i była nieznośna. Nigdy się to zresztą nie zmieniło.

– A Tytus Wilski? Co się z nim stało? – Róża nie zamierzała zmarnować takiej okazji.

Babcia machnęła ręką.

– Różnie opowiadano. Że wyjechał, a potem przepadł bez śladu. Że walczył we Francji w ruchu oporu i zginął. Że przedostał się do Portugalii, a potem wyjechał do Stanów Zjednoczonych i zerwał całkowicie kontakt z rodziną. Ja wierzę tylko w ten wyjazd za morze.

– Dlaczego?

– Bo to był okropny człowiek. Bisia mi mówiła. Chciał zagarnąć majątek Korsakowskich. – Przechyliła się przez poręcz do wnuczki i szeptała teraz konfidencjonalnie. – Wymyślił jakąś chytrą intrygę, żeby pozbawić rodzinę pieniędzy. Był wyrachowany i zły. Być może przez niego papa się zastrzelił? Kiedyś dużo o tym myślałam i sądzę, że to prawdopodobne. – Wyprostowała się w fotelu i spojrzała na Różę triumfalnie.

– Pradziadek zabił się, bo poeta chciał go oszukać? Wilski doprowadził Augustyna do bankructwa? W jaki sposób? Przecież to niemożliwe, on się nie znał na złożach ropy i gazu, nie miał pojęcia o interesach! – Wnuczka wpatrzyła się w babcię zdezorientowanym wzrokiem. Ta historia wydawała jej się tak nieprawdopodobna, jak żadna inna opowiedziana przez Ginę.

Ona poruszyła lekceważąco ramionami.

– Nie wiem. Byłam mała. Ale ciotka Bisia mówiła mi, pamiętam, to już było za okupacji, jak się gorzej poczuła i myślała, że umrze, o pewnej rozmowie Tytusa z mamą. Okropnie się kłócili.

– O co? – spytała Róża bez tchu.

– O pieniądze. On ją szantażował. – Ostatnie słowo wypowiedziała dobitnym szeptem. – Taki to był z niego artysta i wrażliwy człowiek. Hochsztapler. Łowca posagów i cudzych majątków.

– Ale czemu miałby szantażować Matyldę? I czym?

Babcia znowu wykonała bagatelizujący gest.

– Ludzie plotkowali, nawet w czasie wojny to do mnie docierało z różnych kręgów, że on szaleńczo kochał się w mamie. Jak wszyscy zresztą. Sama mam takie przebłyski z dzieciństwa. Mama zawsze otoczona przez różnych panów, którzy składają hołdy jej urodzie. Był tam taki malarz, Gilewicz, zginął na początku wojny, we Lwowie. Pojechał tam, bo liczył, że zawierucha go ominie. Biedny głupiec. Sowieci dorwali go szybciej niż Niemcy. Malował takie dziwaczne obrazy, wzorował się chyba na Witkacym. Miały przedstawiać wewnętrzne pejzaże czy coś takiego. Jeszcze w Warszawie przed wojną wspominał coś w mojej obecności, że mama była jego muzą. Jestem pewna, że się w niej zadurzył. Tak samo jak ten satyryk, co pisał do kabaretów… Jak on się nazywał? Jakoś mi to umknęło…

Róża odchrząknęła, bo choć wszystko, co mówiła babcia, było ciekawe i rewelacyjnie nowe, trochę odbiegły od głównego tematu.

– A Tytus Wilski? Czy coś wydarzyło się między nim a prababcią?

Gina spojrzała zgorszona.

– No jakże to możliwe? Miała przecież męża i dziecko! No i pasierbicę na wychowaniu. Ona, moja droga, była prawdziwą damą, znała zasady.

– Co nie oznaczało, że nie mogła ich łamać. A przynajmniej nagiąć. – Róża się uśmiechnęła.

Babcia pokręciła przecząco głową.

– Mama zawsze była *correct*, nigdy o tym nie zapominaj. Wypełniała swoje obowiązki wobec rodziny. Prawdziwa dama w każdym calu.

– Damy też miewają romanse – upierała się Róża, a Gina zerknęła z rozdrażnieniem.

– Ale nie ona! Jak możesz nawet to podejrzewać. – Babcia się rozzłościła, więc wnuczka postanowiła załagodzić sytuację.

– Oczywiście. Nie miałam nic złego na myśli. Ale skoro ludzie wspominali o jakimś zauroczeniu…

– To on był zauroczony nią – przerwała Gina stanowczo. – Być może to była jakaś obsesja.

– I tym ją szantażował? Straszył? O to się pokłócili?

– Ciotka wyraźnie mówiła, że poszło o pieniądze. Być może chciał ją skompromitować, tacy ludzie nie cofną się przed niczym. Są pozbawieni skrupułów.

Róża patrzyła na nią w zamyśleniu.

– Ale Wilski, o którym czytałam, był prawdziwym poetą. Zajmowała go wyłącznie własna twórczość, żył tym. Ty przedstawiasz taki obraz, który jest niepodobny do niczego, co wcześniej poznałam.

Gina roześmiała się triumfalnie.

– Niektórzy potrafią dobrze się maskować. Mówiłam ci.

– A Adelajda? Czemu trafiła do szpitala? Też z powodu intryg Tytusa?

Babcia nie dała się jednak podejść.

– Do szpitala? Przez niego? Skąd takie przypuszczenia i kto ci to powiedział? Adelajda wyjechała do szkoły. Do szkoły – podkreśliła raz jeszcze dobitnie. – I w ogóle nie chcę już o tym mówić. Zdenerwowałaś mnie tylko – poskarżyła się i położyła dłoń na piersi. Wnuczka ponownie się przelękła.

– Przepraszam. Nie chciałam cię zasmucić. Może kogoś zawołam?

– Nie zasmuciłaś mnie i nikogo nie wołaj. Przynieś mi tylko z kuchni pół filiżanki kawy. Wiesz, jak się na to mówiło przed wojną? Pół czarnej. Taką kawę piło się w Ziemiańskiej… Cudowne czasy! Kuzynka mamy, Tunia Rolska, często tam chodziła, opowiadała mi. A Adelajda kiedyś w Adrii rzuciła futro na podłogę, żeby ogrzać sobie stopy. Pół Warszawy o tym mówiło, bo obecny był również minister Beck z żoną, i to był skandal.

Gina mówiła coraz ciszej, aż w końcu zamilkła i wpatrzyła się w okno niewidzącym wzrokiem. Najwyraźniej błądziła gdzieś po meandrach swoich wspomnień. Cisza przedłużała się, Róża miała wrażenie, że starsza pani zasnęła, bo przymknęła oczy.

– Babciu? – spytała cicho. – Mam iść po tę kawę?

Gina otworzyła oczy.

– Po jaką kawę? – spytała z zaciekawieniem.

– Przed chwilą mówiłaś, żeby ci przynieść pół czarnej.

– To niemożliwe! Ja nie pijam kawy. Szkodzi mi na żołądek. Wolę herbatę, zawsze tak było, przecież wiesz.

– Właśnie i to mnie zdziwiło. Pamiętasz, o czym mówiłyśmy? O twojej siostrze Adelajdzie, mamie i Tytusie Wilskim…

– Naprawdę? – Babcia utkwiła w niej wzrok. – Uleciało mi to… Zresztą to przeszłość, nieważne… Napijmy się herbaty, trzeba po nią zejść na dół, i opowiesz mi, co tam u ciebie słychać. No i czemu nie przywiozłaś ze sobą tego sympatycznego młodzieńca, który był tu ostatnim razem.

Róża spojrzała na nią z westchnieniem i splotła nerwowo palce. Gina znowu myliła i plątała wszystko. Ile zatem prawdy, a ile zmyślenia znalazło się w jej opowieściach? Jak trafić na właściwy wątek i rozwikłać wszystkie tajemnice? Nie miała pojęcia. Wiedziała też, że zapewne Maks nie będzie skłonny jej pomóc, skoro zamierzał pogodzić się z Nataszą, a porzucenie tej sprawy było jej warunkiem, aby ten związek mógł trwać.

– Nastawmy sobie płytę Ady Nirskiej – zaproponowała znienacka babcia, a wnuczka uniosła głowę. – Zawsze lubiłaś słuchać jej piosenek – dodała, widząc jej wzrok.

– Owszem. Ale miałam wrażenie, że ty masz wiele żalu do swojej siostry...

– Żalu? Niby o co? Gdyby nie ona, nie przeżyłabym tej wojny. Tylko byłam wówczas zbyt głupia, aby to zrozumieć. A teraz idź już po tę herbatę, może dołożą nam ciasta, jeśli uśmiechniesz się do pani Kasi. A ja poszukam płyt. Chyba mam je w tamtej szafce... Albo na konsolce... Muszę sprawdzić.

– Przyniosę podwieczorek, a potem sama poszukam – zaproponowała Róża, wciąż zerkając na starszą panią z niepokojem. Nie podobały jej się te nagłe zmiany nastroju. Te przeskoki i luki w pamięci. To było zastanawiające i dziwne. Musiała o tym koniecznie z kimś pomówić.

ROZDZIAŁ 2

O czym się nigdy nie rozmawia

– Przesadzasz. – Matka odwróciła się, żeby zamówić jeszcze kieliszek wina. Ostatnio snobowała się na różowe wina z Prowansji. Nie wiadomo, czemu tak, bo ogólnie nie lubiła Francji i nigdy tam nie jeździła. Uważała, że kraj, w którym nie może się dogadać, jest skreślony na starcie. Poza tym nie znosiła owoców morza, których na Lazurowym Wybrzeżu było zatrzęsienie. Kelner natychmiast pojawił się i dolał jej z butelki z wizerunkiem flaminga na etykietce.

Rozmawiały o babci, a właściwie o jej problemach zdrowotnych, i Róża przedstawiła swoje obserwacje. Nie wprowadziła matki oczywiście w szczegóły rozmowy, tylko zostawiła dla siebie ustalenia w sprawie domniemanych losów Adelajdy i jej pobytu w szpitalu. Zamierzała jednak przy okazji pociągnąć matkę za język. Przecież to niemożliwe, żeby Dorota nic nie wiedziała na ten temat.

– Jest tak, jak mówiła ta dyrektorka. Babcia się osuwa w jakąś mgłę. Czasami jest lepiej, a potem następuje regres. I to za każdym razem gwałtowniejszy.

– Dramatyzujesz. – Matka upiła z kieliszka. – Ja niczego takiego nie zauważyłam. Wręcz przeciwnie, ostatnio bardzo się poprawiła. Była zadowolona, wypytywała o przyjęcie, cieszyła się. Podbudowało mnie to. Przedtem martwiłam się tym, co powiedziała ta babka z ośrodka, teraz się uspokoiłam, a ty mnie znowu próbujesz nastraszyć.

– Może to była właśnie ta chwilowa poprawa, po której zrobiło się dużo gorzej? Ja byłam u niej i zaobserwowałam zjazd.

– A może ty chcesz to tak widzieć? – Matka wycelowała w nią palec oskarżycielsko, a Róża się obruszyła.

– Nie, to ty przymykasz oczy, bo tak ci jest wygodniej – zawyrokowała.

Dorota znowu upiła łyk wina.

– Możliwe, że masz rację – powiedziała niespodziewanie. – Ale na razie przecież nic niepokojącego się nie dzieje. Nie bardziej niż zwykle – uściśliła. – Zajmiemy się tym po przyjęciu. Po prostu zostawmy to chwilowo, jak jest.

Córka nabrała tchu i wpatrzyła się w nią z potępieniem. Matka miała pełną świadomość sytuacji, ale zwyczajnie nie dopuszczała do siebie pewnych faktów.

– Mamo… – zaczęła, a Dorota zamachała rękami.

– Nie będziemy niczego rozgrzebywać. Żadnego denerwowania babci, wypytywania i diagnozowania. Musi mieć spokój. Bardzo cię o to proszę.

Róża znowu poczuła się fatalnie. Jakby specjalnie szkodziła babci, a przecież chciała wyłącznie jej pomóc. Matka jak zwykle potrafiła wszystko tak wykręcić, że wzbudzała w niej poczucie winy. W tym była bezkonkurencyjna.

– Nie rozumiem, dlaczego zaprosiłaś Taksińskiego – rzuciła więc oskarżycielsko, a Dorota przybrała minę niewiniątka.

– Myślałam, że go lubisz.

– Jak psy dziada w ciemnej ulicy – mruknęła córka, używając starego, dobrze znanego w rodzinie powiedzonka, na które matka od razu zareagowała śmiechem.

– No proszę cię – zbagatelizowała. – Doszłam do wniosku, że to się przysłuży twoim interesom. Taki znany twórca, przywiążesz go do swojej galerii. Będzie ci zobowiązany.

– Nie boisz się? Zawsze są z nim jakieś krzywe akcje.

– W jakim sensie? Mnie nie wydawał się groźny. Raczej taki trochę gamoniowaty i przewrażliwiony na swoim punkcie, a to może dać zabawny efekt.

– Jak dla kogo. Wiesz, że kiedyś czaił się pod moim domem? Kompletnie nie wiem, o co mu chodziło, ale przelękłam się.

– Żartujesz? – Matka była zniesmaczona. – Może zjawił się tam przypadkiem, a ty jesteś przeczulona?

– Wcale nie. Nakryliśmy go tam z Maksem, tłumaczył się debilnie, właśnie w tym stylu, że przyszedł na spacer, ale to niemożliwe, bo krył się w bramie i rozglądał jak agent specjalny.

– Z Maksem? – Doroty nie obchodziło, że córkę podglądał jakiś być może niezrównoważony facet, ale jej uwagę zwróciła ta druga kwestia. – Nie miałam pojęcia, że się z nim spotykasz.

– Bo się nie spotykam. Podwiozłam go do Łabonarówki po kłótni z dziewczyną. Zresztą sprawa nieaktualna, bo się pogodzili.

– Jaka sprawa jest nieaktualna? O czym ty gadasz? Róża, ty nie wchodź między nich, ja ci dobrze radzę. W ogóle trzymaj się od niego z daleka.

– O, proszę. To coś nowego. – Córka przechyliła się nad stołem i spojrzała na matkę. – A są jakieś przyczyny tej nagłej troski o mnie?

– Rozmawiałam z jego matką…

– Macochą…

– Jak zwał, tak zwał. Ucięłyśmy sobie pogawędkę. Była zaniepokojona. Teraz już rozumiem, chodziło zapewne o tę podwózkę, widziała was razem i poskładała klocki.

– To nie było nic takiego, zwykła przysługa. Zdarzenie bez konsekwencji.

– Dla niej widocznie wyglądało to inaczej. Mniejsza z tym. Mówiła, żebyś na niego uważała.

Róża uniosła pytająco brwi, a potem prychnęła.

– Bo co? Bo to niebezpieczny psychopata i coś mi zrobi?

Matka poruszyła ramionami.

– Niewykluczone. Urszula wspominała, że jest niestabilny i nie wiadomo, co może mu strzelić do głowy.

Właściwie tylko ta Natasza jakoś nad nim panuje, ale ona ma doświadczenie, jest psychiatrą, umie z takimi postępować.

– No nie wierzę. – Róża była zniesmaczona. – Rozumiem, że macocha nie przepada za pasierbem, ale żeby mu fundować aż tak czarny PR…

– Nie robi mu żadnej antyreklamy. Tam się coś stało na tej wojnie.

– Mamo, bądź poważna. Na wojnie zawsze się coś dzieje i my dobrze wiemy co. Ludzie giną, a dziennikarze i fotoreporterzy są tego świadkami. Nie każdy daje radę to unieść. Z tego bierze się stres pourazowy.

– Tylko że on nie był świadkiem – rzuciła matka i wpatrzyła się w nią badawczo.

– A co? Zabił kogoś? – indagowała zaintrygowana. – Brał udział w walkach? Urszula ci coś zdradziła?

Dorota ponownie poruszyła ramionami.

– Nie wiem dokładnie, była dosyć tajemnicza. Tam zginął jakiś jego kolega, też dziennikarz, i z tego, co wspomniała Urszula, Maks przyczynił się do jego śmierci. Stąd jego wszystkie problemy…

– Przyczynił się? Przecież on sam był ranny i bliski śmierci, tak mi mówiła Natasza. Co to za dziwne historie… – Róża okazała niesmak.

– Nie mam pojęcia. – Dorota się zniecierpliwiła. – Ale apeluję do ciebie o jedno: zachowaj dystans i nie daj się w to wciągnąć. Faceci z problemami to proszenie się o nieszczęście.

– Cóż za głęboka, złota myśl – mruknęła córka. – I w związku z tym zaprosiłaś całą ich rodzinę na wasz jubileusz.

Matka wykonała nieokreślony ruch dłonią.

– Nie wypadało inaczej.

– Daj spokój. Są właścicielami hotelu, który wynajęłaś. To nie twoi znajomi.

– Mieszkają w miejscu, z którym jestem w jakiś sposób związana. Uznałam, że tak będzie grzecznie. Urszula Niezwińska jest pasjonatką historii rodziny Korsakowskich.

– Jej pasierb również – podsunęła Róża.

Matka wykazała zainteresowanie.

– Tak? Myślałam, że Matylda interesuje tylko jego macochę.

– Jego ciekawi Adelajda. Wiesz, jako artystka kabaretowa, intrygująca postać dwudziestolecia międzywojennego. I oczywiście Tytus Wilski. – Zerknęła na matkę, ale nie wywołało to żadnej jej reakcji. – Słyszałaś o nim?

– O kim?

– No, nie udawaj. O tym poecie.

Matka się skrzywiła.

– Nie mam pojęcia, o czym mówisz.

– No o tym kochanku Matyldy Korsakowskiej, twojej babci. Nie żartuj, że nie wiesz. Było o tym głośno.

– Babcia Gina ci wspominała? To wyłącznie plotki. Kto by doszedł do prawdy po tylu latach? Matylda była pięknością, mąż, sama wiesz, mężczyzna, jak to się mówiło, „w latach", otaczało ją wielu wielbicieli. Nie przeczę, że mogło tam coś być... Jakiś flirt, ale czy zdrada? No sama się zastanów, czy kobieta z taką pozycją towarzyską ryzykowałaby skandal?

– Skandal zdaje się i tak był, bo pogłoski się szerzyły. Zresztą czy w takich sprawach tak naprawdę dba się o to? Gdy ponosi namiętność, opinia gra drugorzędną rolę. – Róża wzruszyła ramionami, a matka zerknęła ciekawie.

– W sumie masz rację. – Skinęła na kelnera, by przyniósł kolejny kieliszek wina. – To dawne dzieje i śmieszna moralność. Przyznam ci się szczerze, że zawsze mnie bawiło, gdy mama podkreślała, że babcia była taka cnotliwa, niczym zakonnica. Mały romansik dodaje przecież pikanterii. – Mrugnęła do córki, która się odprężyła.

– Właśnie! Zwłaszcza ze znanym poetą.

– Naprawdę nic o tym nie wiem – zapewniła Dorota. – Mama mi nic nie wspominała.

– A czy nie sądzisz, że ten romans mógł być przyczyną śmierci Augustyna Korsakowskiego?

Róża ponownie przechyliła się przez stół, kiedy dobitnie wypowiadała te słowa, a matka aż zamarła, unosząc kieliszek do ust.

– No coś ty... – zaczęła. – Niby jakim sposobem... Dziadek przecież zbankrutował. Nadszedł kryzys, stracił wszystko, moja mama niejeden raz o tym opowiadała.

– Nadszedł kryzys, stracił wszystko – podchwyciła córka. – Ale jednak ocalił dla swoich córek kamienicę w Warszawie, w której później mieszkały i która zapewniała im godziwy dochód i utrzymanie. Nie wydaje ci się to dziwne? Że nie zlicytowano i tej nieruchomości?

Matka zastanowiła się przez chwilę, a potem kiwnęła głową.

– To prawda. Kamienica przepadła podczas powstania, mama opowiadała mi dużo o tym, że wróciła po obozie do domu, a tam same gruzy. Potem państwo wszystko przejęło i się skończyło.

– Tak, znam tę historię – mruknęła Róża. – Ale ta śmierć pradziadka Augustyna... Czy nie wydaje ci się jednak dziwna?

– Samobójstwo z powodu zdrady żony? Żeby aż tak? Nie sądzę. To był mężczyzna niezwykle twardo stąpający po ziemi. Chemik i przemysłowiec, który nie ulegał porywom serca. Już prędzej zabiłby ją albo jej kochanka. – Matka roześmiała się nerwowo, a Róża uniosła gwałtownie głowę.

– Może to zrobił! – powiedziała lekko podniesionym głosem.

– Przecież Matylda umarła później i to na tę dziwną chorobę mózgu, Natasza wspominała o jakimś zakażeniu...

– Nie mówię o twojej babci, mamo, tylko o Tytusie Wilskim. Może Augustyn Korsakowski zabił w tym domu domniemanego kochanka swej żony, po którym później zaginął ślad i nigdy się więcej nie pojawił, a sam powodowany wyrzutami sumienia targnął się na swoje życie? Przyznaj, że tak mogło być.

Matka pokręciła głową z niesmakiem.

– To zbyt melodramatyczne. Naprawdę nieprawdopodobne.

– Babcia mówiła, że Tytus szantażował Matyldę. Zapewne chciał ujawnić skandal. Może groził również jej mężowi, kto to wie? A Augustyn wiedziony gniewem zrobił coś, czego do końca nie przemyślał?

Dorota przechyliła kieliszek, a potem odstawiła go i spojrzała na córkę groźnie.

– Różo, bardzo cię proszę, żebyś przestała szukać tych sensacji. Chyba ci się udzieliły szaleństwa Maksa, który też tak dramatyzuje. Rozumiem, że pasjonuje cię historia rodzinna, koniecznie pragniesz wyszukać w niej coś elektryzującego, tylko nie w trakcie naszego przyjęcia. Nie chcemy denerwować babci Giny, prawda? Skóra mi cierpnie na myśl o tym, jak ona by odebrała te twoje rewelacje, na które nie masz żadnych dowodów. Opanuj się trochę, błagam cię. Nie bądź taką egoistką. A w ogóle – do czego ci to wszystko potrzebne? Dokąd ty zmierzasz?

– Chciałabym się czegoś pewnego dowiedzieć…

– A co tutaj może być pewne? Chyba żartujesz, że po tylu latach coś ustalisz.

– Przecież babcia żyje, a ona była świadkiem…

– Miała kilka lat – przerwała matka. – I naprawdę nie mieszaj jej do tego. Przez całe moje życie nie usłyszałam od niej jednej składnej historii na ten temat. Takiej, która by się nie wykluczała wzajemnie z inną.

– I nigdy cię to nie dziwiło?

Dorota poruszyła ramionami.

– Uznałam, że ta zdolność do fantazjowania jest dziedziczna i dzięki niej mam taki talent narracyjny. Szczerze mówiąc, nigdy nie zaprzątałam sobie tym głowy. Kiedy okazało się, że działki po kamienicy nie da się odzyskać. – Zrobiła bagatelizujący gest. – Sama wiesz...

Róża kiwnęła głową. Matka po prostu zamknęła temat. Nie zdziwiła się, bo Dorota zawsze była taka – wymijała przeszkody i nie myślała o nich zbyt wiele.

– Po prostu nie rób przykrości babci Ginie. To wszystko. Przynajmniej odpuść to do jubileuszu. Potem możesz prowadzić sobie poszukiwania rodzinnych korzeni, jakie chcesz. Ja się postaram trzymać ją od tego z daleka – przestrzegła jeszcze raz, zastanawiając się, czy nie domówić kolejnego kieliszka wina, ale ostatecznie zrezygnowała. Róża zerknęła na komórkę, zasiedziała się na tym lunchu z matką, Bea zapewne czekała na nią rozeźlona w galerii, bo dzisiaj rozliczały transakcje z ostatniej aukcji.

– Muszę już lecieć, mamo. Mam sporo pracy – usprawiedliwiła się. Dorota kiwnęła głową.

– Zbieraj się. Ja jeszcze zamówię sobie coś na deser. Nie spieszę się, a mam co świętować, właśnie oddałam kolejną książkę.

– O, to gratuluję!

– Dziękuję. Dzisiaj wagary. Od jutra zaczynam myśleć nad kolejną.

Róża wstała i ucałowała ją lekko na pożegnanie. Miała trochę wyrzutów sumienia względem wspólniczki, ale kiedy weszła do galerii, okazało się, że Bea jest zajęta zupełnie czymś innym.

– Maks na ciebie czeka – szepnęła konfidencjonalnie.

Róża uniosła brwi. Przyjaciółka energicznie przyświadczyła.

– Też się zdziwiłam, ale on najwyraźniej ma jakieś fiksum-dyrdum. Przyniósł kwiaty.

– Co mu odbiło? – zdumiała się Jabłonowska, a jej wspólniczka po prostu wzruszyła ramionami.

– Mówiłam ci. Trzeba uważać. To zaburzony człowiek.

– Może Natasza nie dała się ubłagać i przyszedł do nas, żeby mu się bukiet nie zmarnował? – dodała Róża z humorem, a Bea pokiwała głową. Podzielała taką możliwość.

– Do niego wszystko jest podobne, ale na szczęście zachowuje się spokojnie. Dałam mu kawy i ogląda katalog z ostatniej aukcji.

– I dobrze, może kupi coś, co nie poszło.

– Zostały wyłącznie te metalowe rzeźby, które mają po dwa metry, i podejrzewam, że dlatego iż transport jest utrudniony – z humorem podsumowała wspólniczka.

Kiedy Róża weszła do swego małego biura, zastała tam Maksa pochylonego nad katalogiem.

– Cześć – powiedział. – Sorry, że się tak rozgościłem.

– Nie ma sprawy – zbagatelizowała, patrząc nieufnie na wielki bukiet. Złowił jej wzrok i zrobił ruch dłonią.

– Dostałem go i nie wiedziałem, co z nim zrobić. Mam nadzieję, że jakoś zagospodarujecie.

Odetchnęła.

– To dobrze. Myślałam, że przyszedłeś się oświadczyć albo coś w tym stylu – wypaliła, zanim zdążyła ugryźć się w język.

Roześmiał się wesoło.

– Chyba raczej błagać o przebaczenie. – Mrugnął do niej.

– To miałam na myśli – zapewniła skwapliwie.

– Pomyłka zapewne freudowska – odpowiedział przekornie.

– Wiesz, że ja zawsze palnę coś bezmyślnie, a potem się straszliwie wstydzę. – Machnęła ręką i uśmiechnęła się bagatelizująco, żeby wiedział, że obraca to wszystko w żart. – Kto ci dał ten wspaniały wiecheć? I z jakiej okazji?

– To wiązanka pogrzebowa – westchnął, a ona posłała mu pytające spojrzenie.

Przytaknął.

– Moja redakcja urządziła mi pożegnanie. Nie będę już tam pracował.

– Ale możesz przecież gdzie indziej – rzuciła, a on uniósł głowę.

– Tak sądzisz?

– Wiesz, jak to się mówi: coś się kończy, coś zaczyna.

– Natasza uważa, że powinienem w ogóle to odpuścić. Wiesz, zacząć prowadzić jakieś warsztaty fotograficzne, może otworzyć własną szkołę albo przyjąć posadę na uczelni, już mi to proponowano.

– No, jakieś wyjście to też jest. Zawsze możesz się zastanowić nad swoją dalszą drogą – przyznała.

– Tylko że nie ma żadnej dalszej drogi, Różo. Jest emerytura. Przestałem być fotoreporterem. Zostanę fotografikiem, co robi zdjęcia zachodów słońca i potraw na stole do książek kucharskich.

– Przestałeś być fotoreporterem wojennym – uściśliła. – A właściwie frontowym, bo wojna toczy się wszędzie i o wszystko.

– Wojna toczy się wszędzie i o wszystko – powtórzył, podając jej bukiet. – Naprawdę na niego zasłużyłaś.

– Na bukiet pogrzebowy? – spytała przekornie.

– Przeprosinowy. Nie okazałem się zbyt miły, gdy zadzwoniłaś. Byłem w trakcie załatwiania moich spraw z Nataszą.

– Cieszę się, że wszystko się udało.

– Powiedzmy. – Upił trochę kawy, a potem przerzucił jeszcze raz katalog. – I co? Doszłaś do czegoś w sprawie Tytusa Wilskiego? Wytropiłaś go?

– A możesz się tym jeszcze zajmować? – spytała z lekką złośliwością, której trochę pożałowała. Nie musiała tego robić. Nie byli wspólnikami w tym dochodzeniu i on jej nie porzucił w połowie drogi, to od początku była wyłącznie jej osobista sprawa i tak to powinna traktować.

– Sama powiedziałaś, że wojna toczy się o wszystko – zauważył zaczepnie.

– Słusznie. Zatem w Bibliotece Narodowej ustaliłam, że w końcu nie wyszedł żaden tomik jego wierszy...

– Żartujesz! – przerwał jej. – Czytałem w przedwojennych pismach zapowiedzi. Byłem pewny...

– Otóż to. Nawet publikowano reklamy. Miał się ukazać wtedy, co nowa książka poetycka Marii Kossak-Pawlikowskiej *Profil białej damy*, czyli w tysiąc dziewięćset trzydziestym roku...

– I w ogóle nie wyszedł? Jaki nosił tytuł?

– Nie mam pojęcia. Awizowano go jako debiutancki tom genialnego młodego twórcy, podgrzewano atmosferę, ale najwyraźniej nie doszło do publikacji.

– Ale nawet jeśli Wilski zniknął, to materiał pewnie był złożony do druku...

– A może jednak nie?

– Coraz dziwniejsza jest ta historia. Człowiek, który rozpłynął się we mgle, jakby wcale nie istniał, poeta, który właściwie niczego nie napisał...

– Prawda? I w dodatku rozmawiałam z babcią. Ona utrzymuje, że Tytus był hochsztaplerem i szantażystą, ponoć usiłował wydostać od Matyldy jakieś pieniądze, straszył ją, ta ciotka, Bisia, zrelacjonowała babci awanturę...

– O co poszło?

– Tego babcia nie powiedziała, twierdzi, że nie wie. Ale ja się zastanawiam, czy nie łączył ich jednak romans. I czy dziadek nie zabił poety z tego powodu, a potem sam się nie zastrzelił. Już przecież kiedyś zakładaliśmy taką wersję!

Maks spojrzał na nią z namysłem, a potem skinął głową.

– Fotografie w pudełku… Pistolet ukryty w oranżerii Matyldy… To mogłoby mieć sens! Myśmy myśleli, że
zdjęcia robił Karol, bo były tam fotki z kabaretów, a jeśli
to Tytus pokazał Augustynowi panią domu w negliżu
i coś mu opowiedział?

– Tylko kto ukrył to pudełku w cieplarni? Matylda?
Zanim zachorowała na swoją tajemniczą przypadłość?

– Przecież to nie jest wykluczone! Mogła właśnie
z tego powodu postradać zmysły. Wiedziała o wszystkim,
obwiniała się… Nie mogła się nikomu przyznać. A w dodatku nad rodziną wisiało widmo bankructwa, naprawdę
nielekkie położenie i sytuacja mocno nieciekawa.

– Tylko dlaczego Adelajda trafiła do szpitala? – Róża
wciąż nie potrafiła poskładać wszystkiego w całość.

Maks obrócił w dłoniach filiżankę z kawą.

– Może widziała coś i pozbyto się świadka? Albo coś
jej się stało? Takie sytuacje lubią się wymykać spod kontroli. – Uśmiechnął się krzywo, a Różę obleciał strach. –
Swoją drogą bardzo chciałbym przenieść się w czasie
i dowiedzieć się, co się tam właściwie wydarzyło.

– Ja też – przyznała Róża. – Wciąż mam wrażenie,
że jesteśmy bardzo blisko rozwiązania, ale coś istotnego
nam umyka.

ROZDZIAŁ 3

Feniks z popiołów

W dniu jubileuszu Doroty i Giny wszystko od rana zdawało się sprzyjać tej imprezie – pogoda była przepiękna, bez upału, ale słoneczna, niebo pozbawione chmurki. Matka, gdy Róża po nią przyjechała, wyglądała na zadowoloną.

– Weź jeszcze to i tamtą torbę, i jeszcze ten pakunek – komenderowała przy znoszeniu rzeczy do samochodu.

– Mamo, co ty masz w tych tobołach? – śmiała się córka.

– Tylko to, co potrzebne, i trochę na zapas. – Dorota wyglądała na odprężoną. – Wczoraj całe popołudnie myślałam, co się jeszcze może przydać.

– Sądziłam, że pani Urszula jest dobrze przygotowana.

– Tak, od strony organizacyjnej. Ja jestem od niefortunnych zdarzeń.

– Uważasz, że można je przeczuć?

– Ja mam taki siódmy zmysł: kłopoty wyniucham jak dobry pies tropiący. A gigantyczną katastrofę to już z daleka. Śmiem twierdzić, że dlatego odniosłam taki sukces w dreszczowcach.

Róża cieszyła się, że matka jest w tak znakomitym humorze. Szczerze mówiąc, spodziewała się ją zastać spiętą i rozdrażnioną jakimiś domniemanymi niedociągnięciami. To, co zobaczyła, było miłą odmianą.

– Tak czy inaczej – podsumowała, kiedy udało się już wepchnąć, z niemałym trudem, wszystkie bambetle matki do bagażnika – musimy się trochę pospieszyć, bo babcia na nas czeka. Jeszcze trochę i się spóźnimy po nią.

– Słusznie. A jak to mawiała Matylda Korsakowska: „w złym tonie jest nie tylko spóźniać się, ale przybywać za wcześnie do stołu. Trzeba być w sam raz".

Roześmiały się i wsiadły do samochodu.

We Wrzosowym Zakątku były „w sam raz", choć babcia Gina i tak już na nie czekała, wystrojona w nową sukienkę, którą specjalnie na tę okazję kupiła jej córka.

– Mamo! – zgorszyła się Dorota. – Miałaś się przebrać dopiero na miejscu! Będziesz tam miała swój pokój, specjalnie jedziemy wcześniej, żebyś się mogła przygotować, przyjdzie fryzjerka. Popatrz na nas, jesteśmy w zwykłych ciuchach, po domowemu.

– A ja jestem już gotowa – oznajmiła starsza pani zadowolonym z siebie tonem. – Fryzurę już sobie zrobiłam tutaj, pani Klaudia bardzo ładnie mnie uczesała – zaprezentowała się z każdej strony, a Dorota westchnęła. Miała zupełnie inne plany i matka właśnie je rujnowała.

Róża postanowiła wkroczyć do akcji.

– To znakomicie, babciu, jedna sprawa mniej. Skoro jesteś wyszykowana, to możemy jechać.

– Wspaniale. Mam nawet prowiant na drogę. – Gina potrząsnęła trzymaną w rękach torbą, która mieściła lunch box oraz niewielką butelkę termiczną.

– Nie wiem po co – burknęła jej córka. – Wybieramy się na przyjęcie.

– Nigdy nie wiadomo, co się może wydarzyć po drodze – filozoficznie oznajmiła starsza pani. – Trzeba być przygotowanym.

Róża pomogła jej przejść do auta i wygodnie umieściła na tylnym fotelu. Jej babcia była w niezłej formie i nic nie zwiastowało pogorszenia nastroju, więc wnuczka cieszyła się.

– Pogoda się udała – nawiązała do uroczystości. – Gdybyś jednak czuła się zmęczona, babciu, zawsze możesz iść odpocząć do swego pokoju.

– Tak, mamo. Po uroczystej kolacji nie musisz się wcale pokazywać, jeśli nie chcesz. To ma być przyjemność, nie obowiązek – podkreśliła Dorota.

– Och, moja droga. Takie przyjęcia to jednak są powinności – melancholijnie stwierdziła Gina, patrząc przez okno na przesuwający się szybko krajobraz. – Pamiętam, jak ciotka opowiadała mi o rautach mojej matki…

– Co mówiła? – spytała skwapliwie Róża, która nie chciała zmarnować takiej okazji.

– To były wspaniałe *soireè*, tak zawsze nazywała je mama. Bardzo stylowe i eleganckie. I spotykała się tam sama śmietanka, nie byle kto, dostać zaproszenie to było coś, moja droga!

– Wyobrażam sobie. – Róża postanowiła zachęcić babcię. – To z pewnością były wydarzenia sezonu.

– Owszem. Ciotka wspominała, że pisano o tym w poczytnych gazetach. Chyba nawet w „Bluszczu", takim niezwykle popularnym czasopiśmie z tamtego okresu ukazywały się relacje…

– Ten tygodnik chyba wychodził jeszcze parę lat temu – przerwała Dorota, lekko znudzona wymianą zdań. – Wydaje mi się, że nawet miałam tam wywiad. À propos, na przyjęciu będą różne media, w tym telewizja. Musimy się zaprezentować jak najlepiej. Dobrze by było, Różo, żebyś wspomniała coś o swojej galerii. Poprosiłam Beę, żeby przywiozła kilka obrazów…

– Niby po co? – zdumiała się córka.

Matka poruszyła ramionami.

– Wiesz, to zawsze robi dobre wrażenie. Uzgodniłam z panią Urszulą, że powiesimy je w oranżerii, zrobimy z niej taki „salonik Matyldy Korsakowskiej". Taka niby kontynuacja. Ona była animatorką sztuki, więc gdyby żyła, z pewnością nadal by się tym interesowała, i ty jesteś taką jej spadkobierczynią i inne takie bla, bla, bla dla reklamy. – Matka machnęła ręką, a widząc osłupiały wzrok córki, dodała: – No co? Moja agentka to wymyśliła. To dobry temat dla mediów. Arystokracja i takie smaczki zawsze się dobrze sprzedają.

– O tak, prasa znalazłaby tutaj niejeden smakowity kąsek – rzuciła złośliwie Róża, skręcając na drogę do Łabonarówki rozzłoszczona załatwianiem spraw za jej plecami. Teraz też pojęła pomysł zaproszenia Taksińskiego. Znany malarz miał uświetnić „salonik Matyldy" w oranżerii. Dorota poruszyła się nerwowo.

– Co niby masz na myśli?

– Doskonale wiesz. Gdyby głębiej podrążyć, można trafić na naprawdę elektryzujący skandal w rodzinie Korsakowskich. Nie brakowało tu dziwnych wypadków.

– Bajdurzysz. Samobójstwa w czasie Wielkiego Kryzysu zdarzały się często, to żadna sensacja. Zresztą kogo obchodzą sprawy sprzed stu lat? Bądź poważna, dziennikarze polują raczej na współczesne wpadki. I mam nadzieję, że nie zdarzy nam się dzisiaj nic kompromitującego. W każdym razie nic, co może zaszkodzić. Bo jeśli pomoże w karierze, to czemu nie?

Dorota była naprawdę cudownie usposobiona i Róża nie dałaby głowy, że nie łyknęła sobie jakiegoś cudownego środka na odwagę i wyluzowanie. Cokolwiek by to było, podziękowała w duchu, że matka jest w dobrym nastroju i nie zamęcza jej na każdym kroku.

Dojechały do Łabonarówki bez żadnych przygód, a Urszula Niezwińska powitała je na progu domu, najwięcej uwagi poświęcając Ginie.

– Bardzo miło mi panią gościć. Proszę się swobodnie rozejrzeć. Mam nadzieję, że odnajdzie tu pani dom ze swego dzieciństwa – zachęcała serdecznie.

Georgina nie odzywała się, tylko wpatrywała w fasadę pałacu szeroko otwartymi oczyma. Róża spoglądała na babcię i miała wrażenie, że starsza pani właśnie odbywa jakąś podróż w czasie – jej twarz wygładziła się, wzrok nabrał blasku, usta lekko drżały. Podeszła do niej i ujęła ją szybko pod rękę, jakby obawiając się, że starsza krewna może zasłabnąć. Babcia natychmiast żywo zareagowała.

– Nic mi jest, dziecko, po prostu się wzruszyłam.

– Może chce pani obejrzeć wnętrze? Odrestaurowaliśmy je wedle zachowanych relacji, dostępnych zdjęć i wskazówek konserwatora – z przejęciem tłumaczyła Urszula. – Jak pani z pewnością wie, w czasie wojny było tutaj sanatorium dla żołnierzy Wehrmachtu, a później szkoła, różne instytucje państwowe, w każdym razie z pierwotnego wyposażenia pałacu nie zostało zbyt wiele, może poza podłogami na pierwszym i drugim piętrze, które odnowiliśmy – rozgadała się, prowadząc Ginę do holu, a za nimi postępowały Dorota z Różą, która wróciła do samochodu po pakunki matki. Nagle z bocznego holu wyszedł Maks i pojawił się na parkingu zupełnie niespodziewanie, jakby cały czas obserwował ją ukradkiem.

– Pomogę – rzucił, nie siląc się na powitanie. – Moja macocha jest tak przejęta oprowadzeniem swego honorowego gościa, że najwyraźniej zapomniała przysłać tu kogoś.

– Daj spokój. Matka nawiozła tych wszystkich gratów, zupełnie nie wiem po co.

– Faktycznie. Co to jest? Abażur?

– Nie wiem. Chyba jakieś awangardowe nakrycie głowy. Ma być telewizja. Mama wychodzi ze skóry, żeby wszystko było na wysoki połysk.

– Widziałem galerię w oranżerii. Robi wrażenie.

– Nawet mi nie mów. – Przewróciła oczami. – Załatwiła to z moją wspólniczką, beze mnie. Wiedziała, że się nie zgodzę.

– Dlaczego? To dobra reklama, skoro będzie telewizja.

– Właśnie dlatego. Nie lubię takich cyrków.

Nie skomentował, tylko chwycił rozliczne paczki, na czele z pudłem z kapeluszem, i ruszył do środka. Gina stała w holu przy recepcji i podziwiała portret swojej matki. Z okazji jubileuszu przewieszono go tutaj z salonu, żeby robił wrażenie na wszystkich wchodzących gościach. Było to doskonałe posunięcie, bo obraz niesamowicie przykuwał uwagę. Georgina od paru minut nie mogła oderwać od niego wzroku.

– Wspaniała ta suknia, prawda, mamo? – rzuciła Dorota, a starsza pani przytaknęła.

– Skąd pani ma to płótno? – zwróciła się do właścicielki Łabonarówki. – Ciotka mi o nim wspominała, to rodzinna legenda, malował je kuzyn mamy, Karol Mikanowski. Byłam pewna, że portret nie został w ogóle dokończony albo że zaginął w czasie wojny…

Urszula skinęła energicznie głową.

– To niezwykły zbieg okoliczności. Mój mąż przypadkiem trafił na ten obraz. Zaraz paniom opowiem, przejdźmy może na taras albo do małego gabinetu… To dawny salonik muzyczny pani siostry przyrodniej Adelajdy, to znaczy Ady Nirskiej…

– Chodźmy na górę – mruknął Maks do Róży. – Jak Urszula zaczyna ględzić o tym obrazie, to nie da się wytrzymać...

– Sam idź, ja chcę posłuchać – sprzeciwiła się.

Wzruszył ramionami i wskazał na bagaż.

– Dobrze. Zaniosę to wszystko do pokoju twojej matki. Ale ostatni raz robię za służącego. – Uśmiechnął się krzywo. – Zaraz wracam.

Dziewczyna zaintrygowana weszła do małego saloniku, gdzie babcia i matka już wygodnie się rozsiadły przy przedpołudniowej kawie podanej przez gospodynię.

– Zatem portret... – zaczęła Gina, a Urszula skinęła głową.

– Chcieliśmy z mężem kupić jakąś posiadłość w Polsce, żeby się tu osiedlić, i Roman trafił na Łabonarówkę, a ja się zakochałam w tym domu i jego historii – powiedziała z emfazą. – Po prostu wiedziałam, że to coś dla nas. – A potem, zupełnym przypadkiem, mój mąż wypatrzył w Berlinie ten obraz... To było zrządzenie opatrzności, znak!

– W Berlinie? – powtórzyła Róża.

– Tak! To była jakaś aukcja antykwaryczna, nic wielkiego. Przeglądaliśmy katalog, właściwie dla zabicia czasu, czy się nie trafią jakieś interesujące meble z epoki, bo już intensywnie myśleliśmy o urządzeniu pałacu. Obraz był opisany jako „Dama w brązowej sukni", ale na odwrocie była sygnatura „Łabonarówka 1930", od razu domyśliłam się, że musi to być portret baronówny Matyldy Mikanowskiej. No i musiałam go mieć. Bez względu na cenę.

– Na szczęście nie był drogi – usłyszały głos Romana Niezwińskiego, który przyszedł powitać gości.

– Bardzo się cieszę – z humorem oznajmiła Gina, wyciągając do niego rękę. – To oznacza, że robi pan znacznie lepsze interesy niż mój ojciec. Nie miałam pojęcia, że ten portret w ogóle istnieje. To prawdziwy cud. Jakbym znowu zobaczyła mamę. Jestem państwu za to ogromnie, wręcz bezgranicznie wdzięczna. Jej twarz prawie zatarła się w moich wspomnieniach, mam tylko jedną niezbyt wyraźną fotografię, małą, ujęcie jest z boku. A tutaj... Po prostu olśniewający wizerunek.

Niezwińscy wymienili spojrzenia.

Roman odchrząknął.

– Chętnie zlecimy namalowanie kopii tego obrazu dla pani. Jako prezentu od nas na jubileusz pani urodzin.

– Och, nie. – Gina pokręciła głową. – Nie chciałabym sprawiać kłopotu. Moja wnuczka może wykonać zdjęcie. Teraz są tak doskonałe urządzenia, że prawie nie ma różnicy.

– Ja też mogę je zrobić w każdej chwili – odezwał się Maks, który właśnie wrócił. – Wydrukujemy je na dobrym papierze w naturalnej wielkości, jeśli tylko sobie pani życzy.

– Owszem, to byłoby doskonałe, taka reprodukcja. – Starsza pani wyraziła zgodę. – Są państwo bardzo uprzejmi.

– Mój syn z pewnością dołoży wszelkich starań – pochwalił go Roman. – Zajmuje się fotografią zawodowo.

Podoba się pani pałac? – zmienił temat, widząc spojrzenie Maksa.

– Bardzo. Przyznam, że nie odnajduję się w nim już, minęło zbyt wiele czasu, trudno tak wrócić do przeszłości, odkurzyć wspomnienia. Nie pamiętam, gdzie stały jakie sprzęty, co wisiało na ścianach, jakie dywany leżały na podłogach. Ogólny rozkład domu jest mi znany, ale jednak… – Zamilkła, rozglądając się po gabinecie z roztargnieniem.

– Tu stał fortepian, prawda? – podsunęła Róża.

– Owszem, ale ja byłam wówczas taka mała… Dziecko wszystko zapamiętuje inaczej, jako ogromne, szerokie i przepaściste. Na przykład ten pokój. Miałam wrażenie, że jest wielki, a przecież to jeden z mniejszych w tym budynku…

Wszyscy się roześmiali, a potem, po wypiciu kawy, udali na dalsze zwiedzanie. Babcia Róży oglądała z zainteresowaniem, żywo wypytywała o każdy szczegół, a Roman i Urszula byli w swoim żywiole. Ojciec Maksa opowiadał, jakie przeszkody musieli pokonać, żeby doprowadzić pałac do obecnego stanu.

– Droga przez mękę, szanowna pani. Biurokracja i utrudnienia. Nigdy nie zrozumiem tego oporu. Przecież nie chcieliśmy tu niczego zniszczyć. – Powiódł dłonią wokoło. – Dom był w opłakanym stanie.

Starsza pani pokiwała głową.

– Łabonarówka to taki feniks, który odradza się z popiołów – stwierdziła sentencjonalnie. – Za każdym razem. To miejsce ma niewiarygodną siłę. Zapewne czerpie energię z ludzi. Wysysa ją. Muszą państwo uważać.

– Zabrzmiało to trochę złowieszczo. – Maks uśmiechnął się gorzko, a przez twarz Urszuli przebiegł cień przykrości.

– Proszę nie zwracać uwagi. Mama jest trochę zmęczona wrażeniami. To duże przeżycie – zaczęła tłumaczyć Dorota. – Mamy jeszcze sporo czasu do przyjęcia, prawda?

– O, tak, przeszło dwie godziny. – Urszula zerknęła na zegarek.

– Znakomicie. Mamo, może chcesz odpocząć? Zaprowadzę cię na górę do pokoju.

– Z miłą chęcią. Trochę mi się kręci w głowie – przyznała Gina.

– Pójdę z paniami, pokażę wszystko – zatroszczyła się Urszula. – Moja pracownica się paniami zajmie, gdyby trzeba było coś podać: herbatę, lunch, w czymś pomóc.

– Damy sobie radę. Fryzjerka będzie za pół godziny?

– Tak. Już jedzie.

Ich głosy powoli milkły w oddali, Róża odprowadziła je wzrokiem.

– Biedna babcia. Bardzo to przeżywa – mruknęła do Maksa.

– Powiedziała coś niezwykłe trafnego. Ten dom wyciąga z ludzi soki. Jest jak wampir.

– Głupstwa opowiadasz – obruszyła się. – Budynki nie mają takich właściwości.

– Jeśli jakiekolwiek mury działają na mieszkańców w negatywny sposób, to z pewnością te. Nie słyszałaś nigdy o miejscach ze złą energią? Tutaj właśnie tak jest. Bez dwóch zdań, coś się czai w tym przecudownym pałacu. Chcesz zobaczyć swoją wystawę? – zmienił niespodziewanie temat, a ona przytaknęła.

– Natasza już przyjechała? – zagadnęła, gdy przemierzali udekorowany odświętnie taras, by dostać się bocznym wejściem do oranżerii. Pokręcił głową.

– Ma pacjentów. Dojedzie na sam raut. Przeszkadza ci to?

– Niby czemu? – odpowiedziała pytaniem.

– Bo ja wiem? Może się boisz zostać ze mną sam na sam?

Prychnęła śmiechem.

– Odbija ci.

– Pewnie właśnie dlatego się boisz. Uważasz, że coś mi odstrzeli i zachowam się nieobliczalnie. Być może zrujnuję całe przyjęcie twojej matki. Ogólnie żałujesz, że mnie tak pochopnie zaprosiła.

– Czytasz mi w myślach. To zapewne również zasługa tych czarodziejskich miazmatów, które ulatniają się z zatrutych ścian tego domu – mruknęła z przekąsem.

Uśmiechnął się.

– Za to cię lubię.

– Niby za co?

– Zawsze, kiedy uda się ciebie przycisnąć do ściany, umiesz wybrnąć dobrym żartem. Głównie z samej siebie.

– Bo wiem, że w gruncie rzeczy jestem żałosna – westchnęła, otwierając drzwi cieplarni. Owionął ją zapach niemożliwie rozgrzanej ziemi i wilgotnych roślin. Przez moment zatroszczyła się o płótna ze swojej galerii, czy są w takiej atmosferze bezpieczne, czy nie ulegną zniszczeniu. Potem jednak zachwyciła się aranżacją tego pomysłu i było jej już wszystko jedno, bo malarstwo nowoczesne i cieplarnia Matyldy Korsakowskiej komponowały się doskonale i były dla siebie stworzone.

– Czemu tak źle oceniasz siebie? – spytał tymczasem Maks.

– Bo przypadkiem lub nie, żartem albo całkiem poważnie, utrafiłeś w sedno – postanowiła nie bawić się w ceregiele. – Boję się, że coś tu się dzisiaj może nie udać i wypatruję niebezpieczeństwa z najbardziej absurdalnej strony.

– Tylko że ta akurat nie jest absurdalna. To słuszna diagnoza zagrożenia. Zawsze obserwuje się największego świra.

– Przestań. To moja matka każe mi nadzorować swoje przyjęcie.

– I neutralizować niesfornych gości? Dlatego jest taka wesolutka, a już myślałem, że z powodu abażura na głowę…

Uśmiechnęła się blado.

– Będę miała ręce pełne roboty, skoro wśród zaproszonych jest też Taksiński – westchnęła.

Maks spojrzał zdziwiony.

– A ten tu po co? On naprawdę może jej rozłożyć zabawę. Albo wznieść ją na wyższy poziom. Jedno z dwojga, tylko nie wiadomo które.

– Ryzykowne posunięcie. Fakt. Miał zapewne uświetnić to… – Róża zrobiła wymowny gest dłonią, a Maks zrozumiał w lot.

Przez moment milczeli.

– Jeszcze raz ci dziękuję – powiedział po chwili.

– Niby za co? Że się przyznałam do zamiarów przywalenia ci w głowę gumowym młotkiem, gdybyś zaczął sprawiać kłopoty?

– Właśnie za to. Niewiele jest na świecie szczerych osób. Inni wolą zacząć od wypytywania.

– Aha.

– Tak. Zawsze jest tak samo. Opowiem ci, bo sama nie zapytasz. To leci w ten sposób: „Byłeś w Syrii na wojnie? To takie ciekawe, no niesamowicie, po prostu. Byliście na froncie? W okrążeniu? W bombardowanym mieście? Pod ostrzałem? W niewoli? Kolegę zabili? Obaj oberwaliście? Nie dało się go uratować? Nie próbowałeś? Jak to? Zupełnie? Tak go zostawiłeś? A może jednak jeszcze żył i go dobili? Straszne! Nie myślałeś później o tym? Nie było ci wstyd, że uciekłeś i nie sprawdziłeś? Że jesteś tchórzem i że przez ciebie umarł?".

– Przestań! – zaprotestowała gwałtownie i może zbyt głośno, bo podniósł głowę i spojrzał na nią. W oczach malował mu się ból.

– Tak właśnie to jest – powiedział cicho. – I dlatego nie mogę już tego robić. Bo wciąż o tym myślę. I obwiniam się. Że trzeba było zostać. Jeszcze raz sprawdzić, spróbować. Nie zostawiać go tam. Bo żona... Bo matka... Bo ja wróciłem, a on nie.

– Wojna się nigdy nie kończy, prawda? – spytała cicho. Pokiwał głową.

– Nie. I nigdy się z niej nie wraca. A w każdym razie nie jako ten sam człowiek.

Milczeli, a ona wpatrywała się w jego ściągniętą twarz. Unikał jej wzroku.

– Przepraszam za te durne uwagi o gumowym młotku i inne – bąknęła ze wstydem. – Niestosowne żarty. – Moja matka jest okropna i ja też taka bywam. A ty masz prawo przeżywać swoje problemy po swojemu.

– Jestem nieobliczalny – mruknął. – Nie panuję nad tym. Ale nie narobię kłopotów. W każdym razie młotek miej pod ręką, ale głównie na Taksińskiego. Nie mówmy już o tym. Wiem, że Urszula mu tutaj ukrytą butelkę koniaku, chcesz trochę?

– Poproszę. Dobrze mi to zrobi przed całym tym cyrkiem. Skóra mi cierpnie na myśl, jak przetrwam całą tę uroczystość.

– Pomyśl o babci. To dla niej się wysilasz.

– Słuszna uwaga.

Otworzył szafkę i gdzieś z tyłu wydobył butelkę, dwa pękate kieliszki, do których nalał odrobinę bursztynowego płynu.

– Dobre. Urszula to koneserka – pochwaliła Róża.

– Podejrzewam, że przychodzi tutaj wieczorami i udaje, że jest Matyldą – prychnął Maks. – Bawi się w arystokratkę, upaja się tym.

– I co w tym złego? – sprzeciwiła się Róża. – Skoro jej z tym dobrze?

– A jeśli to Matylda zabiła męża? Takiej możliwości jeszcze nie przerobiliśmy, a ona także wchodzi w grę – rzucił Maks, obracając kieliszek w dłoni. Młoda kobieta zamarła wpatrzona w niego z szeroko otwartymi oczami.

– No tak. Młody kochanek, stary mąż jako przeszkoda i majątek do przejęcia.

– Tylko że Korsakowski był bankrutem!

– Ale ona mogła jeszcze o tym nie wiedzieć. Była skupiona na sobie i nie miała głowy do interesów, myślała, że wszystko idzie świetnie. Uknuli wszystko z Tytusem Wilskim i zastrzelili Augustyna Kosakowskiego z walthera, który znalazłem w oranżerii.

– Pozorując samobójstwo?

– A czemu by nie? Może to nawet Tytus pociągnął za spust? Taki wydelikacony poeta byłby zdolny do przemocy, to się zdarza. Potem okazało się, że majątek prysł, kasa pusta, więc porzucił starszą kochankę i uciekł…

– A ona oszalała z powodu zawodu miłosnego i wyrzutów sumienia… Nie, to znowu zbyt dramatyczne!

– Różo, nie takie dramaty zdarzają się w życiu.

– Adelajda mogła o czymś wiedzieć i dlatego ją odesłano…

– A kiedy macocha zmarła, nie miała już powodu niczego ujawniać. Komu by się to zdało i na co? Wywoływać skandal, okrywać niesławą młodszą siostrę? Ojciec i jego żona leżą w grobie, sprawa zamknięta…

Milczeli, zastanawiając się nad tą sprawą.

Drzwi oranżerii otwarły się z cichym brzęknięciem szyb i stanęły w nich Bea z Nataszą.

– Róża! – Bea wykrzyknęła to z ulgą. – Szukałam cię w pokoju. Ależ tu duszno. Okropieństwo! Trzeba otworzyć te drzwi, bo to z pewnością zaszkodzi obrazom. Zgodziłam się, bo Dorota mi truła cztery litery, że to taka reklama dla galerii i że ty będziesz zachwycona, ale teraz widzę, że to nie najlepszy pomysł. Artyści nas wyklną w najlepszym razie, a w najgorszym pozwą do sądu…

Trzepała jak katarynka, ale Róża jej nie słuchała, skupiła się na Nataszy, która odkąd przyszła, nie odezwała się ani jednym słowem, nawet się nie przywitała. Wpatrywała się tylko w Maksa pełnym zawodu i przygnębienia wzrokiem.

ROZDZIAŁ 4

Dlaczego to zrobiłaś?

Ogrodowe przyjęcie było wielkim triumfem Doroty, choć oczywiście cała organizacyjna zasługa należała się Urszuli i jej ludziom, którzy dyskretnie czuwali nad całością. No, ale błyszczała Dorota. To był bezsprzecznie jej dzień. Udzieliła kilku wywiadów, a krótkie przemówienie, które sama wygłosiła do gości, musiała solidnie przećwiczyć, bo był to jeden z najlepszych i najbardziej błyskotliwych tekstów, jakie napisała.

Róża starała się więc specjalnie, żeby nic nie zakłóciło tego szczęśliwego dnia, szczególnie Taksiński, który uparł się, aby zwrócić na siebie uwagę. Najwyraźniej wyczuł, że zaproszono go tu, by zbudował tło dla głównej artystki, i było mu to bardzo nie w smak. Zdążył już wywołać małe spięcie z jednym znajomym Doroty, które zakończyło się przepychanką załagodzoną przez Urszulę, oraz awanturkę z przedstawicielem mediów, który zadał mu jakieś niefortunne pytanie.

– Oszołom i ignorant! – ciskał się malarz, obrażając dziennikarza, który niedostatecznie docenił jego sztukę.

– Szykuj młotek – mruknął do Róży Maks i pospieszył w kierunku Taksińskiego, ale drogę przecięła mu Natasza.

– Możemy porozmawiać?

– Pomagam Róży poskramiać trudnych gości. Taki ze mnie dzisiaj pogromca tygrysów – wyjaśnił z ironicznym uśmiechem.

– Właśnie widzę. Ale to chyba nie twoja rola. I raczej również nie jej. Urszula ma od tego specjalistów, są skuteczni – oznajmiła to dosyć lekceważącym tonem, unosząc jednocześnie brew.

W tym czasie Róża dotarła już do klienta swej galerii i wdała się z nim w dyskusję. Taksiński opowiadał jej coś z przejęciem, gestykulując widowiskowo, ale nie wyglądało na to, żeby stwarzał zagrożenie. Maks przeniósł wzrok na swoją dziewczynę.

– Czemu mi nie powiedziałeś, że rzuciłeś pracę w redakcji?

– Przecież o to ci chodziło – powiedział nieprzyjaznym tonem.

– Wcale nie. Nie stawiaj sprawy w ten sposób.

– Od dawna moja praca była największą przeszkodą między nami. A przecież nawet jej nie wykonywałem. Zatem dostosowałem oczekiwania do stanu faktycznego i się zwolniłem. Powinnaś być zadowolona.

– Nie jestem.

– To coś nowego. Miałem wrażenie, że kłótnie wybuchają głównie o to.

Przygryzła wargi.

– Staram się nie prowadzić tej rozmowy jak terapeutka, ale to, co robisz…

– Jest pasywno-agresywne? Przemocowe? – dopytywał się z dziwną natarczywością i nieokreślonym zaczepnym błyskiem w oku.

Skinęła głową.

– Spróbuję wyjaśnić. Miałem wrażenie, że moje zajęcie, a właściwie wszystko, co robię, przeszkadza ci i cię drażni. I to jest główna trudność, abyśmy mogli się porozumieć.

– I uważasz, że teraz się porozumiemy? – prychnęła. – Kiedy masz poczucie krzywdy i obarczasz mnie odpowiedzialnością za to, że cię do tego zmusiłam? Maks, bądź poważny.

– W takim razie nie mam pojęcia, czego ode mnie oczekujesz.

– Chcę, żebyś czuł się szczęśliwy i spełniony.

– Byłem taki, kiedy trudniłem się fotoreportażem i tropiłem ciekawe tematy.

– Wiesz, jak się to skończyło i jaki miało to na ciebie wpływ. Gadaliśmy o tym tysiące razy, mówiliśmy, że musisz coś zmienić, i zgodziłeś się z tym. Miałeś zabrać się do czegoś nowego, może napisać książkę…

– Jeśli mam to zrobić, muszę działać po swojemu, a ty patrzysz mi ciągle na ręce jak narkomanowi na odwyku.

– Bo ty jesteś narkomanem na odwyku, ta praca źle na ciebie wpływa. Pogarsza twój stan.

– Ja tak nie sądzę.

– To właśnie najlepszy dowód na to, że mam rację.

Przez chwilę wpatrywali się w siebie w napięciu. Potem ona wyciągnęła rękę i dotknęła ręką jego twarzy.

– Nie jestem twoim wrogiem, Maks – powiedziała łagodnie.

– Wiem. Sam jestem swoim najgorszym wrogiem – mruknął, rozglądając się wokół siebie. Nie chciał już prowadzić tej rozmowy, jego zdaniem zmierzała donikąd. Na szczęście zauważył Beę, która z nieodłącznym kieliszkiem w dłoni meandrowała wśród gości. Pomachała im wesoło i po chwili zmaterializowała się obok.

– Świetna impreza – podsumowała. – Opchnęłam kilka płócien, mam nadzieję, że nie spłynie z nich farba w tej tropikalnej aurze oranżerii.

– Powiesz, że tak miało być – zbagatelizował sprawę Maks.

– Róża walczy z Konradem Taksińkim? – bardziej stwierdziła, niż spytała Bea, spoglądając w kierunku wspólniczki, która wciąż rozmawiała z rozgestykulowanym malarzem. – Ma focha, bo nikt nie kupił jego arcydzieła – szepnęła konfidencjonalnie do Nataszy.

– Dobre? To może ja się skuszę? Ponoć niezła lokata kapitału. Tak słyszałam – powiedziała szybko, a Bea machnęła lekceważąco dłonią, w której trzymała kieliszek.

– Takie sobie, jeśli mam być szczera. Akurat tej pracy wilgoć cieplarni może jedynie posłużyć. Nada jej głębi. Ale mam tu naprawdę fajną artystkę, która zapowiada się na gwiazdę, a jeszcze nie ma astronomicznych wycen, jeśli mogę użyć takiej kosmogonicznej metafory.

– Świetnie. To pokaż mi ją, zanim się rozpłynie.

– Bez obaw. Umieściłam ją w bezpiecznym miejscu.

Poszły w kierunku oranżerii, śmiejąc się beztrosko, a Maks odprowadził je chmurnym wzrokiem. Taksiński znowu podniósł głos, więc postanowił interweniować.

– Co się dzieje? – spytał groźnie, podchodząc do Róży. Na jej twarzy odmalowała się ulga.

– Pan Konrad jest zmęczony – odezwała się z naciskiem.

– Co za bzdura! – obruszył się malarz. – Tłumaczyłem właśnie pani Róży…

– Że chce pan już wrócić do domu – podsunął Maks. Taksiński zerknął na niego ze zdumieniem.

– Niewyobrażalna arogancja! – prychnął. – Może jeszcze mnie pan wyprosi z przyjęcia, którego nie jest pan organizatorem? No nie, pani Różo, pani obrońca przekroczył wszelkie dopuszczalne granice, zachowując się wobec mnie jak skończony cham i bezmózgi bęcwał…

– Teraz chyba pan się zapomniał – przerwał mu Maks, a głos mu zadrżał z irytacji. – W niczym panu jeszcze nie uchybiłem, wyraziłem jedynie swoją troskę o pański stan emocjonalny. Pan natomiast obraził mnie przy ludziach.

Choć muszę przyznać, że określenie „bezmózgi bęcwał" miało w sobie coś malowniczego, wręcz poetyckiego.

Taksiński zrozumiał, że z niego kpi, więc zaczął się gotować. Wykrzykiwał, że został znieważony i że tego tak nie zostawi. Róża próbowała go uspokoić, żeby przynajmniej przestał wrzeszczeć, ale jego podniesiony głos ściągnął uwagę Doroty i Urszuli, które podeszły szybkim krokiem.

– Jakiś problem? – spytała Dorota, patrząc na córkę, ta skinęła głową, ale nie dała dojść malarzowi do słowa.

– Pomyślałam, mamo, że pan Konrad mógłby zwiedzić oranżerię. Wisi tam jego płótno – powiedziała z desperacją, a Urszula ochoczo przytaknęła, obrzuciwszy całą scenę fachowym spojrzeniem.

– Znakomity pomysł – pochwaliła. – Zaprowadzę państwa. Mam tam schowany koniak dla wyjątkowych gości. Coś idealnego, by delektować się sztuką. Zwłaszcza taką jak pańska, ona wymaga oprawy.

– Wolałbym dobrą whisky – mruknął Taksiński, jeszcze nieudobruchany, ale na właściwej drodze. Znowu poczuł się w centrum zainteresowania, można więc powiedzieć, że postawił na swoim. Róża odetchnęła z ulgą, gdy wolnym krokiem odeszli w kierunku cieplarni.

– Mam nadzieję, że Urszula dosypie mu czegoś do szklanki. Może jakiegoś środka nasennego – wycedził przez zęby Maks.

– Nie mam pojęcia, co kierowało mamą, że go zaprosiła. – Róża pokręciła głową. – Mówiłam jej, że jest trudny do wytrzymania. Mógł tu kogoś pobić, po takim jak on można się wszystkiego spodziewać.

– Lubi teatralne efekty. Powinien w cyrku występować – skomentował Maks.

– Tak, na batucie, każdy by wstrzymywał oddech, a jemu w to graj.

– Raczej jako klaun.

Uśmiechnęli się do siebie porozumiewawczo i Róża głośno odetchnęła.

– Ulżyło mi. Impreza chyba się udała, w każdym razie media zadowolone. – Wskazała dłonią na dziennikarkę z telewizji, która przestała już filmować, a po prostu zajęła się zabawą. Goście także wyglądali na odprężonych. Toczyły się swobodne rozmowy i zewsząd dobiegał śmiech. Urszula zadbała o oprawę. Choć nie była to okazja z tańcami, gościom przygrywał zespół kameralny, co nadawało całości stylu i wykwintu.

– Twoja macocha stanęła na wysokości zadania. Babcia na pewno jest szczęśliwa. – Róża rozejrzała się za starszą panią. Gdy ją ostatnio widziała, Gina w towarzystwie córki rozmawiała z dziennikarką. Opowiadała o swoim dzieciństwie i wspierana przez Urszulę o dziejach pałacu. Teraz nie było jej nigdzie widać, więc wnuczka się zaniepokoiła.

– Może źle się poczuła?

– Poszukajmy. Na pewno nic się nie dzieje. Pracownicy Urszuli z pewnością mają ją na oku, w najgorszym razie poszła do pokoju – uspokajał ją.

Zaczęli krążyć po ogrodzie, a nawet dyskretnie wypytywać znajomych Doroty. W końcu Bea przypomniała sobie, że widziała, jak Gina swoim drobnym, szybkim krokiem szła w kierunku oranżerii. Minęły się na ścieżce, kiedy wracały z cieplarni z Nataszą po obejrzeniu obrazu.

– Tylko po co? Tam teraz poszła mama z Urszulą i Taksińskim. Nie chciałabym, żeby ten furiat obraził czymś babcię.

– No to trzeba ją stamtąd zabrać. Niech Dorota sama niańczy pana Konrada, skoro go zaprosiła. – Bea wzruszyła ramionami.

– Wątpię, by miała do niego cierpliwość. – Róża wydęła wargi.

– Przemęczy się. Poza tym przyjęcie to sukces. Może to zrobić dla ciebie, bo dopilnowałaś jej wszystkiego na medal.

Przy drzwiach oranżerii spotkali Ginę, która zaglądała do środka przez oszklone drzwi.

– Co tu robisz, babciu? Może chcesz odpocząć? Położyć się? – zatroszczyła się wnuczka.

Starsza pani zdecydowanie zaprzeczyła.

– Mama tak lubiła tę cieplarnię. Całkiem o tym zapomniałam. To było jej sanktuarium. – Przymknęła z lubością oczy. – Spędzała tu mnóstwo czasu i przyjmowała gości.

Uchyliła drzwi i zajrzała do środka, a potem nagle krzyknęła. Na środku pomieszczenia stał Taksiński z kieliszkiem w jednej ręce. W drugiej trzymał pistolet, ten, który Maks znalazł zakopany pod progiem, i wymachiwał nim w teatralny sposób. Dorota pokładała się ze śmiechu, a Urszula miała nieodgadnioną minę. To ona z niepokojem zerknęła na nowo przybyłych. Malarz odwrócił się gwałtownie, wymierzając niechcący lufę w ich stronę.

Gina krzyknęła i wczepiła się w ramię wnuczki.

– Proszę to oddać – rzucił Maks gniewnym głosem. – To mój pistolet. Skąd go pan w ogóle wziął?

– Był w szafce. W tej samej co koniak. To chyba ja powinienem zapytać o jego pochodzenie. – Taksiński dalej wymachiwał bronią, zbliżając się do nich ze złośliwym uśmiechem.

– Nie ma się czego bać, nie jest nabity – uspokoiła Dorota ze swego miejsca. – Już to sprawdziliśmy. Pani Urszula była przerażona, że coś takiego znalazło się w jej domu. Przywiózł go pan z wojny?

– To zabytkowy pistolet, walther PP. Pochodzi z końca lat dwudziestych poprzedniego wieku. Znalazłem go podczas remontu oranżerii – wyjaśnił Maks, zbliżając się do Konrada Taksińskiego. – Niech mi go pan do licha odda!

– Nie tak szybko! Mamy uwierzyć, że wykopał go pan z inspektu w tej cieplarni? – Malarz wykonał ruch lufą w kierunku uprawy orchidei, która ozdabiała tę część oranżerii. Gina ponownie jęknęła cicho.

– Właśnie tak.

– Jest w zastanawiająco dobrym stanie. Myślę, że pan coś kręci. To nielegalna broń. – Taksiński odłożył kieliszek i zaczął oglądać walthera z uwagą.

– Nie interesuje mnie, co pan uważa. To zabytek sprzed stu lat. Być może zabił się z niego właściciel tego domu, Augustyn Korsakowski...

Urszula uniosła głowę, a Gina przytuliła się mocniej do Róży. Zachowywała się jak mała bezbronna dziewczynka. Coś szeptała.

Wnuczka pochyliła się do niej, ale nie mogła zrozumieć tego mamrotania.

– Ostatni raz proszę o zwrot pistoletu. – Maks wyciągnął zdecydowanym ruchem dłoń, a Taksiński przecząco pokręcił głową. Miał przekorną minę i śmiał się wyzywająco.

– Jeśli nie oddam, to co mi pan zrobi?

– Niech pan przestanie, panie Konradzie, to nie jest zabawne – wtrąciła się Urszula.

– Wręcz przeciwnie, moim zdaniem jest bardzo śmieszne. Jesteście straszliwie sztywni. A to taki artystyczny performance. Jest pistolet. Nie ma pistoletu. – Zakręcił bronią młynka i wtedy Maks skoczył w jego kierunku.

– Nie będę się z tobą przepychał, głupi fiucie – warknął, wyrywając mu broń. – To nie jest zabawka. – Złapał go za rękę i wykręcił mu ją do tyłu.

Taksińki usiłował go odepchnąć i wyswobodzić się, ale Maks mocno go trzymał i doprowadził do kanapy. Tam zmusił malarza, żeby usiadł, i spojrzał na niego groźnie z góry.

– W porządku? Będzie się pan zachowywał normalnie?

– To skandal – mruczał Taksińki. – Pobito mnie tutaj.

– Bez przesady. – Maks obejrzał pistolet, zajrzał do pustego magazynka, a potem schował go do szuflady zabytkowego stołu, który stał w oranżerii, i przekręcił klucz.

– Nie powinieneś tutaj tego trzymać – wypaliła Urszula. – Co to w ogóle za pomysły?!

– Właśnie! Pan jest niebezpieczny, ja to zgłoszę na policję. Nielegalne posiadanie broni, pobicie, naruszenie nietykalności… – ciskał się Taksiński znowu poirytowany i zły.

– To pan jest furiatem, którego trzeba zamknąć – rzucił Maks przez zęby. – Nie wiem, co by się stało, gdyby ta broń była jednak nabita. Takich ludzi jak pan powinni trzymać w zoo, a w każdym razie porządnie zdiagnozować w jakiejś kompetentnej instytucji.

– Tego już za wiele. Ja ci pokażę, arogancki gnoju. – Konrad nie wytrzymał i rzucił się na Maksa z pięściami, ten odepchnął go gwałtownie z takim impetem, że malarz wpadł na stolik i przewrócił się razem z nim na ziemię. Brzęknęło tłukące się szkło i zagrzechotały rozsypujące się rzeczy.

Gina dygotała u boku Róży, wpatrując się w całą tę scenę przerażonymi oczami.

– Już wszystko dobrze, babciu, wyjdziemy stąd – próbowała ją uspokoić wnuczka. Gina zaciskała mocno dłoń na jej ramieniu i kręciła przecząco głową.

Szeptała.

Róża pochyliła się do niej i wreszcie zrozumiała słowa.

– Ada, Ada – powtarzała babcia. – Pistolet…

– Co z pistoletem, babciu? – nie rozumiała dziewczyna.

– Karol…

– Co on ma z tym wspólnego?

– Ado, czemu ty to zrobiłaś? – Gina wpatrzyła się w Różę przerażonym wzrokiem. – Dlaczego ją zabiłaś?

W oranżerii zapanowało milczenie. Wszystko ucichło, nawet Konrad Taksiński, któremu udało się wygramolić spod szczątków stoliczka, usiadł na sofie i masując sobie potłuczone ramię, wpatrywał się w starszą panią z niepokojem.

– Kogo zabiłam, Gino? – odpowiedziała z pewnym wahaniem Róża.

– Mamę. Czemu zabiłaś mamę, Ado? Bo ci nie pozwoliła uciec z Tytusem?

CZĘŚĆ VIII

Łabonarówka, 1930 rok

ROZDZIAŁ 1

Mieć szeroko otwarte oczy

Augustyn Korsakowski wstał od biurka w swoim gabinecie i podszedł do okna. Zapadał zmierzch. Cienie w parku rysowały się mrocznymi plamami na ziemi, potęgując jego zły nastrój. Był rozdrażniony i jednocześnie czuł bezradność wobec tego, co nadchodziło. Po raz pierwszy nie potrafił powstrzymać napierającej fali, która miała go zniszczyć. Jego i rodzinę, dla której zrobił tak wiele i tak dużo poświęcił.

Nigdy się nie bał ryzykownych inwestycji, ponieważ wierzył w swój zmysł do interesów i szczęśliwą gwiazdę. Podczas Wielkiej Wojny podjął szereg takich decyzji, często na granicy powodzenia, i zawsze odnosił sukces. Na tym zbudował swoją potęgę, bo się nie wahał, nie oglądał za siebie i chwytał okazje w lot. To nic, że ludzie gadali za jego plecami, że majątek zbił nie do końca uczciwie. Nawet jeśli tak było, to co? I co właściwie można uznać za uczciwe lub nie w czasie wojny?

Rozgrzeszał się łatwo, że wówczas każdy tak robił, i nie patrzył wstecz. Wojna rządzi się innymi prawami, a kto ma wątpliwości, ten traci.

Teraz jednak działo się inaczej. Czuł się schwytany w pułapkę, odnosił wrażenie, że uknuto wokół niego jakąś intrygę w celu odebrania mu wszystkiego. Czas temu sprzyjał – gospodarka się chwiała, koniunktura była zła i w takich warunkach dochodziło do najdziwniejszych sojuszy. Żywił przekonanie, a właściwie teraz już pewność, że ta spółka naftowo-gazowa, w którą go wciągnięto, to sprytna zasadzka. Nie zaufał swej legendarnej intuicji, podpowiadającej mu, że z tym interesem może być coś nie tak, że jest zbyt kosztowny i ryzykowny, tylko dał się zaślepić żądzy zysku i łatwego, bezpiecznego pomnożenia swego majątku. A zawsze przestrzegał przed tym innych – by nie wierzyć takim okazjom, dobrze się im przyjrzeć i prześwietlić innych wspólników, aby poznać ich prawdziwe intencje. Tym razem dał się omamić pochwałom i obietnicom rządowej posady. Skoro zaangażowane były osoby na wysokich stanowiskach, ręczyły swoim politycznym autorytetem, to jak on mógłby się ociągać i dlaczego? Wszedł zatem do zarządu, ręcząc swoim pieniędzmi i inwestycjami, a teraz nagle okazywało się, że spółka ma wyłącznie długi, a udziałowcy wycofują się jeden po drugim. Nad Korsakowskim zawisło widmo bankructwa.

Jeszcze nie mógł w to uwierzyć, jeszcze starał się ocalić swoje aktywa, usunąć się z kłopotliwej spółki, zabezpieczyć majątek tak bardzo, jak to tylko możliwe. Na próżno. Machina kryzysu rozpędzała się, pochłaniając nieostrożnych inwestorów. A on po raz pierwszy w życiu nie miał pojęcia, jak wyjść z tego obronną ręką. I po raz pierwszy zdjął go autentyczny strach, czy to w ogóle możliwe. Jedna nietrafiona decyzja w złych warunkach ekonomicznych i taka katastrofa! Wprost trudno w to było uwierzyć.

– Zestarzałem się – mruknął do siebie, zaciągając zasłonę w oknie i wracając do biurka. To nie był czas na to, aby rozczulać się nad sobą. Przysunął bliżej aparat telefoniczny i po chwili namysłu wybrał numer. Do wiceministra przemysłu. Potem do radcy ministerialnego i prezesa banku, w którym miał swoje aktywa. Nic. Nikogo z nich nie zastał, a być może – nie chcieli z nim rozmawiać.

Został sam.

W myślach przeanalizował jeszcze listę gości, których zapraszali do Łabonarówki z Matyldą. Kto z nich mógłby mu pomóc? Ułatwić spotkanie, może dotrzeć do samego premiera? Wystarczyłaby tylko odrobina szczęścia, czas na odroczenie spłat, zebranie potrzebnego kapitału… Ale nie, ktoś czyhał na jego majątek, na szyby naftowe, rafinerię… To była przemyślana strategia, intryga, która właśnie dobiegała do finału.

– Nie poddam się tak łatwo. – Korsakowski, odepchnął ze wstrętem telefon i sięgnął do szuflady. Wyjął drewniane pudełko, a z niego pistolet. Był to browning, którego miał już prawie od dziesięciu lat i nie rozstawał się z nim. Lubił tę broń, dawała mu poczucie pewności i bezpieczeństwa. Teraz zastanowił się, co by się stało, gdyby po prostu zabił jednego z tych intrygantów, z powodu którego właśnie tracił majątek. Strzeliłby do niego z bliska, najlepiej prosto w serce, nie zastanawiając się długo. I nieważne, co by się dalej stało z nim i jego życiem, byłby pomszczony. Nie czułby takiego upokorzenia, bezsilności i bezradności.

Pistolet niespodziewanie zaciążył mu w ręce. Te myśli były zwyczajnie szalone. Nie rozumował logicznie, gniew odbierał mu jasność umysłu. Musiał przestać marzyć o zemście, a pragmatycznie ocenić, co da się jeszcze ocalić.

– Kamienica w Warszawie – powiedział półgłosem, a potem sięgnął po papiery. Trzeba ją przepisać na Albinę, żeby nie zagroziła jej żadna licytacja ani konfiskata. Podobnie należy powierzyć jej gotówkę. Matylda będzie zdruzgotana utratą majątku, Bóg jeden wie, co może jej wpaść do głowy, a najważniejsze jest zabezpieczenie dziewcząt. Nie darowałbym sobie, gdyby dotknęła je bieda. Adelajda wyjedzie do szkoły. Im szybciej, tym lepiej. Augustyn opłacił już zaliczkę, teraz wystarczy uregulować opłaty za pierwszy rok. Będzie z dala od tego wszystkiego, nie dosięgnie jej skandal, obmowa, złe ludzkie języki, być może śmieszność.

Matylda… Skrzywił się na samą myśl o żonie. Co ona powie? Jak zareaguje? Z pewnością się wścieknie. Pieniądze, status majątkowy zawsze liczyły się dla niej najbardziej, zatem zostanie ugodzona w samo serce. To może zatruć jej życie. Wiedział, że musi z nią pomówić, naświetlić jej sytuację, aby nie czuła się zdradzona. Powinni stawić temu czoła razem, ale na to nie liczył. Żona była słaba, histeryczna, myślała głównie o sobie i swoich kaprysach, będzie uważała, że to ją skrzywdzono.

Jeszcze raz zważył pistolet w dłoni, sprawdził magazynek, a potem odłożył go z westchnieniem do pudełka. Zadzwonił po służbę.

– Pani jest w domu? – spytał, a pokojówka odpowiedziała, że czyta w oranżerii.

Skinął głową. Miał ochotę się przejść, przewietrzyć głowę. Wyszedł z gabinetu, na schodach spotkał zaaferowaną Bisię. Mała gorączkowała, kuzynka była mocno zaniepokojona.

– Chciałbym z tobą chwileczkę pomówić – zatrzymał ją, a Bisia obejrzała się za siebie, jakby chcąc mu dać do zrozumienia, że pora jest niezbyt odpowiednia. – To ważne – powiedział z naciskiem. – Zajmie minutę, zejdźmy do pokoju muzycznego Adelajdy.

Spojrzała na niego zaniepokojona, ponieważ bardzo rzadko się zdarzało, by przemawiał do niej takim tonem.

Kiedy weszli do saloniku, przez moment milczał, wodząc palcami po zamkniętej pokrywie fortepianu starszej córki. Potem uniósł ją zdecydowanym gestem i zagrał kilka nut. Robił to zadziwiająco pewnie i z wprawą. Kuzynka zdumiała się, bo nigdy nie widziała, żeby grał.

– Nauczyłem się dawno temu w Rosji – skomentował, łowiąc jej wzrok. – Nie wspominałem o tym, ale podczas wojny mieszkałem przez pewien czas z pewnym profesorem konserwatorium... – Zamyślił się na chwilę, a potem zamknął pokrywę. – Nie o tym mieliśmy rozmawiać – rzucił twardo.

– Czy coś się stało? – pospiesznie spytała Bisia, zalękniona jego dziwnym zachowaniem.

Pokręcił głową.

– Nic się na razie nie dzieje. Ale wiedz, droga kuzynko, że być może pojawią się ludzie, a w zasadzie człowiek, który będzie sobie rościł pretensje do mojego majątku...

– Jak to możliwe? – przerwała. – Przecież twoje interesy są zawsze tak dobrze zabezpieczone, jesteś dalekowzroczny, mądry... To chyba jakaś pomyłka?

– Żadna pomyłka. Nie będę wchodził w szczegóły, ale podejrzewam pewien spisek... Działanie przeciwko sobie. Zorientowałem się i mam nadzieję wyjść z tego bez szwanku, ale gdyby jednak coś się wydarzało... – zawiesił głos, a Bisia przytknęła dłoń do serca. Była przerażona. – Chciałem ci tylko powiedzieć, że będziecie zabezpieczone. Złożę w banku na twoje nazwisko pewną konkretną sumę. I ta kamienica w Warszawie... Postanowiłem zapisać ją na ciebie, moja droga...

– Na mnie? – nie mogła uwierzyć kuzynka. – Ale po co? Dlaczego? Ja nie rozumiem? Boję się o ciebie, nigdy nie zachowywałeś się w ten sposób! Uspokój mnie, że nie dzieje się nic złego!

– Ależ przed chwilą to powiedziałem, nie ma powodów do zdenerwowania. Po prostu chcę, żeby nic wam nie groziło. Robię to na wszelki wypadek, dla spokoju i bezpieczeństwa. Nic więcej w tym nie ma, zapewniam cię.

Nie wierzyła mu, wciąż patrzyła na niego szeroko otwartymi oczyma.

– Ten człowiek – zaczęła. – Ten, który chce ci zaszkodzić... Czy możesz go jakoś zdemaskować? Oddać w ręce policji? Przecież to niedorzeczne, żeby niszczono tak porządnych ludzi jak ty. To musi zostać ukarane!

Skrzywił lekko wargi, ubolewając nad jej prostodusznością. Miał tylko nadzieję, że zapamiętała wszystko, co jej powiedział. Powoli wyjaśnił raz jeszcze, jak ma postępować, by wejść w posiadanie przepisanych pieniędzy i domu.

– To ktoś, kogo znasz? – dopytywała tymczasem, jakby nie zwracając uwagi na jego wskazówki.

– Owszem – rzucił zniecierpliwiony. – Trudno, żeby było inaczej. To ktoś, kto bywa w tym domu, i dlatego jest tak niebezpieczny.

Ponownie dotknęła dłonią serca, a on spojrzał na nią z uwagą.

– Miej baczenie na Adelajdę. Cokolwiek by się działo. Trzeba ją za wszelką cenę chronić...

– Przed czym? – spytała jeszcze bez tchu. – Czy jej także ktoś zagraża?

– Niewykluczone. Ale być może jestem zwyczajnie zdenerwowany i przeczulony. – Widząc jej minę, zawahał się, czy nie powiedział zbyt dużo. Nie chciał jej wyprowadzać z równowagi i straszyć. – Kryzys się rozszalał, pieniądze tracą na wartości, to mnie wprawia w rozdrażnienie, czasami nie wiem, co mówię. Wybacz mi. I nie zamartwiaj się na zapas.

– Dobrze – szepnęła, patrząc na niego spod oka. – Pójdę już do Giny, muszę jej zaaplikować pyrenol na kaszel i natrzeć ją kamforą…

– Oczywiście, nie zatrzymuję cię, kuzynko. Mała gorzej się czuje? – spytał z troską, jak zawsze, gdy ktoś w domu chorował.

Zapewniła go, że to raczej zwykłe przeziębienie, a o zapaleniu płuc nawet mowy być nie może, po czym odeszła.

Odprowadził ją wzrokiem, zapewniając się w duchu, że dobrze zrobił, uprzedzając ją o tym, co może się wydarzyć. Bisia była może zbyt łatwowierna i naiwna, ale również oddana rodzinie i uczciwa. Dziewczęta i Matylda będą miały w niej oparcie, jeśli wydarzy się coś nieprzewidzianie złego.

Wyszedł z gabinetu muzycznego Adelajdy i skierował się do oranżerii. W oświetlonym pomieszczeniu zobaczył zarys sylwetki swej żony. Matylda siedziała na otomanie, w jednej ręce trzymała kryształową fifkę z papierosem, a w drugiej książkę. Czytała, ale bez zainteresowania, bo co chwilę opuszczała tom na kolana i zamyślała się głęboko.

Wszedł do cieplarni, a ona odwróciła wzrok w jego kierunku, ale zaraz jednak rozczarowała się, jakby spodziewała się kogoś zupełnie innego.

– Co tu robisz? – spytała leniwie, sięgając po fiolkę z białym proszkiem, którą zostawił jej Karol.

Mąż spojrzał z niechęcią na to, co robiła, i powstrzymał ją gestem ręki.

– Może powinnaś to odłożyć?

– Dla mnie to lek.

– Na co?

– Na zmęczenie, niechęć i nudę. – Skrzywiła się, sypiąc porcję proszku na wierzch dłoni. Rzuciła mu prowokacyjne spojrzenie, a potem zażyła dozę. Potrząsnęła głową i spojrzała w górę na kwiaty, które ją otaczały. Odprężyła się.

– Mam z tobą do pomówienia i wolałbym, abyś nie odurzała się w ten sposób – mruknął, a ona roześmiała się mściwie.

– Odurzała? Ja tego nie robię. Kokaina pozwala mi zachować równowagę i nie umrzeć tutaj z desperacji. Nic mnie już nie bawi, wszystko stało się zbyt przewidywalne i nużące.

Poruszył ramionami.

– Martwi mnie twój zły nastrój, powinnaś poradzić się lekarza. W końcu niczego ci nie brakuje…

– Chciałabym wyjechać. Do Paryża albo do Wenecji. Gdziekolwiek. Moglibyśmy też kupić tę willę nad morzem. Wtedy wreszcie poczułabym, że żyję, a nie, że wegetuję wśród twoich interesów i przyziemnych spraw. Albo kupmy dom w Nicei. Tunia mówiła mi, że jedna z jej znajomych miałaby coś eleganckiego dla nas. Pomyśl, koniec ze wstrętną zimą tutaj, krótkimi dniami i przygnębieniem. Tylko słońce, cudowny klimat i morze… Ależ to dobrze zrobi Ginie! Obawiam się o jej płuca, jest taka delikatna, a tam, w Nicei, nie grozi jej zimą bronchit…

Paplała z ożywieniem, wpatrując się w niego zalotnie. Zawsze tak robiła, kiedy się czegoś domagała i bardzo jej na tym zależało.

– Nie wyjedziemy do Francji i nie kupimy domu. Ani w Nicei, ani nawet w Juracie.

– Dlaczego? – W jej oczach odmalowało się rozczarowanie, ale i zaskoczenie, że odmówił tak od razu, nawet nie próbując dyskutować.

– To nie pora na takie inwestycje. Nadchodzą ciężkie czasy.

Skrzywiła się, żeby mu dać do zrozumienia, że ten temat także irytuje ją i męczy.

– Chyba nie dla ciebie. Jedyne, czego ci nie można odmówić, to zdolności robienia pieniędzy.

Rozzłościł się jej obojętnością i jawnie okazywaną niechęcią, dystansem do ważnych spraw.

– Mówisz to tak lekceważąco, jakbyś uważała, że należymy do grona ludzi nietykalnych – mruknął, a ona uniosła brwi, prezentując zdumienie.

– A jest inaczej? W takim razie musiałabym dojść do wniosku, że cały ten kraj idzie na dno – prychnęła.

– Być może dotknęłaś sedna sprawy. Zobaczymy wkrótce niejedną plajtę. Kryzys nie zna litości, a ten jest największy, z jakim mieliśmy do czynienia.

Na jej twarzy odmalowały się kolejno zaskoczenie, niedowierzanie, a w końcu napięcie.

– Próbujesz mnie wyprowadzić z równowagi. Lubisz się tak wstrętnie zachowywać – zawyrokowała, rozglądając się za swoją papierośnicą.

Milczał, przyglądając jej się uważnie. Matylda była piękna. Pociągająca i fascynująca praktycznie bez żadnego wysiłku. Roztaczała wokół siebie niewiarygodnie magnetyzującą atmosferę. Było coś w sposobie, w jaki odwracała głowę czy poprawiała sobie włosy, co sprawiało, że nie mógł jej się oprzeć. Zrozumiał, jak bardzo ją kocha i jak bardzo nie chce jej stracić.

– Matysiu… – zaczął ugodowo. – Nie chciałem cię zdenerwować. Po prostu martwi mnie sytuacja w kraju, czuję się za niego odpowiedzialny…

Prychnęła.

– Powinieneś czuć się odpowiedzialny wyłącznie za nas, swoją rodzinę. Żeby nam niczego nie brakowało. – Zwróciła na niego spojrzenie. – Ten kraj sobie poradzi, jak zawsze zresztą.

Pokręcił głową.

– Koniunktura, od której jesteśmy uzależnieni…

Przerwała mu.

– Myślisz, że nie wiem, iż to ludzie tacy jak ty kształtują koniunkturę? Sterujecie wszystkim w tych swoich nudnych gabinetach i na papierze. Pociągacie za sznurki. A ty się zwyczajnie ze mną droczysz. Wszystko po to, żeby odmówić mi rozrywki, głupiego wyjazdu czy kupna domu. Chcesz udawać takiego niezłomnego patriotę, dla którego ojczyzna liczy się przede wszystkim – mówiła szybko i z pretensją.

Skrzywił się.

– To prawda, teraz nie jest dobry moment na popisywanie się bogactwem – zaczął. – Ale wynagrodzę ci to. Obiecuję. Chodzi mi tylko o to, abyś stała zawsze u mego boku i mnie wspierała. W tych trudnych czasach przede wszystkim, bez względu na to, co się będzie działo. Czy możesz mi to obiecać?

Patrzyła na niego uważnie, jakby kalkulując, co ma odpowiedzieć.

– A czy ty kiedykolwiek stałeś u mojego boku? – spytała cichym głosem. – Nie. Potrafiłeś się tylko mną chwalić, do tego ci byłam potrzebna, żeby uwiarygodniać cię w towarzystwie. I zabraniasz mi wszystkiego. Nawet odrobiny zabawy! Jesteś niegodziwy.

Wykrzywiła się jak dziecko i brakowało tylko tego, aby zaczęła tupać nogami. Nie mógł się nadziwić tej przemianie. Myślała wyłącznie o sobie, swoich przyjemnościach i rozrywkach. Nie liczyło się nic więcej. Co by się stało, gdyby rzeczywiście zbankrutował i widmo niedostatku zajrzało jej w oczy? Nawet nie chciał sobie wyobrażać tych pretensji, wściekłości i rozczarowania. Trudno było uwierzyć, jak płytką osobą była ta kobieta.

– Jesteś zła i rozkapryszona – wyrwało mu się, prawie bez jego woli. – I nie wyobrażam sobie, że będziesz w ten sposób wpływała na wychowanie dziewczynek. Nie taki przykład powinnaś im dawać. Zamierzam cię powstrzymać przed zepsuciem ich.

Poruszyła ramionami.

– Ze swoją córką możesz robić, co chcesz – oznajmiła z tępą złością. – Ale jeśli przeciągniesz strunę, rozwiodę się z tobą i zabiorę Ginę.

Ten cios był celny i poruszył go mocno.

– Nie ośmielisz się!

– I ty mi zabronisz? Naprawdę uważasz, że byłbyś w stanie? Myślisz, że ktoś z towarzystwa ci pomoże? Nikt. Wszyscy staną po mojej stronie.

Patrzył na nią w napięciu.

– Aż tak bardzo mnie nienawidzisz? Tak mi źle życzysz?

– Życzę ci jak najlepiej. – Skrzywiła się. – Jestem pewna, że do tego nie dojdzie, bo postarasz się, żebym była zadowolona.

– Owszem. Nie pozwolę ci odejść. Nigdy! Zapamiętaj to sobie. – Głos mu drżał, kiedy rzucał jej w twarz te słowa. Patrzyła ironicznie, a on wiedział, jak bardzo jest bezsilny.

„A może to ona?" – przemknęło mu przez myśl, gdy wychodził z oranżerii. Od pewnego czasu podejrzewał, że to Karol spiskuje przeciwko niemu, prawdopodobnie na czyjeś polecenie, bo sam był na to zbyt ograniczony i głupi. Kiedyś zastał go nawet myszkującego w gabinecie. Choć Mikanowski wytłumaczył się jakoś, Augustyn nabrał podejrzeń, że ma przed sobą szpiega. Kogoś, kto go obserwuje i być może donosi o jego planach i posunięciach jego wrogom. A jeśli źle się domyślił i to nie ten jej tępy i zakochany w sobie kuzynek, a Matylda? Knująca przeciwko niekochanemu mężowi i zadowolona z jego klęski. Za to, że odebrał jej dostęp do majątku, bo nie chciał, by go roztrwoniła? Ponieważ zależało mu na córkach i ich przyszłości. Westchnął głęboko, przetrawiając ten kolejny cios.

Matylda miała rację: nie podda się i nie pozwoli się zrujnować.

Tymczasem Korsakowska odłożyła papierosa i wpatrzyła się w mrok za szybami oranżerii. Po jej wargach błąkał się uśmiech. Sięgnęła do szuflady stolika, wyjęła opakowania różnych leków i zaczęła je przeglądać. Czuła napięcie i ból w całym ciele. Zatem eukodal, który zdaniem Karola lepiej uśmierzał ból niż morfina. Po chwili kolejny narkotyk zaczął działać, a ona poczuła, że wszystko wokół niej wiruje, kolory nabierają blasku, a sprawy się upraszczają. Przestała się bać i emocje się uspokoiły. Zaśmiała się mściwie i głośno, a potem odwróciła się, żeby zerwać żółty kwiat datury. Wpięła go w suknię i opadła na otomanę, świat zakręcił się wokół niej i zatrzymał. Patrzyła na to wszystko szeroko otwartymi oczami.

ROZDZIAŁ 2

Marzenia o ucieczkach

– Wyjedziesz do szkoły w Szwajcarii i to jest moje ostatnie słowo – powiedział ojciec z naciskiem, a Adelajda aż pochyliła się do przodu, skarcona jego władczym spojrzeniem.

– Ale... – odważyła się zaprotestować i uniosła wzrok.

– Adelajdo, ja z tobą nie dyskutuję. – Augustyn był wyraźnie zirytowany. – Oznajmiam ci moją wolę, która jest nieodwołalna. W ciągu tygodnia masz się szykować do wyjazdu. To doskonała szkoła, przygotuje cię do twojej pozycji w życiu.

– Tato, czy ja muszę wyjeżdżać... Tutaj jest moje miejsce, mam tu wszystko: Ginę, ciocię, ciebie, lekcje z panną Pernolli – tłumaczyła. – Kocham Łabonarówkę – dodała cicho, choć nie do końca było to prawdą. Lubiła to miejsce, ale nie kochała go. Stałoby się inaczej, gdyby nie Matylda i jej okropne intrygi, o których wciąż nie mogła zapomnieć.

Ojciec się skrzywił.

– Postanowiłem – rzucił twardo. – Nie mam czasu na dziewczyńskie fochy. Nauczyłaś się dosyć od panny Pernolli, Bisi i domowych profesorów. Teraz czas ruszyć do ludzi, zdobyć ogładę, kontakty w świecie. To ci wyjdzie na zdrowie. Wrócisz, kiedy tu się uspokoi…

Wpatrzyła się w niego pytająco.

– Co się uspokoi? – spytała drżącym głosem. – Chodzi o Matyldę?

Zerknął z nagłym zaciekawieniem.

– Skąd ten pomysł? Dlaczego ci to przyszło do głowy i co właściwie masz na myśli?

– Nic… Po prostu ona… Dba tylko o siebie i swoje przyjemności…

– Chcesz przez to powiedzieć, że robi coś nieprzyzwoitego? – Ojciec rzucił to tak obcesowo i otwarcie, że córka otwarła usta z niemym przerażeniem. Poruszył ramionami.

– Moja droga, nie rozumiem tych przemilczeń i omówień. Jeśli masz jakieś zarzuty, chcesz mi o czymś powiedzieć, zrób to otwarcie. Męczą mnie insynuacje i liczenie na to, że sam się domyślę. Jesteś moją córką, winną mi lojalność.

– Nie wiem – odparła bezradnie. – Przecież mi się nie zwierza, ja tylko obserwuję…

Uśmiechnął się gorzko. Adelajdę stanowczo psuła atmosfera tego domu, nasiąkała nią jak gąbka. Stawała się podobnie dwulicowa i nieszczera jak jej macocha. Jeśli wiedziała o czymś, była świadkiem, powinna wyznać to ojcu. A jeśli kłamała, aby postawić Matyldę w złym świetle – to dawało jeszcze więcej do myślenia. Augustyn nie miał złudzeń, że jego żona lubi kokietować mężczyzn. Tylko czy posuwała się w tym dalej? Zdradzała go? Chciałby wierzyć, że powstrzymała ją przyzwoitość i dobre obyczaje, ale właśnie tracił złudzenia względem Matyldy. Zasłona opadła i nie miał nadziei, że kryje się w tym coś więcej. Jakakolwiek czułość i przywiązanie.

– Dlatego najlepiej będzie, jeśli opuścisz ten dom.

– Nie wiem, czemu mnie karzesz, ojcze – powiedziała pełnym urazy głosem.

– To nie kara, a działanie wyłącznie dla twego dobra. Jeszcze mi za to podziękujesz.

– Wątpię, czy kiedykolwiek…

– Adelajdo! – przerwał jej zdecydowanym tonem. – Twoja macocha wspominała mi, że potrafisz się zapomnieć i być bezczelna, teraz sam to widzę. Nie toleruję takiego zachowania, musisz to przyjąć do wiadomości. Wkrótce wyjedziesz i masz być szczęśliwa w szkole, następnym razem zobaczymy się na święta. Będę do ciebie regularnie pisał i życzę sobie również informacji o postępach w nauce. Nie zakładam żadnej niesubordynacji, od razu uprzedzam, że będą za to kary. Mam wrażenie, że do tej pory postępowałem z tobą zbyt pobłażliwie.

Spuściła głowę, bo w jej oczach błysnęły łzy, których nie chciała mu pokazywać. Czemu był taki niesprawiedliwy! Miała ochotę wykrzyczeć mu, jak niegodziwą i złą kobietą jest Matylda, jak go oszukuje i jak spiskuje za jego plecami z Karolem, ale wiedziała, że to nic nie da. Ojciec posądzi ją o bycie kłamczuchą i osobą małostkową. Kiedy stał się tak zgorzkniały i oschły? Kiedy przestał ją kochać i jej wierzyć? Dlaczego tak się zmienił? Co było przyczyną ich nieszczęścia? Matylda! To ona zawiniła wszystkiemu, co działo się w tym domu.

Podniosła się z krzesła i chciała wyjść, ale ojciec ją powstrzymał.

– Nie tak szybko, moja panno. Muszę wiedzieć, czy mnie zrozumiałaś.

– Tak, papo.

– I będziesz posłuszna?

– Owszem. Co nie znaczy, że rozumiem, dlaczego tak postępujesz. Kiedyś byłeś dla mnie inny.

– To znaczy jaki?

– Serdeczny.

Korsakowski prychnął, a potem wyjął z szuflady biurka cygaro.

– Niewdzięczna – mruknął i odprawił ją gestem dłoni. Nie miał ani siły, ani ochoty skupiać się dłużej na tych fanaberiach młodej dziewczyny, których zwyczajnie nie rozumiał. Czekała go batalia o uchronienie majątku, kobiece łzy i humory w denerwujący sposób odrywały go od ważniejszych spraw. Adelajda przeczeka najgorszy dla rodziny czas w Szwajcarii, nabierze światowych manier, a gdy wróci, sama doceni jego starania i podziękuje mu za to. Bo będzie mogła świetnie wyjść za mąż.

Córka opuściła gabinet i dotknęła dłońmi rozpalonego czoła. Czuła, że w głowie jej wiruje, jedyne, o czym mogła myśleć, to, że właśnie spełnia się jej najgorszy koszmar – ojciec wyrzuca ją z domu. Może to intrygi Matyldy, a może to jego własna niechęć – trudno było dociec, ale tak właśnie się stało. Nie chcą jej tu. A skoro tak, to i ona nie chce tu być. Nie wyjedzie do żadnej szkoły w Szwajcarii. Nie pozwoli, aby ktoś kierował w ten sposób jej losem.

Tylko co mogła zrobić? Jak wyrwać się z tej matni? Może ciotka mogłaby coś doradzić? Odrzuciła tę myśl. Ciotka, jako dobra chrześcijanka, na pewno każe jej wypełnić wolę ojca. Będzie tłumaczyła, że to dla jej dobra i z pewnością przyniesie korzyść. Bo szkoła jest wspaniała i nauczy się tam wiele. Adelajda czuła dreszcze przerażenia na myśl o szkole z internatem za granicą. Jak bardzo tam będzie samotna. Odrzucona i opuszczona przez najbliższych. Równie dobrze mogliby ją zamknąć w szpitalu lub w więzieniu, efekt byłby taki sam. Nie, wolałaby się zabić, niż pojechać tam!

A może to byłaby myśl? Po prostu skończyć ze sobą? Oszczędziłaby im wszystkim kłopotów i zmartwień, rozwiązała ręce. Nie, tylko ucieszyłaby tym Matyldę, której wreszcie zeszłaby z oczu.

Mogłaby jednak od nich uciec. Tak, to była myśl. I był ktoś, kto mógł jej w tym pomóc. Kto obiecał.

Błyskawicznie skoczyła do swojego pokoju po karteczkę z numerem telefonu, którą ukryła w książce.

Zbiegła po schodach i oglądając się bacznie za siebie, drżącymi palcami wykręciła cyfry. W domu Tytusa nikt nie odpowiadał, co przyjęła z wielkim rozczarowaniem. Na karteczce był jednak numer do jego szwagra, do ministerstwa. Tam od razu się ktoś zgłosił.

– Chciałam rozmawiać z Robertem Zimeckim, nazywam się Adelajda Korsakowska – powiedziała przyciszonym głosem panience w centrali.

Krewny Tytusa miał zdecydowany, mocny głos.

– Pan mnie nie zna, ale pański szwagier, pan Wilski, podał mi ten telefon, gdybym musiała się skontaktować – zaczęła się tłumaczyć, lecz Robert zareagował od razu.

– Panna Adelajda? Coś się wydarzyło? Tytus uprzedzał mnie, że może pani dzwonić.

Odetchnęła z ulgą, że nie musi tego bardziej wyjaśniać.

– Czy mógłby pan poprosić, żeby Tytus zadzwonił do mnie? Albo jeszcze lepiej – żeby przyjechał? I to możliwie prędko, bo ojciec chce mnie odesłać do szkoły za granicą – mówiła pospiesznie, na przydechu. – Nie zapomni pan? Ja wiem, że to może trochę dziwne i niestosowne…

– Absolutnie. Proszę mi zaufać. Wszystko będzie dobrze.

Pokrzepiona jego zapewnieniami, odłożyła słuchawkę. Nie miała żadnego konkretnego planu, ale wierzyła, że Tytus coś wymyśli. W końcu nawet jego szwagier potraktował sprawę poważnie, więc widocznie na to zasługiwała.

– Co ty tutaj robisz? Do kogo telefonowałaś? – Matylda stała na schodach i przyglądała jej się z surową miną.

– Do nikogo! – odpowiedziała natychmiast Adelajda. – To telefon zadzwonił, a ja odebrałam, bo akurat przechodziłam.

Macocha zmarszczyła brwi.

– Dziwne. Nie słyszałam dzwonka, a przysłuchiwałam się uważnie, bo czekam na rozmowę. Czy to był Karol?

– Nie… Dzwonili w sprawie jakiejś dostawy, słabo było słychać, coś się opóźni, przynajmniej tak zrozumiałam – wymyśliła to na poczekaniu, w nagłym przypływie pomysłowości.

Matylda zirytowana uderzyła dłonią w poręcz.

– Oczywiście, suknia! Wiedziałam, że tak będzie. Niepotrzebnie dałam się namówić Nenie na ten nowy salon. Mogłam zamówić u Hersego, jak zwykle, ale ona mnie tak kusiła paryskimi modelami i mam za swoje. Powiedzieli przynajmniej, kiedy dostarczą?

– Tego właśnie nie usłyszałam. – Pasierbica uśmiechnęła się ze skruchą.

– Szkoda. Idź i pomóż Bisi zająć się Giną. Niedługo przyjedzie Karol, będzie malował mój portret. Mam nadzieję, że wreszcie go skończy. Nie wchodź do oranżerii i nie przeszkadzaj.

– Dobrze.

Matylda zeszła ze schodów i wyminęła pasierbicę, omiatając ją lekceważącym spojrzeniem. Doskonale, że

Augustyn wysyła ją wreszcie do tej szkoły. To zamknie usta Karolowi, który tak strasznie nudził o te zaręczyny. Właściwie mogła mu to teraz nawet obiecać na odczepnego. Tak, to znakomite wyjście z sytuacji! Kuzyn da jej spokój, a nie będzie musiała niczego ujawniać. Idealne pociągnięcie.

Usiadła na tarasie w cieple popołudniowego wrześniowego słońca. Wszystko układało się doskonale. Wkrótce Adelajda wyjedzie, a ona skłoni męża, żeby przenieśli się na sezon zimowy do Warszawy. To nie będzie trudne, biorąc pod uwagę jego pracę w tej naftowej spółce.

Zadysponowała herbatę i zaczęła zastanawiać się, kogo zaprosić na piątkowy wieczór. Rano dzwoniła Nena, która wspominała coś o przyjeździe wraz z bratem. To mogło być zabawne, więc była skłonna się zgodzić.

– Matysiu… – W drzwiach stał Augustyn ubrany do podróży.

– Coś się stało, mój drogi? – spytała łaskawie.

– Muszę pilnie wyjechać do Warszawy. Ważne sprawy…

– Rozumiem, jedź oczywiście – zgodziła się skwapliwie.

– Nie będziesz się nudziła? – spytał z troską.

Pokręciła głową.

– Rozmawiałam z Neną. Przyjedzie dotrzymać mi towarzystwa wraz z bratem.

– To doskonale, baw się dobrze. Mam nadzieję, że nie rozgniewałaś się na mnie. Nie byłem w formie, czasami bywam zbyt pochłonięty interesami i niecierpliwy. Postaram ci się to wkrótce wynagrodzić.

Uśmiechnęła się lekko, triumfalnie.

– Och, nie przejmuj się. Ja też nie byłam sobą, nie wiem, co we mnie wstąpiło. To chyba nerwy. Masz rację, sytuacja polityczna wpływa na nas wszystkich, udziela się to napięcie. – Wykonała łaskawy ruch dłonią. Uznała, że może się zdobyć na wspaniałomyślność.

Mąż przyjrzał jej się uważnie, a potem żarliwie przytaknął. Chciał jej wierzyć.

– Rozumiem wszystko – zapewnił z ulgą. – Rozmówiłem się z Adelajdą. Sądzę, że dotarło do niej, że wyjazd do szkoły jest koniecznością. Pogodziła się z tym.

– To doskonale – z zadowoleniem oznajmiła żona i uśmiechnęła się promiennie. – Może w tej chwili nie potrafi tego docenić, ale jeszcze ci podziękuje za wspaniałe wykształcenie. To są rzeczy nie do przecenienia. A ty jesteś przewidującym człowiekiem.

Skinął jej głową z wdzięcznością, a twarz mu się wygładziła. Znowu wszystko było jak dawniej. Postanowiła od razu wykorzystać ten moment poprawy stosunków między nimi.

– Karol się zapowiedział z przyjazdem. Będzie kończył mój portret. Nie masz nic przeciwko? – bardziej stwierdziła, niż spytała.

Przez jego twarz przemknął cień, ale pokręcił głową.

– Oczywiście, że nie. Twój kuzyn jest zawsze mile widziany – odpowiedział bez entuzjazmu.

Wyciągnęła do niego dłoń, którą ucałował z szacunkiem.

– Postaram się zatelefonować z Warszawy – dodał jeszcze, żegnając ją. Patrzyła chwilę, jak znikał w holu, a potem wzruszyła ramionami i ziewnęła. Może powinna była od razu poruszyć temat przeprowadzki do stolicy na zimę? Ale nie, jeszcze zdąży to zrobić. Jest mnóstwo czasu.

Wypiła popołudniową herbatę, zdążyła przerzucić najnowszy „Przegląd Mody" i zatrzymać się przy modelach sukien wieczorowych na bieżący sezon, kiedy nadjechał Karol.

– Jak się tutaj dostałeś? Nie dzwoniłeś, wysłałabym samochód na kolej – powitała go z radością.

– Przyjechałem autem – pochwalił się.

– Twoim własnym? Chcę zobaczyć! – Była autentycznie zaciekawiona.

Pokręcił głową.

– Pożyczyłem od jednego znajomego. Pracuje w niemieckiej ambasadzie, to kolega z Berlina. Samochód jest wspaniały. To sportowe bugatti w absolutnie cudownym niebieskim kolorze, musimy się przejechać!

Chwycił ją za rękę i pociągnął za sobą przed dom. Stało tam śliczne auto. Był to wyścigowy model dla dwóch osób, o błękitnej barwie nadwozia. Matylda aż westchnęła zachwycona.

– Jest piękny, prawda? Istne cacko na kółkach! Duszę bym sprzedał za coś takiego! – entuzjazmował się Karol. – Wsiadaj, popędzimy nad rzekę.

Kobiecie nie trzeba było tego dwa razy powtarzać, wskoczyła na miejsce pasażera, a Karol zasiadł za kierownicą.

Zapiął rękawiczki, a potem rzucił Matyldzie szelmowskie spojrzenie i pojechali, nie przejmując się prędkością. Ona wreszcie czuła się wolna i nieskrępowana, śmiała się, patrząc na niego z podziwem. Karol pogwizdywał pod nosem. Gnali drogą w chmurze pyłu, nie przejmując się niczym. Matyldzie przeszła przez głowę absurdalna myśl, że w tym tempie mogą dogonić spieszącego do Warszawy swoim cadillakiem Augustyna – ale on przecież jechał w innym kierunku, więc tylko parsknęła radośnie.

Zatrzymali się nad rzeką.

Matylda energicznie wyskoczyła z auta i przeciągnęła się rozkosznie, siadając wprost na trawie nad brzegiem rzeki.

– Och, Karolu, jak wspaniale się czuję. Nawet nie masz pojęcia.

Patrzył na nią z przyjemnością. Uwielbiał jej witalność, humor i dobry nastrój. Wtedy była najpiękniejsza i najbardziej godna pożądania.

– Cieszę się, że sprawiłem ci radość. Samochód jest boski.

– Owszem, przejażdżka była odprężająca, ale nie o to mi chodzi. Mam po prostu wrażenie, że wreszcie wszystko jest na dobrej drodze i również dla nas świeci słońce.

– A co się stało? Wydajesz się taka ożywiona.

– Chcę na zimę wrócić do Warszawy, nie zamierzam się tu dać uziemić w karnawale.

Skinął głową.

– Słusznie. Wybierzemy się na narty do Zakopanego, oderwiesz się od tych starych ministerialnych nudziarzy mężulka.

Nachyliła się w jego kierunku.

– Adelajda jedzie do szkoły do Szwajcarii, a potem moja w tym głowa, żeby ci się w niczym nie sprzeciwiała...

Patrzył na nią ze zdumieniem, unosząc kąciki ust. Przytaknęła z uśmiechem.

– Augustyn niczego mi nie odmówi – mruknęła leniwie. Dotknął jej dłoni, a potem przeciągnął palcami wzdłuż ramienia.

– Skąd nagle ta zmiana? – spytał szybko.

Poruszyła ramionami.

– On się czegoś boi – szepnęła. – Ma jakąś dziwną paranoję, nie wiem, na jakim tle, może to przez ten kryzys, chyba chce złapać w garść jak najwięcej i wszędzie widzi wrogów. Zagroziłam mu, że odejdę...

– Co? – Karol odsunął się od niej i spojrzał w taki sposób, jakby uważał, że jest szalona. – Chyba nie mówisz poważnie? Zwariowałaś?

Pokręciła zalotnie głową.

– Nie powiesz, że cię to nie bawi. To taka gra, on zawsze je mi z ręki. Doskonale wiem, jak z nim postępować i do czego mogę się posunąć. Nastraszyłam go. Będzie posłuszny. On nie może mnie stracić. Zrobi to, co będę chciała. Więc jeśli sobie zażyczę, żeby dał ci Adelajdę, zgodzi się. Zaspokoi każdy mój kaprys. Tak już musi być.

– Nie przeciągaj struny, Tilly – przestrzegł ją.

Skrzywiła się.

– Nie nudź. Przywiozłeś coś ciekawego?

Ze zręcznością prestidigitatora wydobył z wewnętrznej kieszeni marynarki metalową rurkę pełną bladych pastylek.

– To nowość – zachęcił. – Nazywa się calmin i zawiera dużą dawkę heroiny, produkują to zakłady farmaceutyczne w Harzu. Świetne na ból, zmęczenie i chandrę.

– O, to coś dla mnie! – Chciwie wyciągnęła rękę i wygarnęła kilka tabletek.

– Ostrożnie – przestrzegł ją kuzyn. – Nie należy przekraczać dozy, bo może ci się zakręcić w głowie.

– Marzę o tym, żeby mi się wreszcie porządnie zakręciło w głowie. – Łyknęła tabletkę, a potem oparła się o jego ramię. Pocałował ją w czoło. Jej skóra była chłodna, pachniała werbeną.

– Nie chce mi się wracać do domu – powiedziała, przymykając oczy. – Zostańmy tutaj.

– A twój portret? Mieliśmy go skończyć.

– Poczeka. – Objęła go zalotnie.

– Ktoś nas może tutaj zobaczyć, bądź rozsądna.

– Nie obchodzi mnie to – odparła beztrosko, całując go.

– Mnie zatem tym bardziej – roześmiał się, rozpinając jej sukienkę. Przez chwilę szyderczo myślał o Augustynie Korsakowskim, który wszędzie szukał wrogów, jak to przed chwilą powiedziała jego żona. Widział ich nie bez powodów. Karol jakiś czas temu zakradł się do jego gabinetu i wsunął mu do szuflady biurka kilka zdjęć żony w negliżu. Chciał obudzić zazdrość i wątpliwości. Wiedział, że Korsakowski nie odważy się niczego powiedzieć, ale ziarno zostanie zasiane. A to będzie go niszczyć i gnębić. Miał rację i to była jego forma zemsty. Na znienawidzonym Augustynie, który lekceważył go i nie lubił, ale i na Matyldzie tak samo pożądanej, jak i momentami nieznośnej. Mikanowski wiedział, że stąpa po wyjątkowo kruchym lodzie i naraża się zarówno swej kochance, jak i jej mężowi, lecz nic w życiu nie podniecało go tak, jak ryzyko. I niczego nie pragnął bardziej.

– To boli – mruknęła mu do ucha Matylda, gdy ugryzł ją w przypływie namiętności.

– Wracajmy – powiedział leniwie, spoglądając na gasnący nad rzeką dzień. – Robi się chłodno.

– A mamy jeszcze obraz do dokończenia. – Wyjęła z rurki kolejną tabletkę i wsunęła ją do ust. – Zapnij mi sukienkę – rozkazała, a on uczynił to bez dyskusji. Wyprostowała plisę spódnicy i przygładziła włosy. Potem wskoczyła na siedzenie pasażera i zaśmiała się znowu tym swoim drażniącym śmiechem. Było w nim tyle triumfu, że poczuł się nieprzyjemnie.

ROZDZIAŁ 3

Kokoty z towarzystwa i dziwki z plebsu

Kiedy na dole zabrzmiał dzwonek telefonu, Adelajda siedziała w pokoju przy oknie i z niepokojem wyglądała do ogrodu. Czekała. Nie miała pojęcia, czy wiadomość dotarła do Tytusa, czy jego szwagier potraktował sprawę poważnie i czy przekazał mu, że chciała się z nim skontaktować. Toteż kiedy ciotka pojawiła się w drzwiach, odwróciła głowę z nadzieją.

– Jakaś pani do ciebie telefonuje, Aduniu.

– Pani? – W głosie Adelajdy brzmiało zaskoczenie.

– Tak. Z tego, co zrozumiałam, rozchodzi się o jakieś nuty, które zamówiłaś. Jest jakiś błąd w zamówieniu, trzeba to wyjaśnić...

– Nuty? Ależ ja...

– Bodaj dotyczy to Schumanna i czegoś jeszcze, ale powiedziałam, że poproszę cię do aparatu... Bo wiesz, w czym rzecz, prawda?

Adelajda pojęła w lot.

– Tak, oczywiście. Schumann i coś z nowego katalogu, pewnie pomieszali te nuty. Zaraz to wyprostuję. Dziwne, bo ta firma jest zazwyczaj godna zaufania.

– To się zdarza. Załatw to szybko i nie blokuj linii, bo ojciec ma dzwonić. Wciąż jest na tej swojej naradzie w Warszawie, Matylda czeka na telefon od niego.

– A gdzie ona jest? – spytała jeszcze czujnie Adelajda, a ciotka wzruszyła ramionami.

– Chyba w oranżerii, Karol maluje jej portret od śniadania. Nie widziałam, żeby wróciła.

– To dobrze. – Adelajda zeskoczyła z parapetu i pomknęła schodami w dół. Podniosła słuchawkę. – Proszę! Tu Adelajda Korsakowska, kto mówi? – zgłosiła się szybko.

– To ja, Tytus. Poprosiłem pokojówkę mamy, żeby udawała subiektkę ze sklepu z nutami na wypadek, gdyby odebrała ciotka lub Matylda.

– Bardzo sprytnie, od razu się domyśliłam. Po tym Schumannie.

– Na to liczyłem. Posłuchaj mnie, bo nie ma czasu. Robert mi powiedział, że ojciec odsyła cię z domu. Chcesz jechać?

– Nie. Przemyślałam to sobie. Oni zamierzają się mnie pozbyć. Nawet ojciec o mnie nie dba. Nie zależy mu na mnie. Prosiłam, żeby tego nie robił, lecz był nieprzejednany.

– Co zamierzasz zrobić?

– Nie wiem, ale nic mnie tu już nie trzyma, a do tej szkoły również nie pojadę. Tam nie będę mogła grać ani uczyć się muzyki.

– Wyda ci się to pewnie szalone, ale może wolisz wyjechać do Paryża?

Przycisnęła słuchawkę do ucha, bo aż zabrakło jej tchu. Do Paryża? Tam się kształcić? Zostawić to wszystko za sobą? Uciec stąd? Na zawsze?

– Słyszysz mnie? – spytał, myśląc, że to do niej nie dotarło.

– Tak. Tylko że to takie…

– Dziwne? Niestosowne? Wariackie?

– Nie… Nagłe i niespodziewane. Ale wspaniałe!

– Chciałabyś to zrobić? To dla nas szansa. Posłuchaj. Ja też nie widzę tu miejsca dla siebie już od dawna. Ten kraj nie ma mi wiele do zaoferowania, jeśli chodzi o sztukę. Jest ciasny i zaściankowy, tutaj nie rozwinę skrzydeł. To nie jest miejsce dla artystów takich jak my. Ty mogłabyś kształcić swój talent muzyczny, pójść do szkoły, znaleźć swoją drogę…

– Mam pieniądze po matce – szepnęła. – Już niedługo będę mogła nimi sama rozporządzać, a trochę zaoszczędziłam w gotówce. Mam też nieco biżuterii…

– Ja też dysponuję kapitałem po ojcu. Niedużo, ale wystarczy, poza tym mogę pracować. Nie będziemy cierpieć nędzy. To niewiele, ale na początek wystarczy. Ado, to się może udać. Wyjedziemy i pomożemy sobie nawzajem. Jak przyjaciele, nie musisz się niczego obawiać z mojej strony – zapewnił ją żarliwie.

– Nie obawiam się – powiedziała cichym głosem. – Ufam ci, jak nikomu innemu.

– To dobrze. Kiedy możesz być gotowa? Im szybciej, tym lepiej.

– Ojciec chce mnie odesłać za tydzień. Nie mam za dużo czasu.

– Przyjadę po ciebie jutro. Zejdź do holu po kolacji, weź ze sobą jak najmniej rzeczy, wymkniemy się bocznym wyjściem, tym od strony oranżerii.

– Dobrze!

– Niech zatem tak się stanie. Jesteśmy umówieni. Do zobaczenia Ado!

– *À bientôt*[*]!

Tego dnia Adelajda nie wiedziała kompletnie, co się z nią dzieje, reagowała całkowicie automatycznie. Zarejestrowała ledwie, że ojciec zadzwonił, żeby powiedzieć, że jego pobyt w stolicy się przedłuży i że był dziwnie przygnębiony. Matylda natomiast wręcz przeciwnie – tryskała optymizmem i zadowoleniem. Była wesoła i ożywiona, Karol kończył jej portret, który zapowiadał się na wspaniałe dzieło, ale na razie nie chcieli go nikomu pokazywać, bo zamykali się na całe godziny w oranżerii i pracowali nad ostatnimi poprawkami. Wielkie odsłonięcie zaplanowano na następny dzień, kiedy przyjechać

---

* *À bientôt* (fr.) – do zobaczenia.

mieli znajomi Matyldy – Nena z bratem i może ktoś jeszcze z warszawskich gości.

Macocha była teraz nieustannie podekscytowana i w dziwnej euforii. Być może było to spowodowane radością z ukończenia wielkiego dzieła malarskiego, które Karol obiecał pokazać na jakiejś wystawie, a może był to efekt koktajlu różnych środków farmakologicznych, których teraz namiętnie używała. Nie odmawiała sobie niczego. Mieszała eter z chloroformem, heroinę z eukodalem i morfiną. Bawiła się bez umiaru, jakby wszystko miało za chwilę się skończyć.

Adelajda wyciągnęła z szafy niewielką walizkę i wrzuciła do niej kilka rzeczy. Parę zeszytów z nutami i pudełko z biżuterią po matce. Potem sięgnęła do szuflady w stoliku nocnym, gdzie pod safianową obudową pozytywki ukryła swoje oszczędności. Były to pieniądze, które zbierała od bardzo dawna – dostawała je od ojca, ciotki, czasami od Matyldy, gdy macocha miała dobry humor podczas zakupów. Trzeba jej było przyznać, że lubiła szastać gotówką i nigdy nie pamiętała, ile jej dała, często wręczała jej jakąś sumę, by kupiła sobie kapelusz lub perfumy, a potem zapominała o tym od razu. Była niefrasobliwa i rozrzutna, a Adelajda nie miała wielkich potrzeb. Kupowała głównie nuty, sukienki szyto jej w domu lub przerabiano z gotowych zamawianych w sklepach. Czasami Matylda oddawała jej coś swojego, co jej się już znudziło, fakt, robiła to bardzo rzadko, bo była zazdrosna, ale od czasu do czasu tak się zdarzało. Jak z zieloną balową sukienką, w której Adelajda wystąpiła tego wieczoru, gdy poznała Tytusa. Teraz też wyjęła ją z szafy i wcisnęła do walizki. Nawet jeśli nie miałaby jej okazji nigdy włożyć, chciała ją ze sobą zabrać.

Jeszcze parę pamiątek po matce i była gotowa. Drżącymi rękami wcisnęła walizkę głęboko pod łóżko, żeby nikt jej nie znalazł przed czasem, a potem położyła się na pościeli. Głowa ją bolała i pulsowały jej skronie. Nie mogła myśleć normalnie. Skupić się na zwykłych sprawach.

Zajrzała do niej ciotka.

– Zejdziesz na obiad? – spytała, a jej podopieczna pokręciła głową przecząco.

– Źle się czuję.

– Widzę, że jesteś rozpalona. Mam nadzieję, że to nie coś zakaźnego. Mówiła mi kucharka, że we wsi szerzy się koklusz. Zaraz ci przyniosę syropu tymiankowego własnej roboty, poczujesz się lepiej.

Ciotka Bisia pokładała wielką wiarę zarówno w siłę modlitwy, jak i osobiście przyrządzanych leków. Była przy tym stałą abonentką „Wiadomości Farmaceutycznych" i z ciekawością śledziła nowinki w tej dziedzinie. Sama kurowała wszystkich w rodzinie i bardzo nie lubiła, kiedy wtrącał się jakiś doktor. Z zasady nie ufała obcym medykom, toteż gdy pojawiał się lekarz Matyldy, Kalinowski, zawsze patrzyła mu na ręce. I zazwyczaj później i tak ordynowała dziewczętom swoje medykamenty i ziółka.

– Dobrze, ciociu – mruknęła więc Adelajda, przykrywając się po sam czubek nosa, żeby nie wzbudzać podejrzeń.

– Każę ci tutaj podać obiad. Musisz się wzmocnić – zarządziła Albina i sprawdziwszy jeszcze, czy z okna za bardzo nie wieje, opuściła pokój.

Adelajda martwiła się, czy Matylda nie zwróci uwagi na jej nieobecność przy stole i nie zacznie drążyć tematu, ale na szczęście nic takiego nie zaszło. Macocha była pochłonięta swoimi sprawami – portretem malowanym przez Karola i artykułem, który ukazał się w „Die Dame", niemieckim magazynie, przywiezionym przez kuzyna z Berlina.

– Musimy więcej uwagi poświęcać modzie. – Potrząsnęła czasopismem przed oczami Karola.

– Ty chyba zajmujesz się nią cały czas.

– Nie bądź okropny. – Uderzyła go lekko magazynem po ramieniu. – To, co oferują nam krajowe sklepy, to żart, od dawna jestem tego zdania. Brak gustu i stylu, kopiowanie przestarzałych wzorców.

– Przedtem chciałaś kreować trendy artystyczne i literackie, teraz zamierzasz zająć się modą? – nie rozumiał kuzyn.

Zjedli obiad i przeszli do salonu na kieliszek koniaku i cygaro, którym chętnie raczył się Karol. Matylda zapaliła swego papierosa w kryształowej lufce i właśnie wydmuchała z pasją dym, była zła, że mężczyzna w lot nie pojął jej intencji.

– Jedno nie wyklucza drugiego. Czy ty nie rozumiesz? Wreszcie jest jakaś dziedzina, w której mam szansę się wybić. Być w czymś najlepsza i pierwsza.

– Jakim sposobem? Siedzisz na tej prowincji i nie masz pojęcia, co się dzieje na świecie – powiedział to lekceważącym tonem, ale zignorowała go.

– Właśnie. I to zamierzam zmienić. Mówiłam ci, że na sezon zimowy przeniesiemy się do Warszawy. To będzie pierwszy krok. Wspominałam Augustynowi o kupnie willi w Nicei i wyjeździe do Paryża...

– Zgodził się? – przerwał jej kuzyn, a ona skrzywiła się z niechęcią.

– Protestował. Uważa, że to nie czas, aby się afiszować z pieniędzmi.

– I tu się z nim zgadzam. Jeszcze ktoś wam porwie dziecko dla okupu. Bogatym trzeba być, ale nie należy się tym chełpić.

Rzuciła mu pełne pogardy spojrzenie.

– I kto to mówi? Ten, kto jeździ bugatti! I pokazuje je wszystkim.

– To pożyczone auto! O tym także każdy wie. Ja jestem wytworny, ale biedny.

– Elegancki, lecz nie za własne pieniądze. – Wydęła lekko wargi.

– Nie różnimy się tutaj za bardzo od siebie. – Skrzywił się. – No może ja nie jestem aż takim hipokrytą jak ty.

Roześmiała się, biorąc do ręki kieliszek z koniakiem.

– Każde z nas jest bezwzględne – rzuciła. – Na swój bardzo fascynujący sposób.

– Tutaj utrafiłaś w sedno, kuzyneczko. I za to cię uwielbiam. – Przechylił się, by ucałować jej dłoń, a może i usta, ale przeszkodziła im wchodząca pokojówka.

– Co się stało? – spytała z niezadowoleniem w głosie Matylda.

– Telefonowała pani Nena Rohocka. Proszą o auto na kolej. Tylko duże, bo przyjechali w kilka osób.

– Na kolej? Przecież mieli przybyć dopiero jutro? – zdumiała się Matylda. – Ale dobrze, to nawet lepiej, będzie weselej, prawda, Lolu?

– Z pewnością. Poślij fiata i bryczkę, a my pojedziemy trochę później bugatti. To będzie pyszna awantura, jak nas zobaczą!

Zgodziła się z radosnym śmiechem. Uwielbiała takie żarty. Wyprawiła więc auto i powóz, a potem dokończyła drinka. Była ciekawa, kogo tym razem przywiozła ze sobą Nena. Pewnie jakichś znajomych z kawiarni Instytutu Propagandy Sztuki albo z Oazy czy Cristalu przy Brackiej.

Odstawili kieliszki, Karol bez pośpiechu dokończył cygaro, a Matylda starannie wybrała kapelusz na tę przejażdżkę. Adelajda patrzyła z okna, jak błękitny samochód oddala się w tumanie pyłu parkową alejką ku głównej drodze. Na placyk przed stacją kolejową zajechali z fantazją dokładnie w tym momencie, kiedy Nena Rohocka i Tunia Rolska komenderowały rozbawionym towarzystwem, usadzając je w pojazdach. Oczywiście był obecny brat Neny, Dyzio, wychudzony i blady młodzieniec o nerwowych ruchach i szklistym spojrzeniu zdradzającym zamiłowanie do nadużywaniu eteru, jakieś dwie kobiety, zapewne znajome z klubu czy kabaretu, bo wyglądające dosyć swobodnie, co od razu rozzłościło Matyldę, Gilewicz, Stanisławski, bez którego nie obyłaby się żadna zabawa, i – co stwierdziła ze zdumieniem – Tytus Wilski. Skłonił jej się lekko, gdy go zauważyła, i podszedł ucałować jej dłoń.

– Cieszę się, że pana widzę – powiedziała bardzo łaskawie. – Nie spodziewałam się…

– Dziękuję za miłe przyjęcie. Spotkałem pana Rohockiego w Astorii i powiedział mi, że wybiera się z siostrą do pani… Nie mogłem nie skorzystać z takiej okazji…

Obdarzyła go powłóczystym spojrzeniem.

– Słusznie pan zrobił – rzuciła znaczącym tonem. – Będziemy się świetnie bawić.

– Matyldo, pozwól, że ci przedstawię nasze znajome – wtrącił się tymczasem Gilewicz, jak zwykle w doskonałym humorze. – Bella i Ella, a może Bella i Hella? Kto to wie? Znakomite artystki, gwiazdy sceny.

– Wschodzące gwiazdy – podkreślił Stanisławski, witając gospodynię. – Sam je odkryłem dla teatru. To niebywałe talenty. Śpiew, taniec, głos i akrobatyka na najwyższym poziomie.

– Z pewnością – dorzucił Karol. – Już wy się na tym znacie. – Zrobił jakąś dwuznaczną minę do obu kobiet, które wymieniły między sobą spojrzenia. Nie były zakłopotane ani zgorszone, raczej zaciekawione całą sytuacją. Najwyraźniej wiedziały już co nieco o zabawach w Łabonarówce i chciały się same przekonać, jak tutaj jest. – Panie pozwolą do powozu – ulokował je Mikanowski.

– Och, naprawdę jesteśmy na wsi – zachwyciła się Bella. – Zupełnie jak w jakimś romansie. Konie, bryczka, lokaj w liberii.

– Chyba jesteś ślepa, nie ma żadnej liberii – zgasiła ją koleżanka. – To zwykły stangret.

– No tak, ale z pałacu. W pałacach zawsze jest lepsza służba – tłumaczyła tamta.

Matylda zmarszczyła brwi. Ten utrapiony Stanisławski sprowadził pod jej dach jakieś girlaski z rewii. Panny niewiadomego autoramentu, być może, a właściwie na pewno – kokotki. Było jej zupełnie obojętne, jak kto się prowadzi, ale takie towarzystwo obniżało prestiż jej salonu.

– Daj spokój, może być pociesznie. – Karol ścisnął ją za ramię. – Teoś z pewnością miał jakiś cel, zabierając je ze sobą.

– Tak, z pewnością się urżnął i zrobił to dla kaprysu – mruknęła niezadowolona, patrząc, jak dwie girlsy moszczą się w kolasce, przekomarzając się i robiąc wokół siebie mnóstwo zamieszania, były wulgarne i krzykliwe. Dokładnie takie, jak ona sama wyobrażała sobie większość dziewczyn z kabaretu. Strzelały oczami na boki, starając się zorientować w panujących tu układach, a ich uwagę najbardziej przyciągał samochód Karola, a więc i jego osoba.

– Niesamowite auto – zaszczebiotała również Nena. – Zaczęło ci się wreszcie powodzić, Lolu?

– Owszem. Ale wyłącznie w miłości. – Wykrzywił się do niej, aż uderzyła go z rozbawieniem po ramieniu.

– Mam nadzieję, że zabierzesz mnie na przejażdżkę? Nie darowałabym sobie, gdybym nie wsiadła do tego samochodu.

– I ja też – napraszała się Tunia, która pojawiła się przy nich. – Zgłaszam się na ochotniczkę! Mogę być twoim pilotem rajdowym.

– Już nie mogę się doczekać. – Karol objął je obie i zaczął się przekomarzać.

Dyzio Rohocki podszedł do Matyldy, która przypatrywała się tej scenie ze ściągniętymi brwiami.

– Dotarły do mnie pewne plotki... – zaczął, a potem odchrząknął.

Ona lekko zmarszczyła nos. Choć sama nie stroniła od różnych używek, drażnił ją zapach eteru, którym przesączone było jego ubranie.

– Jakie? – spytała z irytacją.

– Na temat pani męża. Słyszałem w Astorii... Była jakaś awantura...

– Awantura? – nie rozumiała.

– Tak. Ponoć spoliczkował Drewnowskiego, tego prezesa banku przemysłowo-kredytowego.

Patrzyła na niego szeroko otwartymi oczami.

Skinął głową.

– Mówił mi o tym hrabia Malicki, był świadkiem. Pani mąż obraził nie tylko prezesa, lecz także radcę ministerialnego Saneckiego, to naprawdę gruba afera... Jak się to rozniesie po mieście...

Patrzył na nią ze złośliwym zadowoleniem, a ona przygryzła wargi.

– Jeśli to prawda – rzuciła z naciskiem. – To z pewnością musiało być jakieś nieporozumienie. Prezes Drewnowski jest partnerem męża w spółce naftowej, a radca Sanecki często u nas bywa, to przyjaciel Augustyna, i doprawdy nie rozumiem tych insynuacji.

Wypowiedziała to tak władczym tonem, że uśmiech od razu zniknął z twarzy Rohockiego. Strzepnął nerwowo klapy marynarki i ponownie odchrząknął, a potem wyjął z kieszeni jedwabną chusteczkę i przytknął do ust.

– Tak... Z pewnością... Musiałem coś źle zrozumieć... Proszę o wybaczenie. Ostatnio niedobrze się czuję... Przeziębienie...

„Wywołane eterem" – pomyślała mściwie Matylda, patrząc, jak zmierza w kierunku powozu, w którym już siedziały wszystkie panie i Stanisławski. Gilewicz wraz z Tytusem wsiedli do fiata. Mogli wracać do Łabonarówki.

– Co ci powiedział? – zapytał cicho Karol, nakładając rękawiczki. Wzruszyła ramionami.

– Jakieś brednie o Augustynie. Że spoliczkował Drewnowskiego.

– Tego prezesa banku? Niby za co?

– Nie mam pojęcia. On sam tego nie wie, powtarza jakieś plotki, żeby mi sprawić przykrość.

– Obrzydliwa kreatura. Trzeba mu utrzeć nosa. Twój mąż ma jakieś kłopoty? – spytał nieoczekiwanie, wykręcając zgrabnie na placu i wyprzedzając fiata oraz bryczkę.

– Jakie niby? Bądź poważny!

– Jestem. Doszły mnie słuchy, że ta jego spółka się chwieje.

– To niemożliwe! To absolutnie pewny interes.

Teraz on poruszył ramionami.

– Może taki był. Zdaje się, że dokonali zbyt wielu ryzykownych inwestycji na wielkie kwoty.

– No to rozwiążą spółkę. Trudno. Augustyn zajmie się swoimi przedsiębiorstwami.

Spojrzał na nią z ukosa. Najwyraźniej nie zdawała sobie sprawy, że pola naftowe i rafineria były zabezpieczeniem majątku spółki. Ile naprawdę wiedziała o finansach męża? Czy to w ogóle ją obchodziło? Najwyraźniej nie. Nie zamierzał więc dyskutować z nią na ten temat.

– Bez względu na to, co powiedziałeś wcześniej, nie podobają mi się te kobiety. Nie chcę dziwek pod moim dachem – wypaliła nieoczekiwanie.

– To powinnaś wyprosić również Nenę i swoją kuzynkę Tunię – odpowiedział wesoło, a ona od razu się rozpogodziła.

– Nie bądź okropny! Wiesz, co mam na myśli!

– Tak. Nie chcesz pospolitych dziwek. Te z towarzystwa ci nie przeszkadzają. To błąd, moja droga. Kokoty z plebsu są solą tej ziemi, wspomnisz jeszcze moje słowa. Przynajmniej są szczere, bo sprzedają się otwarcie za pieniądze, a nie udają miłość lub jeszcze gorzej, poświęcenie w imię wyższych idei czy wartości.

– Ja niby tak robię?

– A co innego?

– Jesteś niemożliwy, ale wybaczę ci. To wspaniałe auto sprawiło, że wszyscy oszaleli z zazdrości. Z pewnością dlatego ten wstrętny Dyzio Rohocki starał się mi dokuczyć tymi bredniami o Augustynie. Zauważyłeś, jak on cuchnie eterem? To niesmaczne.

– Wszystkie nasze namiętności robią się z czasem niesmaczne. A czego chciał Tytus Wilski? Szczerze mówiąc, zdziwiłem się, że go tu widzę.

– Dlaczego? Polubił nas.

– Chyba wręcz przeciwnie. Odniosłem wrażenie, że się nami głęboko brzydzi.

– Przesadzasz. Mnie na przykład uwielbia. – Przeciągnęła się leniwie na siedzeniu, a Karolowi zadrżały wargi. Nie lubił tych jej prowokacji.

– Nie przeciągaj struny. Jego opiekunem jest major Rostworowski.

– I co z tego? Co ma do tego wszystkiego ten nudziarz?

– Ostatnio otrzymał nominację w Sztabie Głównym.

– Wspaniale, moje gratulacje. Został pułkownikiem? Będzie zarządzał kantyną? A może magazynem mundurowym? – śmiała się wesoło.

– Mówią, że pełni funkcję szefa jednego z wydziałów w Dwójce…

– W jakiej Dwójce? A cóż to w ogóle jest? – zdumiała się.

– Oddział Drugi Sztabu Głównego zajmuje się, moja droga, wywiadem wojskowym i kontrwywiadem. To na wypadek, gdyby nam tutaj wybuchła wojna i na przykład chcieli tu działać obcy agenci…

– Szpiedzy? U nas? Może jeszcze w Łabonarówce? – parsknęła beztrosko. – Doskonały jesteś, Lolu! Co nas to wszystko obchodzi? Jakie ma znaczenie, że znajomym Tytusa Wilskiego jest jakiś major z wywiadu?

– Ale ty czasami jesteś głupia, Tilly! – mruknął przez zaciśnięte zęby. – Oczywiście, że to ma znaczenie! Tacy ludzie nie pojawiają się w twoim otoczeniu bez powodu. Zawsze, ale to zawsze cię obserwują i analizują, co robisz. I zapamiętują cię. Wbij to sobie do tej twojej pozbawionej rozumu główki!

Spojrzała na niego ze zdumieniem i urazą.

– Ty masz jakąś paranoję. Powinieneś się leczyć – podsumowała. – Obraziłeś mnie dzisiaj kolejny raz. Nic nie powiem, bo mam nadzieję na dobrą zabawę, ale zapamiętam to sobie. Nie ujdzie ci to płazem.

Wjechali w bramę posiadłości, więc poprawiła przekrzywiony kapelusz. Musiała powitać gości, którzy lada chwila mieli się pojawić w jej progach.

ROZDZIAŁ 4

Złoty pierścionek z diamentem

Kiedy zajechali do pałacu, Tytus przede wszystkim postanowił uwolnić się od natrętnej obecności Tuni Rolskiej, która paplała mu bez przerwy do ucha o jakichś warszawskich znajomych. Usta jej się nie zamykały i cieszył się niepomiernie z tego, że nie musiał z nią jechać samochodem z dworca. Już wspólna podróż pociągiem była katorgą. Tunia ostatnio pozowała na znawczynię poezji, bo zawarła znajomość z którymś z pomniejszych literatów związanych z grupą Kwadryga.

– Mój przyjaciel mówił, że Zbyszek Uniłowski postanowił napisać o nich wszystkich powieść. O całym tym środowisku, wyobrażasz sobie, Tytusie, co to będzie za skandal obyczajowy?

– Nie sądzę – mruknął, rozglądając się po salonie, szukając choćby śladu obecności Adelajdy. Pozostali goście rozeszli się już po parterze pałacu w nadziei na aperitif i cygaro lub papierosa.

– Ależ ja ci powtarzam, że tak! – podkreśliła z emfazą. – Ponoć opisze tam niebywałe ekscesy erotyczne i notoryczne pijaństwo – dodała cicho i konspiracyjnie, a Tytus prychnął śmiechem.

– Czyli stworzy prozę jak najbardziej naturalistyczną – powiedział z uznaniem. – To się Uniłowskiemu bardzo chwali. Mam nadzieję, że rozprawi się w niej również ze skamandrytami i całym tym zapyziałym literackim światkiem.

Tunia zerknęła ze zdumieniem.

– Przecież sam zamierzałeś wydać tomik pod ich skrzydłami?

– Ale nie wydam. Obmierzło mi to wszystko na tyle, żeby dojść do wniosku, że rzucam to.

– Jak to? Na zawsze? Nie rozumiem – otwarła usta ze zdumienia.

Opanował się. Nie powinien tak się zdradzać, jeszcze w dodatku przed kimś takim jak ona.

– Znalazłem lepszego wydawcę. Bardziej zgodnego z moim światopoglądem – wyjaśnił szybko, a ona skinęła głową ze zrozumieniem.

– O, wiem, o co ci chodzi. Jurek, ten mój przyjaciel, tak samo mówił. Czechowicz, Sebyła, Baliński... – znowu zaczęła paplać, wymieniając nazwiska poetów związanych z awangardą, ale on jej już nie słuchał. Miał wrażenie, że w małym salonie mignęła mu sylwetka Adelajdy. Musiał się jednak pomylić, bo gdy tam wszedł, nie było jej. Zaczepił jednak służącą, która podawała herbatę.

– Czy panna Ada jest w domu? – spytał cicho, a pokojówka przytaknęła.

– Tak, ale nie domaga.

– Co się stało? Jest chora? – zaniepokoił się.

– Nie wiem, proszę pana. Starsza pani jej dawała jakieś proszki i syrop. Mówiła, że koklusz teraz panuje po sąsiedzku, ponoć to się szybko roznosi.

Tytus się przeraził. Jeśli Adelajda złapała chorobę zakaźną, wyjazd może nie dojść do skutku. To bardzo skomplikowałoby plany, a być może całkiem je przekreśliło.

– Jestem znajomym panienki, martwię się o jej samopoczucie – powiedział z zatroskaniem na twarzy. – Możesz przekazać parę słów ode mnie? – Wyjął kartkę i szybko napisał wiadomość.

– Oczywiście, proszę pana. Teraz zanieść?

– Najlepiej jak najszybciej. Tylko pytam o jej zdrowie. Niepokoję się.

Patrzył za oddalającą się służącą, gdy ktoś położył mu dłoń na ramieniu. Odwrócił się gwałtownie, żeby zobaczyć Matyldę Korsakowską w swej ciemnopomarańczowej sukni.

– Przestraszyłam pana? – spytała z uśmiechem.

– Raczej zaskoczyła mnie pani.

– To doskonale. Lubię to najbardziej. Zapraszam do oranżerii. Będzie niewielka niespodzianka dla gości.

– Jaka? – zapytał.

– Chcę pana zaskoczyć. – Rzuciła mu spojrzenie. – Proszę mnie nie zawieść i przyjść.

Obejrzał się za siebie. Reszta towarzystwa już zmierzała przez hol w kierunku cieplarni. Pokojówki wciąż nie było widać na schodach. Być może Adelajda tak bardzo źle się czuła, że nie mogła odpowiedzieć od razu, a możliwe, że ciotka przejęła liścik... Trzeba zatem zaryzykować i dostać się na górę...

– Tytus... – usłyszał koło siebie cichy głos. To była Adelajda, która nagle pojawiła się na parterze domu.

– Jesteś – ucieszył się.

– Miałeś przybyć jutro...

– Wiem, ale nadarzyła się okazja... Porozmawiajmy... – Chwycił ją za rękę i pociągnął za sobą do pokoju muzycznego, gdzie starannie zamknął drzwi.

– Wciąż jesteś gotowa wyjechać? – spytał, a ona kiwnęła głową.

– Teraz nawet bardziej niż przedtem – mruknęła ponuro. – Już się spakowałam.

– To doskonale. Wszystko załatwiłem. Musimy tylko wydostać się z domu, dojechać na tutejszy dworzec i dotrzeć do Warszawy. Tam czekają bilety na pociąg do Paryża i mój bagaż. Nikt się niczego nie domyśli i zanim ktokolwiek zacznie cię szukać, będziemy już daleko.

– Mówisz poważnie? – upewniała się drżącym głosem.

– Najpoważniej na świecie. Wymkniemy się dzisiaj w nocy, gdy goście Matyldy rozejdą się po pokojach, to najlepszy moment. Obmyśliłem plan bardzo dokładnie, nie może się nie udać.

Podskoczyła do niego i rzuciła mu się na szyję. Zaskoczony przytulił ją mocno do siebie, a potem pocałował jej włosy.

– Przepraszam – powiedziała, odsuwając się. – Ty pewnie myślisz...

– Nie, to ty myślisz... – przerwał jej.

Chwilę patrzyli na siebie, a w końcu Tytus się odważył.

– Ja ciebie naprawdę kocham, Adelajdo – wyszeptał. – I wiedz, że zrobiłbym dla ciebie wszystko, bez żadnego wahania. Proszę. – Wyjął z kieszeni plik kartek i podał jej. Wzięła je do ręki i przejrzała zdumiona.

– Co to jest? Czyżby...

– Tak. To *Kolekcja straconych chwil*, mój tomik wierszy. Odebrałem go wydawcy. Nie wyjdzie w Polsce. Nie chcę tego i nie zrobię. Wreszcie czuję się wolny. Oddaję go tobie. W prezencie. Na zaręczyny. Jeśli oczywiście zechcesz. Ten tomik i mnie...

Pochylił głowę, a ona znowu przytuliła się do niego.

– Och, Tytusie... Ja przez ten cały czas marzyłam, nie, chyba cały czas śniłam o tym, że przyjedziesz i powiesz mi, że mnie kochasz, że zawsze będziemy razem, że to się tak nie skończy... W tym domu i w tym miejscu...

– Ado, zostaniesz moją żoną? – spytał. – Nie teraz, jeśli to dla ciebie za szybko, ale kiedyś, w ogóle?

– Tak. To jedyne, czego chcę, bo tylko ciebie kocham i myślę, że tylko ciebie będę kochała zawsze. Takie rzeczy się po prostu wie – powiedziała bardzo cicho.

Pocałował ją, a potem wsunął jej na palec pierścionek.

Roześmiał się, gdy oglądała go ze zdumieniem: duży diament otaczały szmaragdy, tworząc uroczy ornament kwiatu.

– To po mojej babce ze strony matki, nie znałem jej, ale mama bardzo ją kochała. Myślałaś, że dam ci tylko te wiersze?

– Wiersze w zupełności starczą – powiedziała uroczyście. – Nie wiem, co mogłabym dostać lepszego na zaręczyny.

Pocałowali się kolejny raz, teraz już szczęśliwi swoim własnym szczęściem i nadziejami, które właśnie w nich rozkwitły. Wiarą we wspólną drogę, która się rozpoczynała na progu tego domu. I choć na razie wiodła w nieznane, miała ich zaprowadzić ku spełnieniu i radości. Wszystko wydawało się możliwe i nie widzieli żadnych przeszkód. Czuli się silni i niepokonani, ponieważ wybrali dobrze.

– Muszę już iść. Twoja macocha ma niespodziankę dla gości i czeka na mnie – powiedział w końcu, odgarniając jej włosy. – Nie chcę, żeby nabrali jakichś podejrzeń.

Skinęła głową.

– Ja też powinnam wracać. Skłamałam ciotce, że źle się czuję i muszę zostać w łóżku, żeby nie zwracali na mnie uwagi.

– Bardzo mądrze. Zejdź na dół z walizką o północy.

– Jak dostaniemy się na kolej?

– Wymyślę coś, mam już pewien plan, nie martw się.

– Do zobaczenia!

– Do północy. Zaczekaj!

Przyciągnął ją do siebie i jeszcze raz pocałował. Nie mógł uwierzyć, że Adelajda Korsakowska, ta absolutnie niewiarygodna istota, zostanie jego żoną. Tyle będą mogli razem osiągnąć! Podróżować, uczyć się, poznawać nowe miejsca, podbijać świat! Zakręciło mu się w głowie.

Wyszedł szybko na taras, a potem do ogrodu. Tam natknął się na Dyzia Rohockiego.

– Gdzie byłeś? – mruknął tamten, chowając coś do kieszeni płaszcza, który nosił nawet w najbardziej gorące dni, twierdząc, że zawsze jest mu zimno. Zapachniało eterem.

– Dzwoniłem do Roberta, do ministerstwa – rzucił niechętnie Tytus.

– Składałeś mu raport? – wyszczerzył nieprzyjemnie zęby Dyzio. Wilski się obruszył. – No nie udawaj. Wszyscy wiedzą, że twój szwagier to ważna figura w sprawach zagranicznych. Skoro wieczorami przesiaduje w biurze, to widocznie coś się dzieje. Szykuje się jakiś przewrót? Może wybuchnie nowa wojna? Albo ktoś z nas jest typowany na jakiegoś skrytobójcę, który ma zgładzić jakąś ważną osobistość?

– Fantazjujesz jak rzadko kiedy. – Tytus się skrzywił. – Powinieneś ograniczyć ten eter. Źle na ciebie wpływa, masz jakieś dziwne teorie.

– Dziwne teorie, szalone myśli… Tak uważasz? A ja wiem, że wojna wybuchnie. Może nie za rok czy za pięć lat, ale przyjdzie. Czuję to w kościach, mam to we krwi… Nadchodzi nieuchronna zagłada świata, który znamy. W sumie i tak jest diabła wart, ale trochę go szkoda…

Tytus spojrzał na niego jak na człowieka obłąkanego, ale się nie odezwał, bo właśnie dotarli do oranżerii, gdzie zebrało się już całe rozbawione towarzystwo. Szampan lał się strumieniem, a w pomieszczeniu wśród storczyków i pięknie rozkwitłej datury królowała pani domu.

– Jesteście – ucieszyła się Nena. – Już się obawiałam, że Dyzio gdzieś zaginął.

– Spacerowaliśmy z Tytusem po ogrodzie, rozprawiając o nadchodzącej wojnie – wymamrotał jej brat.

– O jakiej wojnie, co ty pleciesz? – zgorszyła się jego siostra. – Nikt się na to nie odważy.

– Tak, będziemy się bawić bez końca – włączyła się Tunia. – Tytusie, musisz zobaczyć obraz, który właśnie skończył Karol, jest cudowny. Powala na kolana.

Poprowadziła go do płótna rozstawionego dla większego efektu na sztaludze. Był to portret Matyldy Korsakowskiej. Przedstawiał ją w naturalnych rozmiarach, z twarzą lekko zwróconą w bok, ale jednak obserwującą widza z ironicznym, badawczym spojrzeniem, które widział u niej tyle razy. W jej oczach czaiło się coś, czego nigdy nie potrafił dobrze nazwać. Przyciągająca obietnica, ale i ostrzeżenie przed niebezpieczeństwem. I pogarda, której tak naprawdę nigdy nie umiała ukryć. Musiał przyznać, że Karol Mikanowski był niezłym artystą. Dotąd Tytus sądził, że kuzyn baronówny to sprytny blagier i człowiek pozbawiony zdolności. Jego prasowe artykuły były płytkie, opierały się na sensacji i potrzebie wyróżnienia się. Zdjęcia publikowane w gazetach, choć ciekawe, także nie oszałamiały. Ale ten obraz... Nie miał pojęcia jak, ale Karolowi udało się uchwycić w portrecie całą prawdę o charakterze swej kuzynki. Musiał mieć niezwykłe oko albo znać ją tak dobrze jak nikt.

Pani domu była tu uwieczniona w sukni z jedwabnej tafty w głębokim pomarańczowo-brązowym kolorze, w której właśnie stała przed sztalugą i uśmiechała się triumfalnie. We włosach miała opaskę z pereł, sznurki pereł ozdabiały też jej szyję i nadgarstek. Wyglądała niezwykle pięknie.

– Wspaniały portret – pochwalił Tytus, zbliżając się. – Pani kuzyn ma wielki talent.

– Prawda? Choć oczywiście śmiem twierdzić, że bez dobrej modelki nie powstanie dobre dzieło – roześmiała się.

– To jasne – przytaknął. – To pani nadaje blasku temu płótnu. Reszta to technika.

Pochyliła głowę z zadowoleniem.

– Uważam podobnie – oświadczyła z prostotą. – Napije się pan szampana?

– Z chęcią.

Podała mu kieliszek i spojrzała badawczo.

– Mam dziwne wrażenie, że pan mnie unika – powiedziała wreszcie.

– Czym spowodowane?

– Rzadko nas pan odwiedza, a ja liczyłam na pańską stałą obecność w moim domu, może na to, że się zaprzyjaźnimy. – Dotknęła jego dłoni i spojrzała mu w oczy.

– Nie chciałem się narzucać pani towarzystwu. Ma pani tylu znajomych. – Zrobił wymowny ruch ręką.

– To są ludzie nieważni, płytcy – prychnęła. – Ja szukam czegoś głębszego, bardziej pociągającego. Panie Tytusie, zdradzę panu pewien sekret: na zimę wracam do Warszawy. Chcę się dokładniej zająć swoimi sprawami, mam głowę pełną pomysłów, myślę o sztuce, modzie, nowych kierunkach, kreowaniu gustów i opinii…

– To wspaniały pomysł, idealny dla pani. Ma pani tak dobry smak – rzucił dosyć obojętnie, ale ona nie zwróciła uwagi na jego ton.

– Wiem, że wiele moglibyśmy zrobić razem. Bardzo sobie pomóc. Pański talent i wrażliwość oraz moje możliwości. – Znowu uścisnęła mu rękę. – Proszę o tym pomyśleć – dodała, widząc nadchodzącego Karola. – A teraz pijmy za zdrowie autora tego portretu. – Uniosła kieliszek, a Tytus poszedł za jej przykładem.

Karol obrzucił ich podejrzliwym spojrzeniem.

– Moje gratulacje – zwrócił się do malarza Tytus. – Chce pan wystawić to dzieło?

Mikanowski się odprężył.

– Owszem. Uważam portret za bardzo udany.

– Będzie ozdobą każdej ekspozycji.

– Pan wie, że kapiści przygotowują się do zorganizowania swojej wystawy? To niewiarygodne, jak ten kierunek się przyjął – zaperzył się Mikanowski. – Pewnie dlatego, że arystokracja to popiera. – Obrzucił pełnym przygany spojrzeniem swoją kuzynkę. – Zachwycają się wszystkim, co nowe i inne.

Poruszyła lekceważąco ramionami.

– Raczej tym, co dobre i odkrywcze. Ja też lubię kolorystów i chętnie odwiedzę ich wystawę, gdy już będę w Warszawie. Teraz chyba pora na kolację. Karolu, możesz poprosić wszystkich, żeby przeszli do jadalni? Mam nadzieję, że Bisia dopilnowała wydawania, była tak zaprzątnięta chorobą Adelajdy...

– Panna Ada jest chora? Właśnie nie zauważyłem jej na dole – podjął Tytus.

Obrzuciła go ciekawym spojrzeniem.

– Uważam, że zwyczajnie kaprysi. Ma wyjechać do szkoły, więc stroi jakieś fochy. Ale to dobrze, przynajmniej nie zepsuje nam wieczoru, jest ostatnio nieznośna. Odrobina dyscypliny w tej szkole na pewno dobrze jej zrobi. Będzie mi pan towarzyszył? Chciałam się poradzić w pewnej literackiej kwestii...

Ujęła go pod ramię i ruszyła przez oranżerię do drzwi, a potem już na taras i do pałacu.

Kolacja była dla Tytusa nużąca. Przede wszystkim dlatego, że nie mógł się uwolnić od towarzystwa Matyldy i jej kuzynki Tuni. Obie uparły się, by go zadręczać pytaniami i opowieściami o swoich znajomych. Tytus miał wrażenie, jakby całe towarzystwo zebrane w pałacu w Łabonarówce zastawiało na niego jakąś pułapkę. Wszyscy obserwowali go – kpiąco i ironicznie z drugiej strony stołu, jak Dyzio Rohocki, czy też podejrzliwie i z bacznym namysłem jak Karol Mikanowski, który śledził każde jego słowo, zwłaszcza skierowane do Matyldy. Tytus zastanawiał się, czy wszystko to, co się tutaj działo, nie miało na celu udaremnienie jego planów ucieczki z Adelajdą. Przyjęcie ciągnęło się bez końca, a goście zdawali się doskonale bawić nic nieznaczącymi rozmowami i banalnymi plotkami. Gilewicz rzucił pomysł, by następnego dnia rano, po śniadaniu, wybrać się na konną przejażdżkę.

– Ty, Karolu, oczywiście pojedziesz swoim wspaniałym autem – dodał jeszcze z krzywym uśmiechem.

– Dlaczego tylko Lolo ma nim jechać? Każdy ma na to ochotę – zareagowała natychmiast Nena.

– A umiesz prowadzić? – spytał jej brat.

– Pewnie, że tak! Zresztą Matylda jest w tym świetna. W końcu kieruje swoim fiatem. Myślicie, że kobiety nie startują w rajdach?

– A Karol miałby od razu nowy temat na obraz! Coś w stylu madame Łempickiej – zaśmiewał się Stanisławski, puszczając oko do swoich dwóch baletnic, które najwyraźniej nudziły się trochę w tym towarzystwie. Miały nadzieję na coś bardziej pikantnego i frywolnego, a przy stole toczyły się niekończące się bajędy o sztuce i wpływowych znajomych. Żadnej zabawy, same nudne opowieści.

– Zatem postanowione. Jutro wyścigi. Konne, samochodowe, bryczkami i co tylko mamy do dyspozycji –

roześmiała się Matylda. – To będzie nasz pierwszy oficjalny rajd Łabonarówki.

– Brawo, brawo, brawo. – Dyzio Rohocki uderzył kilka razy w dłonie. – Ja poproszę o bicykl. W gimnazjum byłem w tym świetny.

– Dyziu, przestań, nie potrafisz utrzymać równowagi na nartach, nie mówiąc już o czymś takim jak rower!

Wybuchła wesołość przy stole, ktoś zaproponował, by przejść do salonu, może włączyć gramofon. Matylda podniosła się i gestem zaprosiła gości, by poszli za nią.

W holu zabrzęczał telefon i po chwili pojawiła się pokojówka.

– Dzwonią w sprawie jaśnie pana – odezwała się lękliwie do Matyldy.

Ta odwróciła się zniecierpliwiona od Dyzia Rohockiego, któremu coś objaśniała żarliwie, i zmarszczyła brwi.

– O co chodzi? – spytała gniewnym głosem.

– Nie mówili. Proszą jaśnie panią.

– Dobrze, już idę. Nie rozumiem, co za dziwne historie – mruknęła zirytowana.

Kiedy wróciła, nie potrafiła ukryć niepokoju. Karol podał jej kieliszek koniaku i odciągnął ją na bok.

– Coś się wydarzyło?

– Dyzio Rohocki nie kłamał. – Upiła spory łyk, a potem spojrzała na kuzyna znacząco.

– Co masz na myśli?

477

– Mówię, że Augustyn obraził prezesa Drewnowskiego i radcę Saneckiego do tego stopnia, że obaj chcieli go wyzwać na pojedynek…

Karol prychnął śmiechem.

– Na pojedynek? Twojego męża? Co to w ogóle za dziki pomysł? Tilly, ktoś ci naopowiadał głupot, a ty w to uwierzyłaś…

– To nie są głupoty, Lolu. Telefonował sekretarz mojego męża. Był w najwyższym stopniu przerażony. Ponoć Augustyn wpadł do biura jak furiat, zabrał jakieś papiery, wyrzucił wszystkie dokumenty z biurka, zrobił straszny rozgardiasz, szukał czegoś, lecz nie wiadomo czego, zachowywał się jak obłąkany, a potem kazał zajechać szoferowi i wieźć się do Łabonarówki… Niedługo tu będzie…

Kuzyn przygryzł wargi.

– Niedobrze… Żeby tylko tutaj nie wywołał jakiejś awantury, bo będzie skandal i gadanie.

– Właśnie. Nie mam pojęcia, co robić. Augustyn jest odrażający, specjalnie na złość urządza te sceny. Akurat teraz, kiedy wszystko mi się tak dobrze układa. Nie chcę, żeby mnie kompromitował.

– Trzeba zatem powoli kończyć przyjęcie – uznał Karol, oglądając się za siebie.

– Żartujesz? Nie po to zaprosiłam gości, żeby ich teraz wypędzać. To będzie jeszcze większy powód do plotek.

– Och, Tilly, kto by pomyślał, że jesteś taka drobiazgowa. – Kuzyn się uśmiechnął i zaczął się kręcić między gośćmi.

Matylda wbiła wzrok w Tytusa Wilskiego, który z roztargnieniem wyglądał przez okno.

– Nudzi się pan? – spytała.

– Nie. Ale dziwna ta noc. Trochę deprymująca.

– Dla mnie też. Czuję się zmęczona. – Dotknęła szczupłymi palcami skroni. – Niedługo chyba pora na odpoczynek.

– Zwłaszcza jeśli jutrzejszy dzień zapowiada się tak emocjonująco – podsunął skwapliwie.

– Ma pan rację. Czy służąca pokazała panu pokój?

– Tak, dziękuję bardzo za gościnę.

– I proszę nie zapominać o tym, co powiedziałam. Musimy się zobaczyć w Warszawie.

– Oczywiście. Będę czekał na wiadomość od pani – zapewnił ją szybko, a ona skinęła mu głową.

Podeszła do innych znajomych. Baletnice Stanisławskiego najwyraźniej rozochocone szampanem i koniakiem pokazywały jakieś rewiowe sztuczki, a Nena Rohocka jak zwykle była w humorze. Jej brat zniknął gdzieś niepostrzeżenie, podobnie Gilewicz, który ulotnił się już na początku zabawy w salonie. Temperatura spotkania wyraźnie opadła, a wpływ na to miał z pewnością Karol, który zaoferował wybranym swój biały cudowny proszek, ale na osobności i nie w tym miejscu. Teraz tylko patrzyli okazji, by wymówić się od dalszego posiedzenia i dobrać się do kokainy. Matylda uśmiechnęła się wyrozumiale. Dopito drinki i w ciągu dwóch kwadransów poza baletnicami i satyrykiem na dole nie było już nikogo.

– To był długi dzień – zachęciła ich do pożegnania się Matylda.

– Ależ Tilly, chyba nie odtrąbisz jeszcze końca zabawy! – Stanisławski miał niepocieszoną minę.

– Zabawa zakończyła się sama, mój drogi. – Gospodyni powiodła wzrokiem po salonie. – Jutro też jest dzień i czekają nas wspaniałe rozrywki.

– Skoro tak mówisz. To pa, dobranoc, chodźcie, dziewczęta. – Wyciągnął ręce do dwóch tancerek i ujął je w pasie. – Porozmawiamy jeszcze chwilę przed snem.

– Teodorze, przestań – chichotała Hella. – Nie bądź nieprzyzwoity.

– Ani mi to w głowie – mruknął. Zanurzył usta w jej lokach, jednocześnie szczypiąc Bellę w pośladek.

Matylda skrzywiła się, ale nic nie powiedziała, zależało jej jedynie, by zniknęli z salonu. Ich kroki zaczęły się oddalać i w końcu została sama. Ciekawiło ją, gdzie przepadł Karol, ale rozumiała, że towarzyszy Gilewiczowi i Dyziowi na ich narkotykowych ścieżkach. Tytus zapewne poszedł z nimi. Choć nie był zbyt wielkim amatorem sztucznych rajów, Korsakowska już dawno temu zauważyła, że pociąga go ta atmosfera, fascynuje obłęd, jaki towarzyszy upojeniu.

Pokojówka zajrzała nieśmiało.

– Mogę już sprzątać, proszę pani?

– Tak, goście się rozeszli – łaskawie przyzwoliła gospodyni, a potem zapaliła papierosa. Wreszcie poczuła ulgę i się odprężyła. Po chwili wróciła jej irytacja na męża:

co znowu takiego się stało, że musiał zepsuć jej wieczór. Przypuszczalnie zrobił to celowo, wiedząc, że mają ją odwiedzić znajomi, bo jak zwykle myślał wyłącznie o sobie.

Pokojówka i służąca zdążyły uporządkować pokoje na dole, a ona jeszcze siedziała w milczeniu i paliła papierosa. W końcu wstała, nie doczekawszy się kuzyna, i przeszła przez hol w kierunku schodów, by udać się do swojej sypialni. Nie zamierzała szukać Karola, skoro porzucił jej towarzystwo. Wtedy na podjeździe przed pałacem rozległ się hałas, trzasnęły drzwi, dał się słyszeć podniesiony głos jej męża, a potem Augustyn wkroczył do środka. Wyglądał dziwnie. Właściwie nigdy nie widziała go w takim stanie. Jakby był pijany albo szalony. Być może jedno i drugie, w każdym razie przeżył wielki wstrząs. Twarz jego bladą i pokrytą potem co chwila przechodziły skurcze przypominające paroksyzmy bólu; wyraźnie cierpiał, ale wydawało się, że jest to boleść natury psychicznej, nie fizycznej. Jego wzrok błądził po różnych przedmiotach, nie mogąc się skupić na niczym, ręce drżały. To był człowiek załamany, u kresu wytrzymałości. Ktoś, komu zadano wielki i niezasłużony cios.

Matylda stała naprzeciw męża i nie mogła uwierzyć własnym oczom. I temu, że kiedyś się go obawiała, liczyła się z jego zdaniem i kaprysami. Teraz wydawał jej się taki słaby i bezbronny.

– Matysiu… – odezwał się, jakby dopiero teraz zauważył ją lub poznał. Postąpił w jej kierunku, z jakąś rozpaczliwą nadzieją, jakby licząc na to, że ona da mu pocieszenie, ukoi jego smutki. Objął ją i przycisnął do siebie. – Moja ukochana, najpiękniejsza… – szeptał w jakimś niesamowitym uniesieniu.

Wyszarpnęła się ze wstrętem.

– Co ty wyprawiasz, na miłość boską?! W domu są goście! Co sobie pomyślą?!

– Jesteśmy małżeństwem, Matysiu. Kochającą się rodziną – mruknął Augustyn, pocierając dłońmi czoło. W głowie mu się mąciło, miał wrażenie, że traci rozsądek.

– Co w ciebie wstąpiło? Dobrze się czujesz? – spytała rozdrażniona. – Dzwonił twój sekretarz, mówił mi o jakiejś awanturze w spółce…

– Spółka właśnie przestała istnieć – odezwał się Korsakowski głucho.

– To niemożliwe? Jak to? Co ty opowiadasz?

– Wejdźmy do biblioteki, wszystko ci powiem.

Przeszli na drugą stronę holu i znaleźli się w pokoju, którego Matylda naprawdę nie lubiła. Ponurej bibliotece, odziedziczonej jeszcze po poprzednich właścicielach, z wielkimi dębowymi ciemnymi regałami ciągnącymi się do wysokiego sufitu i kręconymi schodami prowadzącymi na antresolę. Jedynym weselszym akcentem był tutaj stół bilardowy, na którym lubił grywać Karol. Ona nie cierpiała tu przychodzić, cuchnęło tu kurzem i stęchlizną, więc dlatego poleciła, aby Adelajda odbywała tu swoje lekcje. Przypominała o tym szkolna tablica i absurdalna ławka wstawiona niedbale w kąt koło okna.

Augustyn zrobił właśnie coś niedorzecznego i usiadł przy niej jak uczniak.

– Stało się, Matysiu – powiedział cichym, pozbawionym wyrazu głosem.

– Na Boga, co się stało? Odkąd przyjechałeś, zachowujesz się tak dziwnie, jakbyś postradał zmysły – wybuchła. – Boję się ciebie!

– Nie masz powodu. Nie zrobię ci krzywdy. Jeśli komuś ją wyrządzę, to raczej sobie. – Uśmiechnął się blado. – Jechałem tu z jedną myślą: zobaczyć ciebie i dziewczynki. Przytulić do serca to, co najbardziej kocham, moją żonę i córeczki... Bo poza wami nie ma już nic.

Patrzyła na niego, rozchylając usta, ponieważ zaczynała do niej docierać prawda.

– Jak to nie ma już nic? Chyba nie chcesz przez to powiedzieć...

Pochylił głowę, a z jego oczu zaczęły płynąć łzy.

– Tak, moja droga, tym razem postawiłem na złego konia. Ja, Augustyn Korsakowski, przeliczyłem się. Uwierzyłem ludziom, którym nie powinienem był ufać. Ale autorytet urzędu, powaga tytułów, gwarancje... To mnie zaślepiło, stępiło podejrzliwość, czujność... Spółka naftowo--gazowa okazała się jednym wielkim szwindlem, wielkim oszustwem i szachrajstwem tak wyrafinowanym...

Zabrakło mu tchu i znowu ukrył twarz w rękach.

– Ile straciliśmy? – Dopadła do niego i zaczęła potrząsać za rękę, nie zwracając uwagi na jego rozpacz. – Ile? Czy jesteśmy całkiem zrujnowani? Nie mamy nic?

Nie mając siły odpowiedzieć, tylko pokiwał głową.

Potarła czoło z niedowierzaniem i szokiem, a potem opadła na najbliższy fotel i zaczęła się histerycznie śmiać.

– Zbankrutowałeś? A więc plajta? Milioner, który stracił wszystko? Jak to w ogóle możliwe? Takie rzeczy nie dzieją się przecież z dnia na dzień.

Augustyn spojrzał na nią udręczonym wzrokiem.

– Bo też to się nie stało z dnia na dzień. Mówiłem ci, że kryzys narasta i pożre wiele fortun. Nasza jest jedną z nich. Próbowałem ratować, co się da, ale się nie udało. Wszystko jakby sprzysięgło się przeciwko mnie, a teraz, dzisiaj, ten ostateczny cios… Spółka…

Wbiła w niego szydercze spojrzenie.

– Jesteś po prostu głupi – wysyczała. – Wyszłam za mąż za człowieka interesu, kogoś, kto zamienia wszystko w złoto, gdzie się nie obróci, spadają pieniądze. I teraz się okazuje, że jestem nędzarką?

– Nie jesteś, Matysiu. Wciąż możemy spokojnie żyć. Mamy siebie i dziewczynki, możemy zacząć od nowa, już tak raz było podczas Wielkiej Wojny…

Zaśmiała się kpiąco.

– Nie będę zaczynała od nowa, jak ty piętnaście lat temu. Nie mam na to czasu, nie tak się umawialiśmy. I wcale nie mamy siebie. Nie licz na to!

– Jesteś moją żoną – wyszeptał.

– Jeszcze nią jestem – podkreśliła. – Ale nie będę długo. Żądam rozwodu. Natychmiast. I wyprowadzam się z Giną. To koniec.

Zerwał się na równe nogi i przypadł do niej.

– Nie rób mi tego, ukochana. Wiesz, że nie mogę bez ciebie żyć. Bez was i Adelajdy. Wszystkie trzy jesteście mi tak bliskie.

Prychnęła kpiąco.

– Adelajda cię nienawidzi, bo to pusta i zła dziewczyna, która myśli tylko o sobie. Ja tobą gardzę, bo mnie od początku oszukiwałeś, kiedy odmówiłeś mi prawa do swego majątku, a teraz zostałeś ukarany, bo go straciłeś. A Gina... – Zmierzyła go lekceważącym spojrzeniem. – Gina nawet nie jest twoją córką.

Wyminęła go i wyszła z biblioteki, zatrzaskując za sobą ogromne dębowe drzwi. Było jej obojętne, co sobie pomyślał. Nienawidziła go teraz tak bardzo, jak nigdy wcześniej.

ROZDZIAŁ 5

Dwa pistolety

Na schodach stała Adelajda z walizką i wpatrywała się w Matyldę pociemniałymi ze strachu oczyma. Ta właśnie wypadła z biblioteki, zaczerwieniona z wściekłości, ze wzburzeniem na twarzy. Zobaczyła pasierbicę i nie mogła powstrzymać okrzyku.

– Co ty tu robisz o tej porze?!

Zegar w holu właśnie zaczął wybijać północ.

– Ja... – Adelajda wciąż patrzyła na macochę i cofała się w kierunku podestu, przekładając walizkę z ręki do ręki.

– Panienka ucieka z domu, tak? – odezwał się kpiący głos Karola, który akurat nadszedł z drugiej strony, szukając kuzynki.

– Nie... Ja tylko...

– Wybierasz się z walizką na wieczorny spacer? – Mikanowski wspiął się po schodach i podszedł do niej. – A dokąd to, jeśli można spytać?

– Wyjeżdża ze mną. Dobrowolnie.

Tytus stał przy drzwiach wejściowych z rękami w kieszeniach marynarki, ale głos lekko mu drżał. Matylda zwróciła głowę w jego stronę z najwyższym zdumieniem.

– Tak. Robię to na własne życzenie – powiedziała Adelajda odważnie, wyminęła kuzyna macochy i zbiegła po schodach, żeby stanąć koło narzeczonego.

– Rozumiem, że pan nam to jakoś wyjaśni? – Głos Matyldy brzmiał lodowato.

– Tu nie ma co wyjaśniać. Oświadczyłem się dzisiaj pannie Adelajdzie i zostałem przyjęty. Wyjeżdżamy z tego domu – rzucił młody człowiek przez zęby.

Karol roześmiał się ironicznie, jakby usłyszał dobry dowcip.

– Oświadczył się pan? Ojciec narzeczonej wyraził zgodę? Czy to się wszystko działo w pańskiej wyobraźni?

– Ja pomówię z tatą! Słyszałam, że samochód podjechał, na pewno poszedł do gabinetu. – Adelajda nagle zdobyła się na odwagę.

– Nigdzie nie pójdziesz – powstrzymała ją Matylda. – Twój ojciec przeżył dzisiaj duży wstrząs związany ze swoją spółką i źle się poczuł. Chyba go nie chcesz wpędzić do grobu? Odpowiadaj! Chcesz czy nie?!

– Oczywiście, że nie – bąknęła.

– To dobrze, bo już wystarczająco dużo złego narobiłaś – oświadczyła władczo macocha. – Wracaj natychmiast na górę do swojego pokoju, a my się rozmówimy z panem... Z twoim narzeczonym – dodała głosem całkowicie pozbawionym emocji.

Adelajda spojrzała na Tytusa, a on uścisnął uspokajająco jej rękę.

– W porządku – powiedział. – O nic się nie martw i zaczekaj na mnie. Przyjdę po ciebie.

Kiwnęła głową i ruszyła po schodach. Na podeście obejrzała się jeszcze i odprowadziła ich wzrokiem.

U góry zobaczyła niewielką postać w białej batystowej koszuli nocnej. Wyglądała jak mała zjawa o złotych lokach.

– Gina? Co ty tu robisz? – zdumiała się Adelajda.

– Nie mogę spać – poskarżyła się siostrzyczka i wyciągnęła do niej rączkę.

Dziewczyna westchnęła i zaprowadziła ją do pokoju, zastanawiając się, co robi ciotka Bisia. Być może źle się czuła i wzięła na noc swoje proszki. Spała po nich jak kamień. Weszły razem do pokoju dziecinnego, gdzie Adelajda odstawiła do kąta walizkę. Uścisnęła Ginę, a potem położyła ją do łóżka i przykryła kołdrą.

– Zostaniesz ze mną? Boję się sama – poprosiła siostra.

Starsza z dziewcząt skinęła głową i przysunęła fotel do jej łóżka. Spojrzała przy tym w okno wychodzące na ogród. Z pokoju dziecinnego bardzo dobrze było widać dach oranżerii, która znajdowała się poniżej. Przytknęła twarz do szyby, by lepiej przyjrzeć się przesuwającym się w środku cieniom, ale nie mogła rozróżnić osób.

Na schodach rozległy się kroki, a potem drzwi pokoju dziecinnego uchyliły się lekko i ktoś zerknął do środka. Adelajda pomyślała, że może to jednak ciotka przyszła zobaczyć, co u jej podopiecznej, więc odwróciła głowę i spojrzała w tamtym kierunku.

To był ojciec. Zajrzał do pokoju przez półotwarte drzwi i przypatrywał się córkom udręczonym spojrzeniem. Twarz miał nienaturalnie bladą, wynędzniałą, a oczy pełne cierpienia. Wyglądał na chorego.

– Tato... – Adelajda wystraszyła się na jego widok. Czyżby macocha miała jednak rację i nie kłamała? Ojca trapiło jakieś wielkie nieszczęście? Chciała mu pomóc, podbiec i pocieszyć, ale powstrzymał ją zdecydowanym gestem, kładąc palce na ustach i wskazując w kierunku Giny. Młodsza dziewczynka leżała na boku i zasypiała.

Korsakowski chwilę jeszcze patrzył na nie, jakby chciał zachować ten widok na zawsze, a potem zniknął jak duch.

– Uchylę okno, bo duszno tutaj – cicho powiedziała Adelajda, żeby uzasadnić to, że wstaje z fotela, ale siostra nawet nie drgnęła. Podeszła więc do okna i otwarła je na oścież. Wszędzie panowała tak dziwna cisza, że słychać było najmniejszy szelest z ogrodu. Do jej wyostrzonego słuchu docierały nawet szmery rozmów z oranżerii, dobiegające przez niedomknięte drzwi.

Oparła czoło o szybę i pomyślała o ojcu. Jak zareaguje na jej wyjazd? Jak to odbierze? Czy dodatkowy cios go nie załamie? A może będzie mu to obojętne, bo wcale nie dba o nią?

„Powinnam z nim jednak pomówić" – doszła do wniosku i obrzuciła Ginę bacznym spojrzeniem. Siostra była cicha, miała zamknięte oczy i spała. Odeszła więc od okna i skierowała się do drzwi.

– Nie idź jeszcze – usłyszała głosik dziecka. – Ja się tak boję…

Przysiadła z westchnieniem na fotelu i wpatrzyła się w twarz siostrzyczki. Mała była taka podobna do Matyldy. Miała jej regularny owal twarzy i mały, zgrabny nos. Także oprawę oczu dziewczynka odziedziczyła po Mikanowskich i jasne wijące się lekko włosy. Jakby nie było w niej kropli krwi Korsakowskich, odrobiny tej pasji i szaleństwa tak widocznej w Adelajdzie i ojcu. „Kim będzie kiedyś ta mała?" – przemknęło przez głowę starszej z dziewcząt. „Jak potoczą się jej losy? Stanie się taka jak matka, a może pisana jej całkiem inna droga? Tak bardzo chciałabym zobaczyć nasze dzieci – swoje i jej, a potem wnuki i prawnuki, następne pokolenia, tak odległe, że właściwie już całkiem obce". Spojrzała na zaręczynowy pierścionek od Tytusa, złoty kwiat z diamentem i szmaragdami. Cokolwiek by się działo, musi powiedzieć ojcu prawdę.

Gina wreszcie zasnęła, bo oddychała miarowo, spokojnie. Adelajda wstała bardzo ostrożnie i na palcach przeszła przez pokój. Zostawiła uchylone drzwi, by nie obudzić siostry trzaśnięciem. W gabinecie Korsakowskiego paliło się światło, widziała smugę blasku pod drzwiami. Zapukała niepewnie, ale nikt nie odpowiedział. Nacisnęła klamkę.

Ojciec stał przy oknie i spoglądał na pogrążony w mroku podjazd przed pałacem.

– Tato…

– Nie przeszkadzaj mi, dziecko…

– Chciałam z tobą pomówić, to ważne!

– Nic teraz nie jest ważne, Adelajdo, a z pewnością nie twoje sprawy.

– Ta jest.

– Nie. Nawet tu nie wchodź. Jestem zajęty i nie chcę cię widzieć! Proszę nie sprzeciwiać mi się i iść spać! Czy choć raz możesz mnie posłuchać?!

Mówił to histerycznym, pełnym wysiłku tonem, którego jeszcze nigdy w życiu u niego nie słyszała. Odwrócił się i spojrzał na nią w taki sposób, że odskoczyła od drzwi jak oparzona i pobiegła przez korytarz w kierunku swego pokoju. Nie miała pojęcia, co tej nocy się dzieje.

* * *

– Może pomówimy w bibliotece? – zaproponował Karol, kiedy Adelajda zniknęła już za zakrętem schodów prowadzących na półpiętro. Matylda zaprzeczyła znaczącym gestem.

– Wyjdźmy do oranżerii – mruknęła, pokazując ręką kierunek. Tytus wzruszył ramionami i poszedł za nią.

Przemierzyli w milczeniu korytarz, minęli pokój orientalny i przeszli przez wewnętrzne drzwi dzielące pałac od cieplarni. Wciąż było tu tak samo jak przed kolacją – wspaniały portret gospodyni patrzył na nich nieco ironicznie, butelka z koniakiem stała na stole, a przewrócona rurka z kokainą świadczyła o tym, że Karol właśnie tutaj kończył zabawę z przyjaciółmi. Matylda lekko skrzywiła się na ten widok i wyciągnęła papierosa.

– Czy może mi pan wytłumaczyć… – zaczęła, przypalając egipskiego złotą zapalniczką Karola, którą znalazła zapomnianą na otomanie. – Co to wszystko ma znaczyć?

Wzruszył ramionami.

– Wyjaśniłem już.

– Chce nam pan powiedzieć, że dostał się pan podstępem do tego domu, żeby zbałamucić Adelajdę i wykraść ją? – spytał drwiącym głosem Karol, który wyjął z serwantki kryształowy kieliszek, napełnił go alkoholem, a potem upił łyk.

– Nic takiego nie miało miejsca – zaprzeczył Tytus. – Ada i ja kochamy się od dawna…

Matylda się roześmiała.

– Ciekawe, że nikt dotąd tego nie zauważył. Świetnie to ukrywaliście.

Wilski spojrzał na nią na poły kpiąco i na poły pogardliwie.

– W tym domu każdy zajmuje się głównie sobą. To najłatwiej zauważyć. Miłość własna jest tu szczególnie dobrze rozwinięta.

Pobladła, ale nie odpowiedziała, tylko mocniej zaciągnęła się papierosem.

– Adelajda jest niepełnoletnia. Nie może rozporządzać swoją ręką – rzuciła zimnym głosem.

– Niedługo będzie. Wtedy nic nie poradzicie na jej decyzję.

– Wówczas może nie. Ale na razie jest to porwanie i przestępstwo. Możemy cię oddać policji. – Karol odstawił kieliszek, a potem błysnął drapieżnie zębami.

Tytus spojrzał na niego z pogardą.

– Zaręczyliśmy się. Adelajda ma na palcu pierścionek po mojej babce.

– Takie narzeczeństwo nie jest nic warte. Zabierzemy ją do lekarza. Jeśli się okaże, że ją zgwałciłeś…

– Ty kanalio… – Tytus pobladł, a potem rzucił się na Karola w przypływie takiej wściekłości, że gotów był go zabić. Szczęknął zamek pistoletu, który Mikanowski wyciągnął z kieszeni i którym mierzył w chłopaka.

– Uważałbym na twoim miejscu – wycedził przez zaciśnięte wargi. – I dobrze przemyślał, co mówisz.

– Karolu… – Matylda wyprostowała się na otomanie i wpatrzyła w kuzyna przerażonym wzrokiem. On wciąż celował w Tytusa z pistoletu i kręcił głową. Młody człowiek uniósł ręce i odsunął się do tyłu. Mikanowski opuścił lekko broń.

– Dobrze. Widać, że jesteś rozsądny. Posłuchaj zatem, co my mamy ci do powiedzenia. Możesz usiąść. – Wskazał lufą pistoletu krzesło.

Wilski zrobił to, przenosząc wzrok z Matyldy na jej kuzyna. Oboje patrzyli na niego z nienawiścią.

– Oto co się stanie, młody człowieku. Wyjdziemy stąd razem, a ja cię odwiozę na stację kolejową. Wsiądziesz do pociągu i nigdy więcej noga twoja nie postanie w tym domu. W innym razie oskarżymy cię o napaść i próbę porwania. Są świadkowie – Karol wskazał siebie i Matyldę – jak to omamiłeś tę biedną, niezrównoważoną dziewczynę i chciałeś ją uwieść.

– Mnie także próbowałeś zgwałcić – dodała Matylda. – Zeznam to policji, jeśli będzie trzeba. – Dopiero mój kuzyn cię przed tym powstrzymał, uratował moją cnotę.

– Co wy wygadujecie? – Tytus szarpnął się na krześle, a Karol znowu pogroził mu pistoletem.

– Ej, no! Miałeś być grzeczny. Nie zapominaj. My ci tylko naświetlamy sytuację, w jakiej się znalazłeś. Ale nie musi tak być. Wszystko może się skończyć dobrze.

– I z korzyścią dla ciebie – wtrąciła Matylda, znowu zaciągając się papierosem. – Wyjedziesz, zaczniesz wszystko od nowa, tam, gdzie zamierzałeś to zrobić z Adelajdą, tylko że będziesz sam. A my ci to ułatwimy.

– W jaki niby sposób? – kpiąco rzucił Tytus.

– Odstawimy cię na dworzec i nikomu nic nie powiemy. – Karol wbił w niego spojrzenie. – I damy ci trochę pieniędzy. Byleś tylko się od niej odczepił.

– Ale nie licz na wiele – mruknęła Matylda. – Nie jest zbyt dużo warta. – Kuzyn spojrzał na nią pytająco, a ona poruszyła ramionami.

Nie mogła mu powiedzieć, że Augustyn stracił majątek i posag dziewczyny stopniał właśnie do nic nieznaczącej sumy po matce, o którą to kwotę nie warto się bić. Jedyne, co w tym wszystkim było teraz dla Korsakowskiej warte zachodu, to zadawanie cierpienia. Chciała, żeby ich zabolało: Augustyna, Adelajdę, a przede wszystkim Tytusa – jego chyba nienawidziła w tym momencie najbardziej.

Karol odchrząknął.

– W każdym razie dla ciebie będzie to znaczna suma, prawda, Tilly?

– O tak, dla niego zapewne – odparła z lekceważeniem.

– Naprawdę myślicie, że wam to ujdzie na sucho? – spytał nieoczekiwanie Tytus.

– A czemu miałoby nie ujść? – nie rozumiał Karol. – My należymy do elity, a ty, no cóż. Wywodzisz się może ze świetnej rodziny, ale obracasz się w podejrzanych kręgach i zdaje się, roztrwoniłeś właśnie swój talent. A gdy dojdą nie tylko plotki, lecz także fakty o skandalu obyczajowym… Kariera legnie w gruzach. W takiej sytuacji nie wierzy się ludziom takim jak ty, tylko takim jak my…

– Tak uważasz? Trzymasz w ręce pistolet walther PP, może się mylę? – Tytus wyciągnął przed siebie nogi.

Na twarzy Karola odmalowało się pewne zdziwienie.

– Owszem, a skąd wiesz? Znasz się tak dobrze na broni?

– To broń niemieckiej policji, agentów politycznych, prawda? Przyjechałeś tu samochodem, który pożyczyłeś od attaché niemieckiej ambasady… Myślę, że te wszystkie fakty mogą dać do myślenia komuś, kto zajmuje się naszą defensywą[*]… – Wilski patrzył na niego triumfalnie.

---

[*] Defensywa – tak potocznie w okresie dwudziestolecia określano kontrwywiad.

– Tilly… – mruknął Karol przez zęby. – Uważaj… – W tym momencie pociągnął za spust, a Tytus upadł ciężko na podłogę.

Matylda krzyknęła krótko, a potem przytknęła dłonie do ust, by stłumić kolejny okrzyk.

– Co ty zrobiłeś? Dlaczego? – nie rozumiała.

– Musiałem. Sprawdź, czy on żyje. Szybko! – warknął przynaglająco.

– Zwariowałeś? Zabiłeś go, to pewne! Boże drogi, co my teraz poczniemy! Zamordowałeś człowieka w moim domu!

Karol podszedł do Tytusa i pochylił się nad nim, żeby sprawdzić tętno. W tym momencie chłopak uderzył go z całej siły i wytrącił mu broń z ręki.

Pistolet pojechał po podłodze wprost pod nogi Matyldy, która podniosła go osłupiała i zdumiona, wciąż nie mogąc uwierzyć w to, co się stało. Mężczyźni szamotali się, a ona wpatrywała się w całą scenę niezdolna do uczynienia jakiegokolwiek gestu.

Naraz Tytus, nie zważając na to, że kula strzaskała mu ramię, odepchnął Karola, który zachwiał się i upadł na serwantkę, przewracając ją swoim ciężarem. Wilski odwrócił się w kierunku Matyldy. Ta wycelowała pistolet w jego stronę, przymknęła oczy, a potem nacisnęła spust.

– Nie, proszę… – zdążył powiedzieć, a potem upadł na ziemię.

– Dobrze to załatwiłaś – wydyszał Karol. – Teraz już z pewnością nie żyje. Musimy to szybko dokończyć, nie ma czasu.

– Co dokończyć? – Wciąż nie otwierała oczu, jakby licząc na to, że koszmarny obrazek sam zniknie.

– Ocknijże się wreszcie! Trzeba się pozbyć zwłok. On tu nie może zostać, zresztą ja też, to zbyt niebezpieczne i podejrzane. Masz jakiś pomysł?

Otworzyła oczy, starając się nie patrzeć na leżące u jej stóp ciało. Jej wzrok padł na szklaną rurkę z kokainą. Wygarnęła chciwie proszek na wierzch dłoni, a potem wciągnęła go gwałtownie do nosa. Po chwili poczuła się lepiej, jej myśli odzyskały jasność. Wszystko zaczęła widzieć wyraźniej.

– Nowe inspekty – powiedziała niespodziewanie czystym i mocnym głosem.

– O czym ty mówisz? – nie rozumiał Karol.

– W rogu szklarni. Przygotowane pod palmy. Głęboki wykop.

Pojął w lot.

– Znakomicie. Widziałem tu platformę do przewożenia roślin. Pomożesz mi, ale ostrożnie, żebyś się nie pobrudziła krwią. Nikt nie może wiedzieć, zrobimy to szybko.

Pomogła mu umieścić ciało Tytusa na wózku, ale starała się w ogóle na to nie patrzeć. Wmawiała sobie, że to wszystko nie dzieje się naprawdę. Kokaina pomagała utrzymywać tę iluzję do tego stopnia, że sama w to uwierzyła.

– Idź już – poinstruował ją Karol. – Ja sam to wszystko zrobię, za długo już nas nie ma. Powiedz jej tak, jak uzgodniliśmy, co do joty. I jeszcze to. – Podał jej pistolet. – Ukryj go gdzieś.

– A ty?

– Wiesz, że muszę jechać. To byłoby zbyt podejrzane. Odezwę się z Berlina. Wracaj do domu.

Włożyła pistolet do torebki, która leżała na stoliku, i ruszyła do pałacu. W drzwiach oranżerii odwróciła się jeszcze i spojrzała na swój portret. Jej wzrok spotkał się z oczami namalowanej postaci. Przez jedną dziwną chwilę miała wrażenie, że zamienia się z tą osobą miejscami, wchodzi w płótno i tam już zostaje na wieki, uwięziona w swojej zbrodni i tajemnicy, którą od tej pory będzie już zawsze musiała ukrywać. Zamykając drzwi do cieplarni, zamykała tak naprawdę drzwi do swego dawnego życia.

Przeszła przez ogród i cicho wślizgnęła się do pałacowego holu, gdzie najpierw wzięła dwa głębokie oddechy. Musiała się uspokoić. Wyciągnęła rurkę z kokainą i szybko zażyła resztę proszku. Nie było tego zbyt wiele, ale cóż – to musiało wystarczyć, by stawić czoła rzeczywistości.

Adelajda usłyszała jej kroki albo przyczajona czekała gdzieś na półpiętrze, bo teraz zbiegła zaniepokojona po schodach.

– Co się dzieje? Gdzie Tytus? I gdzie jest Karol?

– Wyjechali. – Matyldzie kręciło się w głowie od dopiero co przyjętej dawki i musiała chwilę odczekać, zanim udzieli jakiejś składnej odpowiedzi.

– Jak to? Dokąd?

– Karol musiał wrócić do Berlina, redakcja go nagle wezwała, był telefon, a pan Tytus zapewne pojechał do Warszawy. Mój kuzyn podwiózł go na kolej.

– Co ty mówisz? Mieliśmy przecież jechać razem! Obiecał mi to!

– Sama widzisz, moja droga, ile są warte obietnice tego pana. – Macocha skierowała się w stronę schodów.

– Nie wierzę ci! Jesteś podła i podstępna. Na pewno mu coś zrobiliście! Przepędziliście go z tym swoim wstrętnym kuzynem! – Adelajda zaniosła się płaczem.

Matylda przystanęła, a potem wzięła ją pod brodę i odezwała się tym swoim wystudiowanym zimnym głosem.

– Nigdy do mnie tak nie mów. Zapamiętaj to sobie. A Tytus Wilski jest nikczemnym człowiekiem. To łowca posagów. Bez ogródek powiedział nam, mnie i Karolowi, że mu na tobie w ogóle nie zależy i jeśli zapłacimy pięćdziesiąt tysięcy, zostawi cię w spokoju. Jemu chodziło tylko o nasze pieniądze, wbij sobie to wreszcie do głowy, ty mała gąsko. Jest biedny jak mysz kościelna i chciał cię zwyczajnie wykorzystać. A ty się zakochałaś! Pomyśl logicznie, Adelajdo, kto by chciał pokochać kogoś takiego jak ty. Dziewczynę głupią, zwyczajną i szaloną. No kto!

Patrzyła jej w oczy z taką pogardą i lekceważeniem, że Adelajda kompletnie się załamała. Osunęła się na schody i zaczęła szlochać. Jej łkanie było tak dramatycznie szczere, że na twarzy Matyldy pojawił się uśmiech triumfu i wyższości. Tak, dobrze to rozegrała. Teraz już wszystko pójdzie jak z płatka, byle tylko Karol uwinął się ze swoim zadaniem. Na myśl o tym, co działo się w oranżerii, przeszedł ją dreszcz, ale postanowiła wyrzucić to z pamięci. To się nie wydarzyło. Wilski szantażował ją, próbował wyłudzić pieniądze, groził. To kryminalista, który uciekł z ich domu pod osłoną nocy. Dobrze, że nie stało się coś złego.

– Ja… Ja nie słyszałam samochodu Karola – odezwała się niespodziewanie Adelajda, podnosząc się z kolan. – Gdyby odjechał, wiedziałabym o tym. Pewnie jeszcze wciąż stoi przed domem! Muszę to sprawdzić!

Matylda powstrzymała ją mocnym chwytem dłoni.

– Przestań! Wciąż wymyślasz niestworzone historie. Mówiłam ci…

– Masz ślady krwi na sukience… Coś ty zrobiła? – Dotknęła mankietu jej jedwabnej sukni, gdzie rzeczywiście widniała delikatna smuga.

Matylda przygryzła wargi. Spojrzała pasierbicy w oczy z taką nienawiścią, że miała ochotę ją zabić. Adelajda przelękła się i cofnęła. Nagle ze szczytu schodów rozległ się płacz. Histeryczny krzyk dziecka. To była Gina.

– Gina, skarbie! Co się dzieje? – Matylda zostawiła Adelajdę, jakby o niej zapominając, i ruszyła w górę po schodach jak burza. Pasierbica natychmiast pomknęła za nią. W korytarzu przed pokojem, z którego dobywał się snop jasnego ostrego światła, stała Georgina w swej białej koszuli nocnej i płakała rozpaczliwie. Elektryczna lampa rozpraszała blask w ten sposób, że jej jasne włosy wyglądały jak aureola. Matylda i Adelajda dopadły do niej jednocześnie, ale matka pierwsza schwyciła ją w objęcia.

– Co się stało, maleńka, co cię tak przestraszyło? – Matylda zadawała te pytania, ale to Adelajda patrzyła w głąb gabinetu ojca.

Plama krwi na biurku powiększała się szybko. Pistolet już nie dymił, ale wypadł z jego dłoni i leżał na blacie tuż obok całego przybornika do pisania. Widziała tylko czubek jego głowy. Starannie zaczesane ciemne włosy z szerokimi pasmami siwizny. Tak miała go zapamiętać do końca życia.

– Coś ty zrobiła, Matyldo? – odezwała się głuchym głosem do macochy. – Coś ty im wszystkim zrobiła?

Korsakowska przestała tulić córeczkę do siebie i spojrzała w głąb pokoju. Teraz i ona dostrzegła męża, a jej usta ułożyły się jak do krzyku. Ale nie wydała z siebie żadnego odgłosu. Po prostu stała tam i patrzyła, a krew powoli odpływała jej z twarzy.

ROZDZIAŁ 6

Luminal i dziki kwiat

Adelajda nie wstawała już z łóżka nawet na posiłki. Ciotka Bisia załamywała ręce, a Matylda wezwała z Warszawy znakomitego lekarza psychiatrę, doktora Wielganda, który zbadał pasierbicę, a potem zalecił kurację w jego prywatnym zakładzie.

– Tragiczny wstrząs naruszył całą delikatną konstrukcję – tłumaczył Matyldzie, która słuchała go ze zmarszczonymi brwiami. Od pogrzebu męża odzywała się mało, była wciąż nerwowa, rozdrażniona, ale nie płakała i nie rozpaczała, czego wszyscy się po niej spodziewali. Wykazywała się raczej irytacją i zarówno służba domowa, jak i bliscy woleli schodzić jej z drogi.

– Rozumiem – rzuciła teraz doktorowi i podziękowała mu za konsultację. Nie zamierzała nigdzie odsyłać Adelajdy. Nie miała na to ani sił, ani środków. Finanse rodziny były w opłakanym stanie, wszystko wisiało na włosku. Bankructwo nie zostało ogłoszone jeszcze tylko

dlatego, że miano na uwadze jej żałobę i sytuację, w jakiej się znalazła. To była jednak kwestia najbliższych dni,
może tygodni, kiedy majątek miał zostać zlicytowany,
a one zostałyby bez grosza. Nie chciała o tym myśleć. Nie
mogła się skupić na praktycznych sprawach, bo w głowie
kołatało jej się tylko jedno – to, co zrobiła wtedy w oranżerii. Im bardziej spychała całą tę sprawę do podświa-
domości, im bardziej wmawiała sobie, że to było jedynie
przywidzenie, tym bardziej to wszystko wracało. Bała
się zasnąć, bo okropne obrazy pojawiały się w jej snach.
Uśmierzała ból kokainą, eukodalem, morfiną i calminem,
czasem nie zdając sobie sprawy, co tak naprawdę się z nią
dzieje. Czuła się obłąkana i miała wrażenie, że zaczyna
tracić zmysły.

Bisia próbowała z nią rozmawiać, coś jej tłumaczyć,
o czymś ją informować, ale nie chciała jej słuchać. Wyrzuty sumienia jak robak wgryzały się w mózg Matyldy.
Im bardziej chciała się tego pozbyć, tym mocniej jątrzyły.
Ile by dała, żeby to wyrzucić z pamięci, zatrzeć ten obraz
sprzed oczu, zapomnieć. Och, gdyby Karol tu był! Wziął
ją w ramiona! Ukoił ten ból!

Słabo pamiętała tę okropną noc.

Tylko tyle, że Adelajda zemdlała, ktoś dobudził Bisię,
która spała po swoich proszkach i nie miała pojęcia, co
zaszło, ale kiedy już wstała, zajęła się dziewczętami, bo
Matylda nie mogła się poruszyć z przerażenia. Adelajda miała rację – to ona odpowiadała za to, co się tutaj
stało. Jakieś fatum, obca nienawistna siła, sprzysięgło

się przeciwko niej i oto jej świat rozpadał się w gruzy. Stała więc tak na korytarzu, dopóki Nena Rohocka nie przybiegła i nie rozwrzeszczała się na cały dom, a potem Tunia… i jej łzy… i Stanisławski, który wezwał policję… Te dwie baletnice w niekompletnych strojach tak groteskowe w swoim przerażeniu i brat Neny w jedwabnej pidżamie i monoklu, z idiotycznym wyrazem twarzy, jakby nie mógł pojąć, co się właściwie wydarzyło.

A potem ktoś zaprowadził ją do salonu na dole i nalał koniaku, a inspektor policji, starszy mężczyzna z wąsami, wypytywał o Karola i Tytusa Wilskiego. Opowiedziała wszystko tak, jak uzgodnili z kuzynem. Że Tytus chciał uwieść Adelajdę, że zwodził i oszukiwał młodą i naiwną pannę, wychowywaną w domu, pod kloszem, słabego zdrowia psychicznego, namówił ją na ucieczkę, którą udaremniono, więc szantażował i groził, żądał pieniędzy…

– Czy mąż pani zapłacił? – przerwał inspektor, zwracając się do niej przez cały czas z ogromnym szacunkiem i wielkim współczuciem, więc uspokoiła się, że o nic jej nie podejrzewa.

Pokręciła głową.

– Nie mam pojęcia. Ale chyba tak… Zrobiłby wszystko dla naszych córek… – szepnęła, ocierając łzę.

Policjant odchrząknął.

– Czy myśli pani… Przepraszam, że tak wprost… I w takiej chwili… Ale czy ta sytuacja, ten szantaż i próba porwania, mogły przyczynić się do desperackiego kroku pana Korsakowskiego?

Uniosła głowę i wpatrzyła się w twarz inspektora. Miał pionową zmarszczkę między oczami i krzaczaste brwi. Wyglądał staro. Nie podobał jej się.

– Nie zastanawiałam się – bąknęła. – Ja nie wiem… Dla mnie to szok… Nie mam pojęcia, czemu Augustyn to zrobił… Mój Boże, ja go tak kochałam! Co ja teraz pocznę?! – Zalała się łzami, a policjant zerwał się ze swego miejsca, by podać jej szklankę wody.

– Najmocniej panią przepraszam. Proszę mi wybaczyć. Nie pytałbym, gdyby to nie było absolutnie konieczne. To już ostatnie pytanie. Co wydarzyło się dalej? W jaki sposób pan Wilski opuścił dom i co się stało później? – Inspektor dyskretnie odchrząknął.

Matylda wyprostowała się i zrelacjonowała dalsze fakty. Kuzyn zabrał Tytusa ze sobą na kolej, bo jechał do Berlina. Wilski wybierał się do Warszawy. Ona zaś wróciła do siebie.

– I wtedy odkryłyśmy, że mój mąż… – Głos ponownie się jej załamał.

– Że pan Korsakowski nie żyje – podsunął policjant. – Ogromnie pani współczuję. I pani córkom…

Matylda skinęła głową i ponownie otarła łzy.

Zatelegrafowano do Berlina do Karola, który złożył tam zeznania. Według jego słów zawiózł Tytusa na stację kolejową w Łabonarówce, gdzie się rozstali. Młody człowiek chwalił się, że wybiera się do Paryża. Był bardzo pewny siebie i zadowolony.

Policja przesłuchała pracowników stacji i choć Wilski nie kupował tam biletu, ktoś przypomniał sobie takiego młodzieńca wsiadającego do warszawskiego pociągu. Później jednak ślad się urwał.

– Być może od razu przesiadł się do paryskiego ekspresu i szukaj wiatru w polu – ocenił inspektor, kiedy zebrał już wszystkie zeznania w Łabonarówce. – Jeśli dostał te pięćdziesiąt tysięcy od starszego pana, to raczej nie było sensu zwlekać. Na jego miejscu też nie traciłbym czasu. Poczekajmy, aż się sam odezwie do rodziny.

Tylko matka, siostra i szwagier Tytusa, Robert Zimecki, byli przekonani, że stało się z nim coś złego. Robert przez swoje koneksje próbował wymusić na policji energiczniejsze zajęcie się śledztwem, ale niewiele wskórał. W końcu pojechał do Łabonarówki, lecz Matylda Korsakowska nie chciała z nim rozmawiać. Oburzona odprawiła go od progu, mówiąc, że jego szwagier wywołał w tym domu skandal i jeśli nie chce okryć całej rodziny niesławą, lepiej, żeby tego nie drążył. Był zdumiony i zaskoczony, ale nie miał szansy o nic dopytać, bo pani domu zakończyła rozmowę, dając do zrozumienia, że jest w głębokiej żałobie i taka wizyta nie jest w dobrym tonie.

Robert udał się jeszcze na dworzec w Łabonarówce, ale nie był w stanie odszukać człowieka, który wedle policji widział tamtej nocy Tytusa wsiadającego do pociągu.

– To jakaś nieczysta sprawa – mówił później przyjacielowi rodziny, majorowi Rostworowskiemu, kiedy spotkał go na kolacji w Bristolu. Wojskowy pokiwał ze smutkiem głową.

– Policja nie dopatrzyła się w tym przestępstwa. A jest tam w tle wątek obyczajowy kładący się cieniem na reputacji twojego szwagra: próba uprowadzenia nieletniej, szantaż, wyłudzenie pieniędzy, nawet usiłowanie gwałtu…

– Gwałtu? – Robert roześmiał się nerwowo. – To jakiś absurd.

– Mówię ci to w zaufaniu, mnie też ktoś pokazał te akta w dyskrecji. Niewiele możemy na razie zrobić, bo to grozi waszej rodzinie poważnym skandalem. To jest grubymi nićmi szyta intryga. Pytanie, kto chce tak bardzo zaszkodzić Wilskim i w jakim celu?

– A może tylko Tytusowi? – zadumał się Robert.

– Możliwe. – Major Rostworowski nalał im obu wódki i zachęcił do picia. – A jeśli to chodzi o ciebie, mój przyjacielu, i twoje nowe stanowisko w ministerstwie? Pomyśl też o tym.

– Sądziłem, że nikt o tym nie wie. – Zimecki uśmiechnął się krzywo, a major odpowiedział mu podobnym grymasem.

– Mogę ci obiecać jedno – powiedział. – Nie zostawię sprawy twojego szwagra. Będę ją miał w pamięci i na uwadze. – Dotknął czoła.

– Dziękuję. – Robert delikatnie stuknął kieliszkiem w jego kieliszek. – Ważne, żeby ta intrygantka Matylda Korsakowska nie zaznała spokoju.

I nie pomylił się tutaj ani na jotę. Żona zmarłego właściciela Łabonarówki nie mogła ochłonąć. Wizyta szwagra Tytusa wprawiła ją w panikę. Po raz pierwszy od tej feralnej nocy odważyła się wejść do oranżerii, żeby sprawdzić, czy nie pozostały tam jakieś ślady. Wcześniej nie była w stanie, pewna, że duch Wilskiego od razu zacznie ją prześladować.

Cieplarnia wyglądała jednak zupełnie normalnie, jak gdyby nigdy nic. Zdobyła się na to, by spojrzeć w tę stronę, gdzie na jej polecenie posadzono wielką palmę. Roślina wyglądała wspaniale, a jej rozłożyste ciemnozielone liście filtrowały światło. Znakomicie pasowała w tym miejscu. Po zniszczonej etażerce nie było śladu. Na drobnych białych kamyczkach pokrywających ziemię także nie pozostała żadna plamka. Jakby kompletnie nic się tu nie wydarzyło. A jednak panowała tu jakaś złowróżbna atmosfera. Przytłaczająca tak bardzo, że Matylda nie mogła tu oddychać. Coś chwyciło ją za gardło tak żelaznym uściskiem, że myślała, iż się tu udusi, wybiegła bez tchu przez drzwi na korytarz, ochłonęła dopiero w salonie.

– Co się stało? – spytała zaniepokojona Bisia.

– Nic, nic, nic – szeptała Matylda. – Muszę... się położyć.

Albina odprowadziła ją do pokoju.

– Daj mi coś, tak się źle czuję – poprosiła ją Korsakowska. – Nie mogę spać już od tylu nocy, ja się boję zasnąć...

– Dam ci odrobinę luminalu – zadecydowała Bisia i wyszła do swego pokoju.

Matylda leżała nieruchomo na łóżku, wpatrując się w jeden punkt na suficie. Kobieta wróciła i starannie odmierzyła płyn.

– Byłam w gabinecie Augustyna – powiedziała, podając Matyldzie lekarstwo. – Powierzył mi pewne papiery, powinnaś o tym wiedzieć.

– Och, nie chcę o tym teraz słyszeć! Pragnę spać.

– Matyldo, nie bądź dzieckiem. Wiem, że straciłaś męża i jesteś w rozpaczy, ale masz córkę i musisz żyć dalej. Mój mąż także umarł i ja...

– Nie porównuj się ze mną! Co ty możesz wiedzieć o mnie i moich sprawach?! – Matylda wybuchnęła łkaniem. – Augustyn mnie oszukał, był podłym, niegodziwym i złym człowiekiem. Nienawidziłam go cały czas!

Bisia pobladła i wpatrywała się w nią przerażonym spojrzeniem.

– Jak możesz tak mówić? Ty się chyba Boga nie boisz, skoro tak bluźnisz? – wyszeptała.

– Boga? – parsknęła Matylda. – A to dobre! Gdzie on był, kiedy Augustyn mnie dręczył? Jedyne, co mi się dobrego przydarzyło, to śmierć tego potwora.

– Sama jesteś potworem. – Bisia odsunęła się od niej ze wstrętem. Wyjęła z kieszeni domowej sukni jakiś pakunek i rzuciła na łóżko Matyldy. – Znalazłam to w biurku Augustyna. Chciałam zniszczyć, żeby nikomu nie robić przykrości, ale teraz... Jesteś występna jak te nierządnice z Babilonu. Zepsuta do szpiku kości...

Wyszła, trzaskając drzwiami.

Matylda rozerwała pakiet. Były to zdjęcia, które zrobił jej Karol. Jak one trafiły do jej męża? Skąd się wzięły w jego biurku? Kuzyn je tam podrzucił? Czy Karol byłby do tego zdolny? Straszne podejrzenie względem kochanka, o jego lojalność, a właściwie jej brak, szarpnęło jej sercem, ale luminal zaczął właśnie działać i myśli się zmąciły, powoli zasypiała. Nie był to jednak spokojny, odprężający sen, a raczej pełen majaków letarg, po którym przebudziła się wcale nie wypoczęta, a słaba i roztargniona.

* * *

– Co się dzieje, ciociu? – spytała Adelajda, widząc, jak Bisia nerwowo porządkuje ubrania dziewcząt.

– Nic, kochanie – mruknęła. – Twoja macocha najwyraźniej postradała zmysły. Inaczej tego nie mogę wyjaśnić.

– Ona jest zła i bezwzględna. Jestem pewna, że zrobiła coś Tytusowi – powiedziała Adelajda, a ciotka zerknęła na nią spod oka. Dziewczyna była blada, wymizerowana i nieszczęśliwa. Od śmierci ojca i zniknięcia tego chłopaka prawie się nie odzywała i wychodziła z pokoju tylko wtedy, gdy było to konieczne, ledwo dawało się ją namówić na wstanie z łóżka. Zupełnie przestała też grać. Ciotka aplikowała jej różne ziółka, wmuszała pożywne buliony i wzmacniające potrawy, ale podopieczna nie chciała nic tknąć. Bisia obawiała się o jej zdrowie. Lekarze wezwani przez Matyldę – zarówno doktor domowy, jak i ta sława z Warszawy – także niewiele zaradzili. Ciotka więc jeszcze bardziej nieufnie podchodziła do autorytetów medycznych.

– Zejdę dzisiaj na dół – zadecydowała niespodziewanie dziewczyna, co wprawiło Bisię w zdumienie. – Pobawię się z Giną.

– Bardzo dobrze, ona jest taka smutna, czuje się opuszczona.

Adelajda wyszła i po chwili ciotka usłyszała radosny głosik małej. Gina była jedyną osobą w tym domu, której nie udzielił się powszechny smutek. Był to przywilej dziecka, szybko zapominało o tym, co złe, łowiło przyjemne chwile, jak te z siostrą.

– Zagramy w serso? Albo w piłkę? – wypytywała, a Adelajda skinęła głową.

– Tak, wyjdźmy z domu – zaproponowała.

Chwilę rzucały piłką, a potem gdy mała zmęczyła się bieganiem i śmiechem, usiadły pod drzewem koło oranżerii. Adelajda nie mogła się powstrzymać, żeby ciągle nie patrzeć w tamtą stronę. W końcu wstała i zajrzała przez okno. Była tu już. Zaraz po tamtym wieczorze, ale nic nie odkryła. Idealny porządek i nic podejrzanego.

– A wiesz, Adziu, że ja coś słyszałam – paplała Gina, kiedy stały przed drzwiami i spoglądały do środka.

– Co słyszałaś? – spytała nieuważnie siostra.

– Takie „bum, bum". – Gina podrzuciła piłkę. – Wtedy w nocy, kiedy krzyczałam, a pan doktor mi powiedział, że wszystko mi się śniło. I że tatuś chorował, a ja to wyśniłam w nocy. No wiesz, tę krew i wszystko.

– Ach, tak. Oczywiście. Nie było „bum, bum". Tatuś był bardzo chory. Na serce – przyświadczyła Adelajda,

ponieważ lekarz domowy kazał taką wersję powtarzać
małej, żeby nie pogłębiać jej szoku. Uważał, że całe to
koszmarne wydarzenie zatrze się w pamięci dziecka
i w końcu uzna, że był to jedynie zły sen.

– Tylko że to było inne „bum, bum". I najpierw taki
brzdęk, jakby szyba się rozbiła i to mnie obudziło. – Gina
odeszła od drzwi cieplarni, podniosła piłkę i zaczęła ją
odbijać. Adelajda odwróciła się do niej zaintrygowana.

– Słyszałaś brzęk rozbitego szkła? W domu?

Siostrzyczka pokręciła głową tak gwałtownie, że za-
kołysały jej się jasne loki.

– Nie! Patrzyłam przez okno. To tutaj się stłukło.
W cieplarni. A potem było „bum, bum". I mamusia wybiegła, a ja się ucieszyłam, że przyjdzie do mnie, i też po-
biegłam na korytarz i wtedy… Czy to wszystko też mi
się śniło, Aduniu? Bo doktor powiedział, że to był sen…

Adelajda wpatrywała się w młodszą siostrę z wyrazem
takiego napięcia na twarzy, że tamta się rozpłakała. Łkała
tak przez chwilę, wkładając sobie piąstki do buzi, zanim
starsza dziewczyna się ocknęła i przytuliła ją do siebie.

– Nie płacz, kochanie. To oczywiście był sen. Jak coś
takiego w ogóle mogło się wydarzyć, no powiedz? To
niemożliwe. Przecież pan doktor ci to wyjaśnił. Dzieci często mają takie koszmary, bo głowa im rośnie i nie
mieszczą się w niej wszystkie myśli i uczucia, prawda? To
był tylko sen. Poważnie.

– Obiecujesz?

– Skoro ja tak mówię, to tak jest.

Młodsza siostra wpatrzyła się w nią z ufnością. Na tarasie pojawiła się Bisia.

– Adelajda, Gina, wracajcie! Zaraz obiad.

– Już idziemy! – odkrzyknęła Adelajda, a potem zwróciła się do siostry: – Biegnij do cioci. Ja jeszcze muszę coś zrobić i zaraz przyjdę.

Kiedy Gina, w podskokach i podśpiewując, zniknęła jej z oczu, weszła do cieplarni i rozejrzała się po wnętrzu. Teraz patrzyła na nie inaczej. Prawie czuła tę grozę i zapach śmierci. Przeszył ją dreszcz. Wiedziała, że nie doczeka się sprawiedliwości, bo Matylda i Karol byli zbyt sprytni i za dobrze to przemyśleli.

„Będę musiała wymierzyć ją sama" – przeszło jej przez głowę i wzrok padł na okazały kwiat datury, który swym lejkowatym kielichem zwieszał się nad oczkiem wodnym. Zerwała jeden z nich i się uśmiechnęła. Pierwszy raz tym uśmiechem, który miał już jej towarzyszyć do końca życia – drapieżnym, inteligentnym i pełnym nowo nabytej pewności siebie. Wsunęła daturę do kieszeni spódnicy i przez korytarz łączący oranżerię z domem ruszyła do jadalni.

– Gdzieś ty była? – Matylda przywitała ją przy stole pretensjami. – Nie lubię spóźnień.

Wyglądała źle. Blada, z głęboko podkrążonymi oczami i dziwnie rozbieganym wzrokiem.

– Przepraszam. Mogę ci to jakoś wynagrodzić? – Adelajda starała się, żeby w jej głosie nie brzmiało szyderstwo.

– Przynieś mi ziółka na wzmocnienie, które przygotowała Bisia. Muszę je pić do obiadu – rozkazała władczo macocha.

Ziółka na wzmocnienie. Nie mogło być lepszej okazji. Adelajda wrzuciła swój kwiat do wrzątku, przykryła go spodeczkiem, a potem wyłowiła i wyrzuciła do kuchennego kosza, zacierając ślady. Patrzyła, jak macocha wypija wywar z bielunia do ostatniej kropli i nie potrafiła wzbudzić w sobie najmniejszych wyrzutów sumienia.

W nocy obudziła ją bieganina i polecenia wydawane przez Bisię podniesionym głosem. Wyszła na korytarz i zobaczyła ciotkę, która instruowała pokojówkę Matyldy.

– Co się stało? – spytała krewną.

– Matylda bardzo się źle czuje. – Bisia była zaniepokojona. – Ma jakieś dziwne omamy, halucynacje. Chodziła po pałacu jak lunatyczka, coś mamrotała. Boję się, żeby sobie czegoś nie zrobiła.

– Zwariowała? – rzeczowo spytała Adelajda.

– To raczej nerwowe – wyjaśniła ciotka, ale popatrzyła na dziewczynę uważnie.

Adelajda cofnęła się do swego pokoju, żeby nie wzbudzać podejrzeń. W oranżerii było w końcu jeszcze tyle pięknych rozwiniętych kwiatów datury…

Stan zdrowia Matyldy pogarszał się stopniowo, ale zdecydowanie i Bisia postanowiła w końcu wezwać doktora Wielganda. Zbiegło się to z licytacją majątku Korsakowskiego i ogłoszeniem bankructwa.

– Pani Matylda jest skrajnie wyczerpana nerwowo, musi poddać się kuracji. Zalecam wyjazd za granicę, może jakiś kurhaus w Szwajcarii albo gdzieś we Włoszech, byle jak najdalej stąd – orzekł doktor, a ciotka tylko przygryzła wargi. W obecnej sytuacji nie miały na to pieniędzy. Za moment Łabonarówka miała zostać sprzedana na pokrycie wierzytelności, a one zostawały z drobnym kapitałem i kamienicą w Warszawie, którą udało się ocalić dzięki zapobiegliwości Augustyna.

Siedziała więc w nocy przy Matyldzie i przysłuchiwała się jej majaczeniom.

– Bisiu, czy ty też to widzisz? – spytała ją z szeroko otwartymi oczami, w których malował się strach.

– Co widzę, Matyldo?

– Augustyna? Jak stoi z zakrwawioną twarzą i mi grozi?

– Jak on mógłby ci grozić? Kochał cię nad życie, co ty opowiadasz? Jesteś po prostu chora, ale to przejdzie.

– Kochał mnie nad życie, akurat. Nie cierpiał mnie. Ale ja też się nim brzydziłam. – Matylda dyszała, jej czoło pokryło się potem. – Miałam powody, żeby go nie znosić i cieszyć się z jego śmierci.

Bisia poruszyła się niespokojnie na fotelu.

– Przestań mówić takie rzeczy – przestrzegła ją.

– Właśnie, że nie przestanę! Więcej ci powiem. On nie mógł na mnie patrzeć, bo zagroziłam, że się z nim rozwiodę!

– Co ty bredzisz? Małżeństwo jest święte. To niezniszczalny węzeł, zawarty przed Bogiem. Nie można go tak sobie zerwać. Tylko śmierć go przecina. Macie zresztą dziecko. – Bisia była poruszona do granic.

Matylda śmiała się jakimś dziwnym dzikim śmiechem.

– Tak! Dziecko! A czy wiesz, czyje to dziecko? Tak niepodobne do Augustyna? Bo na pewno nie jego!

Kuzynce Korsakowskiego pociemniało w oczach. Straciła panowanie nad sobą, nachyliła się i gwałtownie potrząsnęła śmiejącą się Matyldą.

– Ty… Ty wywłoko! Jak mogłaś! Jak śmiałaś! Taki dobry człowiek… Szlachetny… Tak cię kochał… A ty…

– A ja go zdradziłam. Poszłam do łóżka z innym. I co z tego? Nic. I gdzie jest teraz twój Bóg? Czy mnie za to ukarze? No nie, prawda? I to najlepszy dowód na to, że Boga wcale nie ma.

Odwróciła się od niej i wpatrzyła w okno, za którym świeciły gwiazdy.

„Może Boga nie ma" – przemknęło przez głowę Bisi. „Ale jestem ja".

– Czas na lekarstwo – powiedziała spokojnym, obojętnym głosem. – Musisz się przespać, rano będziesz rozsądniejsza, w nocy jesteś rozstrojona i opowiadasz głupoty.

Matylda spojrzała w jej kierunku i twarz się jej rozpogodziła. Skinęła głową.

Bisia odmierzyła starannie dawkę luminalu. Tak jak wyczytała w „Przeglądzie Farmaceutycznym" o dozach granicznych. Odczekała tyle, ile było konieczne, a później weszła do pokoju Adelajdy i ją obudziła.

– Twoja macocha nie żyje – oznajmiła surowym, pozbawionym emocji tonem. – Zmarła tej nocy. Niech Bóg ma nas w opiece.

Powiedziała to w taki sposób, że Adelajda się przelękła, iż ciotka wszystko wie. Że domyśliła się, kto zabił Matyldę. I potępia ją z całego serca, w którym już nie ma dla niej miejsca. I żadnego wybaczenia.

– Ciociu, ja… Ja tak naprawdę nie chciałam… – zaczęła przerażonym tonem.

– Powinnaś się pomodlić – przerwała jej Bisia. – Ja zaraz też to zrobię, tylko wezwę lekarza.

Wyszła, zostawiając Adelajdę z poczuciem winy i straszliwymi wyrzutami sumienia. Zabiła człowieka. Złą osobę, morderczynię, kogoś, kto sobie zasłużył, ale jednak dokonała czynu niewybaczalnego. Powinna się natychmiast przyznać i pójść do więzienia. Tam ją skażą na karę śmierci i powieszą, co będzie sprawiedliwe, a ona odetchnie spokojnie.

Po co mają jednak ją skazywać i wieszać, jak ona może to wszystko zrobić sama? Tytus nie żył, ojciec się zabił, więc i dla niej nie było tu miejsca.

Matylda miała tyle różnych lekarstw, że można to było załatwić szybko i właściwie bezboleśnie. Tyle tylko, że musiałaby wejść do jej pokoju i patrzeć na swoje dzieło, na kobietę, którą uśmierciła…

Zeszła cicho do kuchni i wzięła nóż. Czytała o tym w jednej powieści. Podetnie sobie żyły w łazience. To także dobra metoda.

Kiedy lekarz domowy doktor Kalinowski przyjechał stwierdzić zgon pani domu Matyldy Korsakowskiej, musiał się przede wszystkim zająć ratowaniem życia jej pasierbicy Adelajdy, która umierała z wykrwawienia.

Panienkę odwieziono do szpitala w pobliskim miasteczku powiatowym, skąd miała trafić do zakładu dla psychicznie i nerwowo chorych pod Warszawą. Ciotka Albina i najmłodsza z córek Korsakowskiego Georgina wyjechały tuż przed licytacją całego majątku, mając w dobytku kilka walizek i nieco osobistych drobiazgów.

Dom opustoszał, gdy opuściła go służba.

– Zaiste *palais fatal* – powiedział doktor Kalinowski do swego przyjaciela, zawiadowcy stacji z Łabonarówki, kiedy jedli razem kolację i omawiali sytuację. – Jeszcze za sto lat będzie się mówiło o tej niesamowitej historii, zobaczy pan.

Zawiadowca pokiwał głową i dolał swemu gościowi wódki.

EPILOG

Łabonarówka, 2019 rok

– Czyli wychodzi na to, że Adelajda miała uciec z Tytusem, ale to się nie powiodło? – spytała Róża, a Maks zaciągnął się papierosem. Siedzieli w bawialni Wrzosowego Zakątka, czekając, aż Dorota rozmówi się z dyrektorką domu opieki.

– Jeśli domyśliliśmy się wszystkiego słusznie, to Tytus leży zagrzebany w którymś z inspektów w oranżerii. Stawiam na ten z palmami. Do tej pory nie został przekopany.

– Co zamierzasz zrobić?

– Przecież wiesz.

– Mogę z tobą jechać? To w końcu również moja historia.

Skinął przyzwalająco głową.

Z gabinetu dyrektorki wyszła zmartwiona Dorota.

– Jak babcia? – spytała Róża, a matka pokręciła głową.

– Niezbyt dobrze. Od razu to powiem, miałaś rację. Ta impreza w Łabonarówce to nie był dobry pomysł. Zapadła się bardziej w sobie, pogorszyło jej się. Gdzie ja miałam głowę, żeby na to pozwolić?! Powinnam się tego spodziewać! – zaczęła się oskarżać.

Córka westchnęła. Matka zawsze taka była. Niby brała winę na siebie, ale tak naprawdę oczekiwała pocieszenia, że to nie przez nią, a jedynie przez splot niekorzystnych okoliczności. Niespodziewanie w sukurs przyszedł Maks.

– Nie powinna się pani obwiniać. Pani matka w jakimś sensie odzyskała spokój.

– Spokój – prychnęła Dorota. – Pan raczy żartować.

– Tak uważam. Pogodziła ze sobą pewne fakty, ułożyła je. To również coś warte. Wcześniej nie mogła nanizać swoich wspomnień w odpowiedniej kolejności, nic z nich nie wynikało.

– A teraz wynika? Na pewno się cieszy, że żyła w rodzinie morderców i samobójców…

– Mamo, przestań. Maks usiłuje pomóc.

– Wiem. Przepraszam, jestem rozdrażniona.

Odprowadzili ją do samochodu i chwilę stali w milczeniu.

– Idziesz jeszcze do babci? – spytał Maks, a Róża pokręciła głową.

– Już byłam. Teraz śpi. Odwiedzę ją jutro. Może masz rację, że powinnyśmy przemyśleć zabranie jej stąd.

W końcu cała ta historia wzięła się z tego, że zamieszkała sama.

– Teraz ty się nie obwiniaj. Jedziemy?

– Jasne. Urszula jest bardzo na nas wkurzona?

– Czemu niby? Przyjęcie zakończyło się wielkim sukcesem, o benefisie twojej matki napisało kilka portali, nawet była wzmianka w telewizji.

– No, ale przy okazji wyszły takie rzeczy...

– Zbrodnia zawsze dobrze robi biznesowi, a już taka sprzed stu lat to najlepiej. Nic się nie martw, Urszula was nadal kocha, a może jeszcze bardziej.

„Wątpię" – mówiła mina Róży, ale ona sama się nie odezwała.

– W Łabonarówce będzie Natasza, nie przeszkadza ci to? – zmienił temat Maks.

– Dlaczego by miało? – rzuciła obojętnie. – A więc pogodziliście się? Wreszcie?

– Tak. Pewnie uznasz to za niepoważne? Raz zrywamy ostatecznie, potem wracamy do siebie. Postanowiliśmy pobyć ze sobą na próbę. Skoro ta sprawa ma się ku końcowi...

– Aha. – Nie skomentowała tego, po prostu gapiła się przez okno. Odczuwała jakąś przykrość, choć nie potrafiła określić tego wrażenia.

W Łabonarówce było tego dnia cicho i spokojnie, tylko w restauracji gościło kilka osób, które jadły biznesowy lunch. Urszula wyszła im na spotkanie.

– Miło panią widzieć. Jak babcia?

– Nie pogarsza się, a to już dobra wiadomość.

– Oczywiście. Maks, czy nie możecie tych swoich poszukiwań prowadzić dyskretniej? Mam dzisiaj gości i nie chciałabym wzbudzać sensacji...

– Jeśli coś znajdziemy, sensacja i tak będzie. – Zmarszczył brwi.

– Tak, wiem, ale na razie... – Zrobiła znaczącą minę, a on się skrzywił.

Róża czuła napięcie wiszące w powietrzu. Miała wrażenie, że Maks wcale nie powiedział jej prawdy. Pikantne skandale sprzed lat to jedno, ale odszukanie zwłok to wcale nie jest taka miła sprawa dla biznesu hotelarskiego.

– Będziemy niezauważalni – powiedział po chwili, widząc jej wzrok.

– Tylko o to mi chodzi – z ulgą zapewniła Urszula.

Wkrótce pojawiła się Natasza, która obrzuciła Różę pytającym spojrzeniem, ale po chwili jakby z niechęcią przystała na jej obecność. Teraz czekali tylko na ekipę poszukiwawczą.

– Wciąż zastanawiam się, co się właściwie stało z Matyldą – odezwała się Róża, siadając na drewnianym stole na sadzonki, który stał na środku cieplarni. – Babcia jest przekonana, że Adelajda ją zabiła. Tylko w jaki sposób? Jestem ciekawa, co ty o tym sądzisz, Natasza.

Lekarka się zadumała.

– Nie jestem takim śledczym jak wy – podkreśliła trochę ironicznie, ale potem od razu spoważniała. – Ale dobrze, przyjrzyjmy się faktom. Jeśli prawidłowo to wszystko wydedukowaliście, to Tytus został zastrzelony tutaj przez kogoś z nich: Karola lub Matyldę. Adelajda mogła podejrzewać swoją macochę i chciała się zemścić…

– Tak żeby upozorować obłęd? Albo doprowadzić ją do śmierci w taki właśnie sposób?

– Gdyby znała się na truciznach, to czemu nie. Jest sporo takich substancji. Tylko że to była nastolatka, która uczyła się w domu, wybaczcie, dziewczyna raczej ograniczona, nie podejrzewam ją o tak zaawansowane zainteresowanie chemią i farmacją.

– A gdyby w domu był ktoś, kto znał się na lekach? Umiał je robić? Leczył całą rodzinę? – zainteresował się Maks.

– Mówisz o ciotce Bisi? Ona była katoliczką, nie zabiłaby nikogo! – Natasza zmarszczyła brwi.

– Nawet w Biblii jest fraza „oko za oko, ząb za ząb" – upierał się.

Lekarka machnęła ręką.

– Ciotka, o ile rzeczywiście znała się na lekach, mogła to zrobić całkiem śmiało. Moim zdaniem jednak nie miała motywu. Śmierć Tytusa Wilskiego chyba nie bardzo ją obchodziła?

– Raczej nie, w ogóle go nie znała – przyznała z namysłem Róża.

– Właśnie. Przychodzi mi na myśl coś innego, bardzo prostego, a proste rozwiązania są najlepsze, prawda? – Natasza wbiła spojrzenie w Maksa, który kiwnął głową. – Oranżeria. Pełna trujących kwiatów. Każdy o tym wiedział, nawet dzieciom na pewno wbijano to do głowy.

„Nie zbieraj, nie bierz do buzi". Storczyki są trujące, a taka datura… – zawahała się. – Właśnie! Przecież objawy zatrucia bieluniem to jest dokładnie to, co mi opisywaliście jako dziwną chorobę Matyldy: omamy wzrokowe, słuchowe, utrata równowagi, dezorientacja, mówiliście, że chodziła po pałacu i nie wiedziała, gdzie jest, opowiadała dziwne historie… A ja myślałam, że to choroba von Economo!

Milczeli, popatrując po sobie.

– Mogła podać jej bieluń i zabić – szepnęła Róża.

– To się wcale nie musiało wydarzyć, to spekulacje – podkreślił Maks. – Twoja babcia jedynie podejrzewa. Wiemy tylko, że Adelajda nie wyjechała z nimi do Warszawy po licytacji majątku, bo najprawdopodobniej trafiła do szpitala.

– Mogła przejść załamanie nerwowe – podsunęła Natasza. – Nie zdziwiłabym się, gdyby po tym wszystkim targnęła się na własne życie. Nawet jeśli wcale nie przyczyniła się do śmierci macochy.

Róża pokręciła głową.

– Jakie to wszystko straszne – powiedziała.

Natasza poruszyła ramionami.

– Tak to jest, kiedy się dotyka takich tajemnic z przeszłości. Pewne sekrety powinny nimi pozostać.

– Naprawdę tak sądzisz? – Maks zmarszczył brwi.

– Oczywiście, że tak. Czy to, że rozwiązaliście w jakimś stopniu tę zagadkę, wyszło komuś na dobre? Nie! Babci Róży zatruliście życie, jej matce zepsuliście uroczystość, Urszula zamartwia się, jaki to wpływ będzie miało na jej hotel…

– Ale być może Tytus Wilski w końcu odnajdzie spokój. I choć nikt z jego rodziny już nie żyje i go nie szuka, ten rozdział zamknie się na zawsze – powiedział Maks głucho.

– Oby.

– Zaraz się przekonamy. – Wskazał na ekipę, która właśnie pojawiła się w ogrodzie i zmierzała do oranżerii. Mieli specjalistyczny sprzęt i radar do przeszukiwania ziemi.

– Najbardziej obiecujący jest ten obszar – stwierdzili po oględzinach tej części oranżerii, którą wytypował Maks. – Zaczynamy kopać.

Zbliżyli się do wykopu i przypatrywali się, jak postępują prace. Ekipa poszukiwawcza dosyć szybko natrafiła na szkielet zakopany pod korzeniami starej uschniętej palmy.

– Trzeba wezwać policję – zarządził szef brygady. – Po wyglądzie sądzę, że to dawne zwłoki, ale takie są procedury.

– Tak, z przekazów i plotek wiemy, że prawie sto lat temu mogło tu dojść do morderstwa – wyjaśnił Maks, wybierając numer.

– Sto lat? No to sprawa dawno przedawniona. – Uśmiechnął się szef ekipy poszukiwawczej. – Ewentualnie zagadka dla jakiegoś Archiwum X!

– Żeby pan wiedział – ponuro przyświadczyła Róża. – Tylko dla takiego prywatnego.

Wpatrywała się w pokryte ziemią kości, które leżały w wykopie. Było jej niewyobrażalnie smutno. Nie miała pojęcia, dlaczego Tytus musiał zginąć. Podejrzewała, że był to wypadek, jakaś kłótnia, która wymknęła się spod kontroli. Chcieli udaremnić jego wyjazd z Adelajdą i coś poszło nie tak? Czy ona też tutaj wtedy była? Co się naprawdę wydarzyło? Te pytania wciąż ją dręczyły i sprawiały, że czuła wielki ból i zadrę w sercu. I co się dalej działo z Adelajdą, jak potoczyło się jej życie? No i jak umarła? Czuła, że jeśli się tego nie dowie, nigdy nie zazna spokoju.

– Policja zaraz tutaj będzie. I prokurator – powiedział Maks, rozłączając rozmowę. – Trzeba uprzedzić Urszulę, bo będą ją na pewno przesłuchiwać. Oby nie dostała zawału.

– To standardowe postępowanie – uspokoił szef ekipy poszukiwawczej. – Nie ma się co bać.

– Czy pozwolą nam go potem pochować? – Róża spojrzała na Maksa pytająco.

– A chciałabyś?

– Bardzo. Przynajmniej miałabym poczucie, że coś zrobiłam dla Adelajdy. Cokolwiek. Bo dalej...

– Zamierzasz to pociągnąć? – spytał po prostu, a ona uniosła wzrok.

Wzruszyła ramionami.

– No wiesz. Niby zamknęliśmy jakiś etap, ale zostało jeszcze tyle znaków zapytania. Co robiła w Warszawie w latach trzydziestych? I skoro była taką gwiazdą, to czemu nic o niej nie wiemy, no i kim stała się w czasie wojny...

– I jakie były jej losy w powstaniu?

– Właśnie. To jest chyba najważniejsze... Tak, chcę to dalej ciągnąć.

– To świetnie, bo ja też.

Uśmiechnęli się do siebie z ulgą.

– Jesteście nienormalni. – Natasza stała obok nich i przysłuchiwała się ich rozmowie z obrzydzeniem. – Nie pojmuję tej fiksacji. Maks, obiecywałeś mi, że jak odkopiecie te pieprzone kości, to już będzie z tym koniec!

– Tak, ale sytuacja się zmieniła.

– Twoja sytuacja zawsze się zmienia. Po prostu w czarodziejski sposób, jak za dotknięciem różdżki, odmienia się o sto osiemdziesiąt stopni na jedną twoją zachciankę. Ja tak nie mogę żyć, Maks. Coś mi obiecujesz, a potem robisz ze mnie idiotkę. Wywracasz wszystko do góry nogami. Manipulujesz. Tak samo było wtedy, po Syrii...

Pobladł.

– Nie mów tak. Tego nie można porównywać.

– Ależ właśnie trzeba. To są identyczne sprawy. Zawsze musi być tak, jak ty chcesz. Zaślepia cię twój cel. Twój temat. Twoja prawda – tu Natasza uczyniła w powietrzu cudzysłów – która w istocie jest kłamstwem, bo się karmi bólem innych i ich krzywdą. Ale teraz to już koniec. Dałam ci tysiąc szans, lecz wiem, że nie warto. To już zamknięty rozdział, zakończona opowieść, ta między nami. Żegnaj. A tobie mówię, uważaj – zwróciła się do Róży. – Żebyś nie skończyła jak ja.

– Ja przecież... My nie... – zaczęła Róża, ale Natasza już wyszła, nie oglądając się za siebie. Maks wybiegł za nią, a Jabłonowska została w oranżerii z głupią miną.

Nie zdążyła zebrać myśli, bo do środka zajrzał umundurowany mężczyzna.

– Pani Róża Jabłonowska?

– Tak, to ja.

– Sierżant Pliszke. Prokurator Dzielski chce z panią mówić, jest w takim pokoju koło recepcji, takim mniejszym…

– Saloniku muzycznym Adelajdy.

– Być może, nie znam dobrze tego hotelu. Proszę stąd wyjść, bo zaczynamy czynności na miejscu.

– Dobrze…

Przeszła szybkim krokiem przez ogród, a w holu się zatrzymała. Zobaczyła przez szklane drzwi Maksa dyskutującego podniesionym głosem na parkingu z Nataszą. Jeśli próbował jej coś wyjaśnić, to ta kłótnia z pewnością niczego nie dała.

Ktoś na nią patrzył. Odwróciła się i spotkała ze wzrokiem Matyldy Korsakowskiej z portretu.

Przez chwilę miała idiotyczne wrażenie, że mierzą się z prababką spojrzeniem. Potem Róża powiedziała nieoczekiwanie na głos:

– Jestem po stronie Adelajdy. Mimo wszystko.

„Wiem” – rozbrzmiało w jej głowie, a Róża aż otworzyła usta ze zdumienia.

– Wydawało mi się, wydawało – mruczała do siebie, idąc do saloniku muzycznego na spotkanie z prokuratorem Dzielskim.

Koniec tomu I